GERHARD FRICKE

DIE BILDLICHKEIT IN DER DICHTUNG DES ANDREAS GRYPHIUS

GERHARD FRICKE

DIE BILDLICHKEIT
IN DER DICHTUNG
DES ANDREAS GRYPHIUS

MATERIALIEN UND STUDIEN ZUM FORMPROBLEM
DES DEUTSCHEN LITERATURBAROCK

1967

WISSENSCHAFTLICHE BUCHGESELLSCHAFT
DARMSTADT

Mit Genehmigung des Junker und Dünnhaupt-Verlages, Bad Godesberg
Unveränderter reprografischer Nachdruck der Ausgabe Berlin 1933
(Neue Forschung, 17)

Bestell-Nr.: 3977

© 1967 bei Junker und Dünnhaupt-Verlag, Bad Godesberg
Druck und Einband: Wissenschaftliche Buchgesellschaft, Darmstadt
Printed in Germany

Inhalt.

Vorbemerkung.

In wachsendem Maß ist die literaturgeschichtliche Arbeit der letzten Jahre um die Erschließung des 17. Jahrhunderts bemüht gewesen, das, lange gemieden und ungeehrt, heute die Anziehungskraft eines neuen Forschungsmittelpunktes neben der „Goethezeit" besitzt. Aber der Sammelbegriff „Barock" erscheint um so fragwürdiger und leerer, je stärker das Gesamtphänomen des literarischen 17. Jahrhunderts von allen Seiten her eingekreist wird, je intensiver vor allem die Einzelforschung — von den verschiedensten Ansatzpunkten her und in strenger Beschränkung auf das Mögliche — Teilbezirke des fast unabsehbar breiten Gesamtbereichs in Angriff nimmt, um sie stofflich, historisch und interpretatorisch erschöpfend zu bewältigen. Für die gegenwärtige Lage der Barockforschung, die von den methodisch und programmatisch bahnbrechenden Arbeiten S t r i c h s , V i ë t o r s und G. M ü l l e r s her ihren Ausgang nahm, ist es charakteristisch, daß die ergebnisreiche Monographie von H. P y r i t z über Flemings Liebeslyrik, die doch ein Zentrum „barocker" poetischer Verwirklichung angreift, den Terminus „Barock" bewußt ausschaltet: Der eindringenden Betrachtung zerrannen alle herkömmlich dem „Barock" subsumierten Stilattribute, sie verloren ihr Spezifisches und erwiesen sich fast restlos als zugehörig und entnommen einem Jahrhunderte alten System poetisch-rhetorischer Wortkunst. Es dürfte in der Tat nicht leicht sein, irgendwelche stilistisch bedeutsame Wendungen und Figuren des „Barock" zu isolieren, die sich nicht wörtlich, strukturell oder zum mindesten „virtuell" als Erbe des „Petrarcismus", wenn nicht schon der spätrömischen Rhetorik und Kunstpoesie nachweisen ließen. Wie auch für die rhetorische und poetische T h e o r i e die Fäden dieses Gewebes, welches das 17. Jahrhundert mit dem vorangehenden und mit der Antike verknüpft, in kaum entwirrbarer Dichte laufen, hat Borinskis Werk erwiesen. Aber Rhetorik und Poetik der Renaissance bilden nur e i n e Voraussetzung der deutschen Kunstdichtung des 17. Jahrhunderts, die sich als eine letzte, schließlich haltlos entartende Ausstrahlung jener antik-renaissancehaften Konzeption der Dichtkunst fast leichter ver-

stehen läßt als wenn man sie aus ihren selbständigen Kräften
heraus zu begreifen sucht. Denn auch der „Gehalt" der poetischen
Leistungen des 17. Jahrhunderts verliert scheinbar, je fester man
zugreift, seine „barocke" Substanz und Kohärenz; er zerstäubt
in eine Vielzahl von Motiven und Idealen, deren Herkunft über
die ganze Breite des philosophisch und literarisch anerkannten
Europa: Holland, England, vor allem die romanischen Länder —
führt und geschichtlich bis zur Tiefe stoischen Lebensgefühls
hinabreicht. Galt doch die Dichtkunst, wenigstens bei den theoretischen Streitern gegen ihre Verächter, als eine Art Universal-
poesie: Totalität des Wissens war die ideale Voraussetzung, wie
andererseits erst in der souveränen und kunstvollen Handhabung des
Poeten alles Einzelwissen wesentlich wurde und Gestalt erhielt.[1]

So führt die erstaunliche Mannigfaltigkeit der in der Poesie
des 17. Jahrhunderts wirksamen Motive und die dem modernen
Auge in ihrer Einheit so undurchdringliche Vielschichtigkeit der

---

[1] Nur einige Beispiele für diese Anschauung, die, gleich vielen ähnlichen, zu formelhaften Wendungen erstarrt, von einem Lehrbuch in das
andere wandert: z. B. etwa das vielgelesene Lehrbuch des Anton. Sebast.
M i n t u r n u s , „De Poeta", Venedig 1609, S. 19: „... Poetica est
oceanus omnium disciplinarum", quo illae omnes confluunt, ut inde ortum
habuerunt."

Ferner Opitz, „Buch von der deutschen Poeterey", Hall. Neudr. 1882,
S. 11: „So ist auch ferner nichts närrischer, als wann sie meinen, die
Poeterey bestehe bloß in jhr selber; die doch alle andere künste vnd
wissenschafften in sich helt."

Alhard M o l l e r , „Tyrocinium Poeseos Teutonicae", Braunschweig
1656, S. 4: Dichter müssen „in allen Theilen der Welt-Weisheit / auch
beides in lengst- und erst-jüngst verstrichenen Welt-Geschichten / ja
alles uff einmal außbredend in vielen / so wol Himmel; als Erd-
beliebigen Wissenschafften erfahren und belesen sein."

H a r s d ö r f f e r , „Poetischer Trichter", Nürnberg 1650, I. Teil, S. 5:
„.. daß der den Namen eines Poeten / mit Fug / nicht haben möge /
welcher nicht in den Wissenschaften und freyen Künsten wol erfahren sey . . ."

J. K l a j , „Lobrede der Teutschen Poeterey", Nürnberg 1645, S. 5:
„Niemand muß ihm aber die Meinung schöpfen / als ob die Poeterey mit
lauter Vnwahrheiten umgienge / und bestünde bloß in ihr selber / da sie
doch alle andere Künste und Wissenschafften in sich hält."

J. B. N e u k i r c h , „Anfangsgründe zur Reinen Teutschen Poesie
itziger Zeit", Halle 1724, S. 16: ... im Poeten müssen „als in einem
Mittel-Punct, alle Wissenschafften und Künste zusammen fließen ..."

„barocken" Geisteslage bei allen Versuchen, zu generalisierenden Deutungen und Formeln des Gehaltes, des „inneren Stils" der Epoche zu gelangen, immer nur zu Teilresultaten, zu Schlaglichtern, deren hell beschienener Ausschnitt zugleich alles Übrige und schon die unmittelbare Nachbarschaft um so dunkler erscheinen läßt. Darum ist es gerade für diese Epoche der Literaturgeschichte nötig, daß zunächst einmal in noch weit stärkerem Maße als bisher, unter vorläufigem Verzicht auf weitgreifende und allgemeingültige Ergebnisse und Gesamtformeln, auf alle typisierende Zusammenschau, der auf die Bewältigung des Stoffs und der Sache gerichtete induktive Weg eingeschlagen wird. Nur wenn so in bewußt fragmentarischer Einzelarbeit die konkrete Gegebenheit gesehen, bewältigt und entziffert ist, kann der Bau des die Vielfalt überbrückenden und zusammenschließenden Bogens gewagt werden.[2])

So schweben alle Urteile etwa über den Gesamtstil des Barock, aber auch alle Einzelvergleiche solange in der Luft bloßer Hypothesen, als sie den Boden der literarischen Tatsachen nur immer flüchtig berühren durch hier und da erspähte Beispiele, durch das Herauszupfen gelegentlicher Zitate, die, auch wenn sie charakteristischen Wert haben, doch immer nur Teile eines außerordentlich komplexen Ganzen sind und den begründeten Verdacht erregen, daß ohne große Schwierigkeiten auf die gleiche Weise auch eine sehr abweichende Vermutung geäußert und belegt werden könnte.

Aber die wesentliche Stabilität eines überindividuell gültigen, breiten und ästhetisch durchformten Materials innerhalb der Dichtung des Barock gibt dem Versuch, den sachlichen Bestand

---

[2]) Vgl. auch H. P y r i t z , Paul Flemings deutsche Liebeslyrik. Palästra 1932, S. 209. Den methodisch gleichen Weg monographischer Bewältigung streng begrenzter Teilbezirke gingen nach A l e w y n s Vorgang die Arbeiten von A. J o s e p h , Sprachformen der deutschen Barocklyrik, Rottach 1930; A. J e r i c k e , Johann Rists Monatsgespräche, „Germanisch und Deutsch", H. 2. Berlin und Leipzig 1928. H. P l i e s t e r , Die Worthäufung im Barock. „Mnemosyne", H. 7. Bonn 1930. G. A. N a r z i ß , Studien zu den Frauenzimmer-Gesprächspielen G. P. A. Harsdörffers. „Form und Geist", H. 5. Leipzig 1928. W. K a y s e r , Die Klangmalerei bei Harsdörffer. „Palästra" 179. Leipzig 1932. N. S a - l e c k e r , Christian Knorr v. Rosenroth, „Palästra" 178. Leipzig 1932.

in der konkreten Ausprägung, die er bei einem entscheidenden, besonders wirkungsreichen Autor erhalten hat, zu erfassen und zu deuten, eine über den isolierten Gegenstand weit hinausreichende Bedeutung: es kann so eine materielle Basis geschaffen werden, die zugleich individuelle und typische Geltung und Anwendbarkeit hat und die als Maßstab für die Erkenntnis der Strukturveränderungen in der Gesamtepoche zu dienen vermag. Aus diesen Erwägungen heraus soll im Folgenden der Versuch unternommen werden, Art und Verwendung der B i l d l i c h - k e i t, dieses für den Aufbau der barocken Literatursprache zentralen Stilmittels, an einer bestimmten Stelle, bei Andreas Gryphius, nach Umfang und Leistung festzustellen.

Gryphius ist gewählt, weil sich bei ihm neben der großen Tragödie die Lyrik und die rhetorische Prosa der Leichenreden — also die drei Hauptgattungen des gehobenen Stils, — finden, weil seine eigenen redaktionellen Korrekturen, wenn auch in beschränktem Maße, Richtung und Entwicklung seines Bildstils besonders deutlich erkennen lassen — und schließlich, weil er den eigentlichen Übergang des sogenannten „Renaissance"-Stils bei Opitz zum „hochbarocken" Stil der späten Schlesier bildet. Er hat noch fast alle wesentlichen Stilelemente der in Opitz sich verkörpernden Renaissancepoesie, und gleichzeitig ist virtuell die ganze kommende Entwicklung der hochbarocken Sprachform bei ihm gegeben.[3]) Die stoffliche Beschränkung auf Gryphius mag darin ihre Rechtfertigung finden, daß hier einmal versucht werden soll, die G e s a m t h e i t des bildhaften Vorganges wesentlich vollständig zu verarbeiten. Dies ist wiederum bei Gryphius noch eben möglich, — bei Lohenstein würde es bereits am Umfang des Stoffes scheitern.

Die vorliegenden Studien entstanden im Jahre 1929/30 und wurden im Frühjahr 1931 der Philosophischen Fakultät der Universität Göttingen als Habilitationsschrift vorgelegt.

Der Notgemeinschaft der Deutschen Wissenschaft sei auch an dieser Stelle ehrerbietiger Dank ausgesprochen, daß sie durch ihre Hilfe die Drucklegung der Arbeit ermöglicht hat.

---

[3]) Vgl. auch V. M a n h e i m e r, Die Lyrik des A. G. Berlin 1904, S. 56: „Seine Sprache „opitziert", weist überraschend oft auf den voropitzischen Stand und hat in vielen Punkten Opitz schon überwunden."

Erstes Kapitel.

Das dichterische Bild in der Poetik des Jahrhunderts.

Ein rascher Überblick über die Antworten, die seitens der poetischen Theorie des Jahrhunderts auf die Frage nach Funktion und Leistung des dichterischen Bildes erteilt werden, möge den allgemeinen Raum abgrenzen, in den sich die Untersuchung gestellt sieht und gleichzeitig die Richtung deutlich machen, in der die Probleme des „barocken" Stilgebrauchs liegen. Freilich stehen Poetik und Poesie in einem verwickelten, für die geistige Lage des 17. Jahrhunderts sehr lehrreichen Verhältnis: beide decken sich keineswegs. Denn begreiflicherweise ist die Theorie viel fester an den Zug der klassischen Tradition, an den sie durch Opitz angeschlossen wurde, geknüpft als die dichterische Praxis. Sie schleppt einen durch die Autorität des Alters und der klassischen Gesetzgeber geheiligten Bestand von Formeln und Grundsätzen mit, die über die französische und italienische Renaissance bis auf die Antike zurückgehen und oft sonderbar beziehungslos, ja widerspruchsvoll neben der wirklichen Poesie einherlaufen. So wird die Poetik des 17. Jahrhunderts, wie Opitz sie begründete, zum wichtigsten Träger jenes Systems klassizistisch-restaurativer Stilgesetze, deren beherrschende Geltung das Entstehen einer deutschen Kunstliteratur überhaupt erst ermöglichte. Aber wenn auch der primitive Auszug romanisch-klassizistischer Kunstregeln, den Opitz den Deutschen vorlegte, und welchen seine Nachfolger rasch zu zitat- und beispielgefüllten Kompendien aufschwellten, den gestaltlos ringenden Kräften den ersehnten Halt und den verlorenen Anschluß an „die" Poesie gab, — so wurde doch gleichzeitig damit den sich regenden eigenen Seelenkräften des Jahrhunderts die Möglichkeit autonomer Formgebung genommen, sie wurden überfremdet und konnten sich in Zukunft nur noch Ausdruck verschaffen durch die Dehnung, Aufschwellung, Zerrung und Überspannung der klassischen und pseudoklassizistischen Formenwelt, gleichsam durch eine „legale" Revolution also, die jedoch den Bann der

niemals bewußt angefochtenen klassischen Kunstgesetze nicht
zu zerbrechen wußte, wenn diese in der Praxis auch oft in ihr
tatsächliches Gegenteil hinein verzerrt wurden. Und während
die barocke Poetik die humanistischen Vorbilder von Opitz über
Ronsard, die Scaliger und Vida bis hinab zu den „Alten" beständig
ab- und ausschrieb, wuchs die Entfremdung zwischen Geist und
Form bis zu klaren Gegensätzen. Aber der Geist des Barock
vermochte sich aus der Pseudomorphose der klassizistischen Form
nicht mehr zu befreien. Das Ergebnis war, daß die ursprünglichen, „barocken" Seelenkräfte sich schließlich erschöpften und
ihres Pathos und ihrer Substanz verlustig gingen. Der ver-
wildernde klassizistische Stil wucherte selbständig weiter, bis
die aufklärerische Reform ihm, der zum hohlen „Schwulst" geworden war, ein Ende bereitete.[1])

Von der vielfachen Beziehungslosigkeit der Poetik — soweit
sie über die Metrik hinausging — und der Poesie zeugt auch
der geringe Grad theoretischer Berücksichtigung, der den für
das Jahrhundert immer wichtiger werdenden Gattungen der
Tragödie[2]) und des Romans zuteil wird, zeugt ferner die meist
flüchtige, tradierten Formeln zugeneigte Behandlung des poetischen Bildgebrauchs.

---

[1]) Zur Frage der Pseudomorphose des barocken Geistes innerhalb
der „Renaissance"formen vgl. auch H. H e c k e l , Geschichte der deutschen Literatur in Schlesien, 1. Band: Von den Anfängen bis zum Ausgang des Barock, wo es S. 233 über diesen unbewußten Bruch des Barock
mit der Renaissance heißt: „Man glaubt, die alten Formen zu bewahren
und nur in modernerem Geiste weiterzubilden, und doch unterhöhlt man
sie durch eine eigenwillige, ihrem Wesen völlig fremde Rhythmik." Und
S. 232: „Im Barock bricht sich der deutsche Kunstwille an der überlegenen Macht der Renaissancekultur." — Vgl. auch den Hinweis auf
die Überfremdung der barocken deutschen Sprache durch Renaissance
und romanisches Barock bei H. P o n g s , Das Bild in der Dichtung,
I., Versuch einer Morphologie der metaphorischen Formen, Marburg
1927, S. 131.

[2]) Die umfangreiche theoretische Literatur enthält nur erstaunlich
Dürftiges zur Tragödie — die betreffenden Sätze Opitz' stammen, wie
Borinski festgestellt hat, aus Scaligers „Idea". Nur in Holland nahm
sich Heinsius des Trauerspiels an (De tragoediae constitutione 1611) —
noch schwächer sind die, soweit ich sehe, bei Birken einsetzenden Ver-
suche, sich des Romans theoretisch zu bemächtigen.

Ein Hauptziel der Renaissancedichtung bestand in der Herstellung eines neuen, höheren, vom Alltäglichen und Vulgären entfernten und nur der Bildung zugänglichen Sprachniveaus. Es ist im Grunde die alte klassische Forderung der perspicuitas und des ornatus, wie sie schon Q u i n t i l i a n an den Rhetor stellt.[3]) Leichtigkeit und Zierlichkeit des Ausdrucks, Verwendung seltener und unverbrauchter Worte, Einbeziehung der nur der Bildung offenen Bereiche, besonders der antiken Mythologie, elegante und gefällige Aufschmückung der Sprache durch geschmackvoll darüber ausgestreute Blumen bunter und erlesener Epitheta, anmutiger und beschwingter Metaphern, graziöser und in aller Ungesuchtheit geistreicher Gleichnisse, — das σαφές, ἡδύ und ξενικόν des A r i s t o t e l e s , das B u c h n e r mit „perspicuus, iucundus, peregrinus" wiedergibt,[4]) — darauf laufen immer wieder die Anweisungen der Renaissancedidaktiker hinaus. „Nihil aliud", heißt es bei J. C. S c a l i g e r , „est poesis, quam rerum imago quaedam, decora atque apta concinnitate humanas mentes rubigine ac taedio detergens."[5]) Und R o n s a r d führt aus, worin decus und concinnitas bestehen: „ . . . ainsi la Poësie ne peut estre plaisante, vive ne parfaitte sans belles inventions, descriptions, comparaisons, qui sont les ners et la vie du livre."[6]) Und noch bei H a r s d ö r f f e r klingt es formal genau so: „Solche figurliche Reden sondern sich von den gemeinen alletags worten ab / und nähen sich der Poëtischen Kunstgeschmuckten Aussprache. Von welcher Ronsard sagt / daß zwischen den Poëtischen und gemeinen Red-Arten eine Todfeindschaft sey."[7])

Auf diese Welt humanistisch-klassizistischer Vorbilder und Anweisungen, hinter denen sich zuletzt, mit welchem Recht auch immer, der Schatten des Aristoteles erhob, der sich vom Ahn der abendländischen Metaphysik zur letzten Autorität für das Ästhetische gewandelt hatte, — griff Opitz zurück, selber viel

---

[3]) De institutione oratoria, lib. 12, im 8. Buch.

[4]) A B u c h n e r , De commutata ratione dicendi, lib. 2, Leipzig 1630, S. 23.

[5]) Eclecta S c a l i g e r i , sententiae, praecepta, difinitiones, axiomata ex universis illius operibus selecta, Hannover 1634, S. 358.

[6]) De L'art Poëtique. Oeuvres complètes, Paris 1923, Tom. 4 p. 474.

[7]) Poet. Trichter, 3. Teil S. 66 f.

mehr ein klassizistischer als ein barocker Geist.[8]) Er gab der deutschen Poesie den Willen und die Möglichkeit zur Form zurück und gab ihr die angestrengte Bemühung um die technische Vollendung auf, ohne die es keine Kunst gibt. Das verleiht ihm in den Augen seiner Zeitgenossen und Nachfolger das Ansehen eines Marksteines in der deutschen Literaturgeschichte. Neukirch spricht nur die allgemeine Überzeugung aus, wenn er in seinem Versuch einer beschreibenden Literaturgeschichte mit drei Epochen rechnet, von denen die erste bis zu Karl dem Großen, die zweite von Karl dem Großen bis zu Opitz, die dritte bis zur Gegenwart führt.[9])

Meidung des Gewöhnlichen, — so ließe sich die stilistische Tendenz der Renaissance negativ ausdrücken; positiv: der Dichter muß sachlich und noch mehr durch die Form — denn eine Frage der Gestalt vielmehr als des Gehaltes ist die Dichtung der Renaissance — Neues, Seltenes, Erlesenes, Unerwartetes, aber immer Erhöhtes, Geschmücktes, Zierliches bringen. Er muß den Leser beständig durch Überraschungen entzücken, aber er muß es wirklich immer auf eine elegante, entzückende, niemals plumpe, drastische oder niedrige Weise tun. So befreit Scaligers Werk, diese „Inkunabel der modernen literarischen Kritik",[10]) von den Banden der sprachlich-alltäglichen Konvention und stellt das Neuartige als Ziel des dichterischen Strebens auf: „Licet poeta tum contra leges, tum consuetudinem loqui; Arcessere praeterea voces alias ab iis quae in communi usu sunt. Nihil enim maiorem comparat gratiam quam novitas."[11]) Diese Fähigkeit, über dem Überdruß der gemeinen Wirklichkeit eine nie ermüdende, heitere und gedankenvolle, glänzende und beziehungsreiche Welt metrisch und sprachlich bezaubernder Formen zu entfalten, macht den Dichter. „. . der Poet weit ausstreicht / sich als ein Adler in die höhe schwingt /

---

[8]) Das zeigt deutlich die lehrreiche Untersuchung R. Alewyns, „Vorbarocker Klassizismus und griechische Tragödie", Heidelberg 1926.

[9]) J. G. Neukirch, Anfangsgründe zur Reinen Teutschen Poesie itziger Zeit, Halle 1724, S. 4.

[10]) K. Borinski, Die Poetik der Renaissance und die Anfänge der literarischen Kritik in Deutschland, Berlin 1886, S. 12.

[11]) Eclecta Scal. a. a. O. S. 358.

die gemeine Art zu reden weit hinter ihm läst / alles kühner / bunter und fröhlicher setzt / alles was er fürbringt / neue / ungewohnt / gleichsam als mit einer Majestät vermischet / und mehr einem göttlichen Ausspruch und Orakul / als einer Menschenstim gleich scheinet."[12]) Und die „aufgeblasne / hochtrabende / und mit vielen Figuren verkünstelte Poëterey" ist „vielmehr bemühet das natürliche Wesenbild zuverstellen / als vorzustellen; ja die Sachen anderst auszudichten / als sie nicht sind / und das zu erfinden / was nirgendwo befindlich ist";[13]) dieser idealistische Zug nach dem, was sich (sprachlich!) „nie und nirgends hat begeben" bleibt ein wichtiges Merkmal auch der barocken Kunstanschauung. Die „figura loquuitionis" aber ist es, die der Sprache am stärksten das festliche und künstlerische Aussehen, die „decora facies .... a vulgari diuersa"[14]) gibt. Hier sind im Bild, im Gleichnis, in der Umschreibung die tausend Wege gegeben, zu deren Beschreitung V i d a den Dichter auffordert:

„ . . . . tu mille uias, tu mille figuras[15])
Nunc hanc, nunc aliā ingredere et mutare memento."
Und B u c h n e r wiederholt wieder nur geschichtlich Beglaubigtes, wenn er hervorhebt: „ . . . . diss erinnern wir noch allein / daß ein Poet zu förderst sich befleißen solle / schoene Metaphoren zu gebrauchen / dann fast nichts anders die Rede herrlicher / ansehnlicher / uñ auch lieblicher / und angenehmer macht / als eben dieses / wañ man recht damit ümbgehet . . . ."[16]) Denn die Metapher wurde immer mehr das wichtigste Mittel zur Vermeidung und Umgehung vulgärer Ausdrucksweise.[17]) So bringt der Dichter den Leser in eine beständige „Bewegung durch die Bewunderung",[18]) die alle seelischen und geistigen Kräfte unterhält und anregt.

---

[12]) A. B u c h n e r, Kurzer Wegweiser zur Teutschen Tichtkunst. Hgb. M. Götze, Jena 1663, S. 43.
[13]) H a r s d ö r f f e r, Poet. Trichter. Vorrede zu „Prob und Lob der Teutschen Wolredenheit".
[14]) J. C. S c a l i g e r, Poet. Lib. 7, 1586, 2. Buch, S. 496.
[15]) H i e r. V i d a, De arte poetica. Basel 1534, lib, 3, d 3.
[16]) A. a. O. S. 80.
[17]) K. B o r i n s k i, Die Poetik der Renaissance, a. a. O. S. 158.
[18]) B u c h n e r, a. a. O. S. 66.

Was für uns, die wir das selbständliche Gefühl und das Postulat des Organischen in uns tragen, den theoretischen Äußerungen wie den Dichtungen dieser Zeit den Anschein des Technischen, Artistischen, Getüftelten und Kunstgewerblichen gibt, ist die Auflösung der inneren Einheit der Dichtung in eine Vielheit isolierbarer Einzeldinge und Praktiken, begonnen bei der Trennung des für sich feststehenden und zunächst dichterisch ganz neutralen „Gehalts", der erst durch die nachträglich hinzutretende sprachliche Frisur und Kostümierung „poetisch" wird. Wie die Sprache als ein Arsenal von Wörtern aufgefaßt wird, so entsteht das Gedicht als ein kunstvolles Mosaik aus „Sinnreichen Gedanken / ... Verstandreichen Erfindungen / ... Kunstreichen Ausbildungen / ... Wortreichen Vorstellungen"[19]) usf. Opitz teilt Poesie und Rednerkunst ein in „dinge vnd worte",[20]) und die Sprachtheoretiker übergehen tatsächlich selbst den kleinsten und wichtigsten Organismus der Sprache: den Satz. Sie haben es nicht mit der Syntax, sondern mit den verba zu tun.

So liegt auch das eigentliche Ziel, das Wesentliche des Gedichts nicht im Gesamtinhalt, nicht in einer Idee, die organisch hervortritt, nicht in der Problematik der Handlung und der Charaktere; sondern die Idee löst sich auf in eine Fülle von einzelnen Gedanken, Pointen, Einfällen, die nun das jeweils passende Wort- und Bildkostüm erhalten. Der Inhalt kann ein verhältnismäßig belangloses äußeres Ereignis, ein ganz geläufiger Gedanke sein, er kann auch — wie häufig in den Tragödien — fast exakt irgendwelchen geschichtlichen Quellenwerken entnommen sein; worauf es allein ankommt, ist die poetische Form, ist das, was mit Hilfe der Sprache daraus gemacht wird.[21]) Der für die ästhe-

---

[19]) H a r s d ö r f f e r , Poet. Trichter, a. a. O. 3. Teil, Vorrede.

[20]) A. a. O. S. 19. Vgl. P. H a n k a m e r , Die Sprache, ihr Begriff und ihre Deutung im 16. und 17. Jahrhundert, Bonn 1927, S. 91: „Auch Opitz kennt die Sprache eigentlich nur als Wörtersumme." Vgl. auch S. 139.

[21]) So gibt z. B. O m e i s in seiner „Gründlichen Anleitung zur Teutschen accuraten Reim- und Dichtkunst", Nürnberg 1712 [2], zunächst gedankliche Entwürfe in Prosa für die verschiedensten Gedichttypen, dann wird dieser gedankliche Gehalt, der also grundsätzlich genau so prosaisch ausdrückbar ist, ohne die geringste Veränderung in die sprachliche Kunstsphäre hineinstilisiert. Vgl. auch G. N e u m a r k s auf Aristoteles Bezug

tische Theorie der Zeit zentrale, wenn auch im Einzelnen merkwürdig schwankende Begriff der „inventio", die überall als das Wichtigste am Gedicht bezeichnet wird, zielt keineswegs auf die „Idee", auf ein Inhaltliches, sondern, wie etwa bei H a r s - d ö r f f e r[22]) auf Gleichnis, Beseelung, Personifizierung, Sinnbild, — kurz, auf die Art, mit der jeder beliebige Inhalt durch das sprachkünstlerische Kostüm in die Sphäre der Poesie erhoben wird. Das Inhaltliche ist gleichsam die dürftige Schnur; erst dadurch, daß nun mit bedachtsamem juweliershaftem Wählen eine Perle und ein Edelstein nach dem anderen darübergestreift wird, entsteht der Schmuck, das Kunstwerk. A l h a r d   M o l l e r drückt das einmal so aus: „Finis oder der Zweck / dieser Kunst ist: daß durch Hülfe der süßklingenden Harmonia vieler zierlicheingeführten Wort-Glieder / mancher art / von herrlich- und vernünftigen Red-arten leuchtende / ... Gedichte können ausgearbeitet und ans Licht geführet werden."[23]) Eine neue Art des sprachlichen Ausdrucks, ein dolce stile nuovo, von dem M i n - t u r n u s sagt: „.... si dii loquerentur, poetica eorum esset oratio,"[24]) und V i d a singt:

„Hunc fandi morem .... ipsi
Coelicolae exercent coeli in penetralibus altis," —[25])

das ist jene ganz renaissancehaft-klassizistische Auffassung der Poesie, wie sie als eine bestimmte Schicht in allen Lehrbüchern auch des Barock wiederkehrt. Von hier erhellt, daß das literarische

nehmende Bemerkung („Tafeln oder gründliche Anweisung zur Teutschen Verskunst", Jena 1667, S. 297): „Denn ob gleich der Inhalt der Sachen / so ihm der Poet vornimmet / an sich selbst gar gering und niedrig ist: so gelanget er dennoch durch seine eigene Ahrt zu reden zu seinem Ziel ..."

[22]) Poet. Trichter, a. a. O. 1. Teil, S. 110 f. Vgl. auch G. N e u - m a r k, a. a. O. S. 100: „Die reichste Quelle der Erfindungen ist die Gleichnüsse ...."

[23]) A. a. O. S. 2. Vgl. R. I b e l, Hofmann von Hofmannswaldau, Studien zur Erkenntnis deutscher Barockdichtung, German. Studien 59, Berlin 1928, S. 35 f.: „Der übergreifende Sinn der Dichtung des 17. Jahrhunderts beruht in der Form. Der Inhalt erscheint der Form gegenüber für die deutsche Geistesgeschichte zum weitaus größten Teil belanglos ... das Prinzip der Form ist für die deutsche Barockdichtung das Entscheidende."

[24]) De Poeta, lib. 6, S. 13.   [25]) A. a. O. lib. 3, d 4.

17. Jahrhundert, stärker als die meisten anderen Epochen der deutschen Dichtung, von der Sprache her in seinem Wollen und in seinen innersten Bezügen zu erfassen ist. Aus den Gehalten der Barocklyrik und des Barockdramas ließe sich nur eine höchst unzulängliche und einseitige Deutung gewinnen, zumal sich — auch die einsame Gestalt Gryphius' ist hier weithin mit einbegriffen — die Grenze zwischen Persönlichem, „Echtem" und Typisch-Konventionellem, das der Zeit doch vielfach echter erschien als das Private, nirgends schwerer ziehen läßt, als in der Dichtung des Barock. Das „lasciva est nobis pagina, vita proba" des Martial kehrt hier wieder.[26]) Aber es ist gewiß nicht nur der begreifliche Wunsch nach vorsichtiger Einklammerung des erotischen Gebietes, sondern es bezeichnet ein viel weitergehendes, uneigentliches Verhältnis zum Gegenstand, zum „Gehalt", wie immer er sei, wenn K i n d e r m a n n einmal mit Berufung auf Opitz und Bircken sagt: „Die Leute / saget Herr Opitz / wissen nicht / und wollen nicht wissen / daß in solchen Gedichten offt eines geredet / und ein anderes verstanden wird / ja / daß ihm ein Poet die Sprache / und sich zu üben / wol etwas fürnimmt / welches Er in seinem Gemüthe niemahls gemeinet; wie dann Asterie / Flavia / Vandala u. d. gleichen Nahmen in diesen meinen Büchern / fast nichts als Nahmen sind / und so wenig für wahr sollen aufgenommen werden / so wenig als gläublich ist / daß der göttliche Julius Scaliger so viel Lesbien [etc. etc.] geliebet als gepriesen habe. Und der berühmte Pegnitz-Hirte / Herr Bethulius singet auf gleichen schlag:

Das Herz ist weit von dem / was eine Feder schreibet /
Wir dichten ein Gedicht / daß man die Zeit vertreibet.
In uns flam̃t keine Brunst / ob schon die Blätter brennen /
Von liebender Begier. Es ist ein bloßes nennen."[27])

---

[26]) Vgl. K. B o r i n s k i , Die Antike in Poetik und Kunsttheorie vom Ausgang des klassischen Altertums bis auf Goethe und W. von Humboldt, Leipzig 1914 und 1924, 1. Band, S. 137.

[27]) K i n d e r m a n n , a. a. O. S. 30 f. Sehr treffend heißt es bei G. M ü l l e r , Höfische Kultur, Buchreihe der Deutschen Vierteljahrsschr., Bd. 17, Halle 1929, S. 35: „Es ist vielleicht der Kern der treibenden humanistischen Überzeugung, daß der Mensch im Chaos seiner Ergriffenheiten mit verstandgeleitetem Willen das passionsfrei richtige Wort für

So hat also das Verständnis des deutschen Literaturbarock bei der Erfassung und Interpretation seiner S p r a c h g e s t a l t u n g einzusetzen. Und zwar ist das zunächst Wichtige nicht das gesamtstilistische Verhalten, die Aufmerksamkeit wird vielmehr in die Richtung gelenkt werden müssen, in die der Barockpoet und -poetiker zunächst und hauptsächlich blickte: zu dem sprachlichen Einzelding, dem Wort, der Figur, dem Bild. Denn wenn man von der vielfach nicht minder wichtigen Rolle der M e - t r i k absieht, so war die Stube des Poeten in erster Linie eine Wörterwerkstatt, eine Stätte zur „Zuebereitung vnd zier der worte".[28] Die „nachdrückliche / eingrifige und Sinnbeherrschende Süßigkeit der Wörter",[29] die „commutatio verborum", bestehend in den Synonymen, Metaphern, kurz, dem ganzen Reichtum der Figuren,[30] war das Hauptprinzip der Poesie.

O p i t z hat für die poetische Wortbearbeitung eine dreifache Richtschnur gegeben: „Die worte bestehen in dreyerley; inn der elegantz oder ziehrligkeit, in der composition oder zuesammensetzung, vnd in der dignitet vnd ansehen."[31]

Der erste Punkt bezieht sich lediglich auf das allgemeinsprachliche Niveau, auf Sauberkeit und Reinheit von grammatisch oder hochdeutsch nicht einwandfreien Dialektresten, von à la modischen Fremdwörtern, Vulgarismen und dergl. Sehr viel tiefer greift schon der zweite Punkt in die sprachformende und sprachbildende Tätigkeit des Poeten: die Wortzusammensetzung und die dadurch in das traditionelle Gefüge der Alltagssprache hineingebrachte Bewegung. Hier beginnt die eigentliche Arbeit des Renaissancepoeten am Wörtermaterial, hier knüpft er aus den vorhandenen Simplices wählend und prüfend Composita zusammen. Und obwohl bei solcher Addition nie oder nur durch einen Zufall ein Compositum entsteht, dessen Gehalt die Mög-

---

die Sache finden kann, den nicht erlebnismäßig, sondern ontologisch richtigen Namen, und daß er mit dem in diesem Sinne richtigen Benennen das Chaos der erlebnismäßigen Gegebenheiten in der Seele und in der Welt menschenwürdig durchformen kann."

[28] O p i t z, a. a. O. S. 19 und 27.

[29] J. G. S c h o t t e l, Ausführliche Arbeit von der Teutschen Haubtsprache, Braunschweig 1663, 4. Buch, S. 797.

[30] A. B u c h n e r, De commut. rat. dic., a. a. O. S. 11.

[31] A. a. O. S. 27.

lichkeiten der für sich genommenen Simplices überschreitet, steht schon die kunstvoll-ungewohnte Doppelung im Ansehen sprachschöpferischer Erfindung. Das ästhetische Wohlgefallen, das diese Composita erregen, rührt von der vermeintlichen Souveränität her, mit der der Dichter hier die Sprache durch „newe wörter" bereichert, und zugleich von der Freude, die das ganze Zeitalter an der Kontraktion mehrerer Bedeutungen empfand. Die Composita selber waren keineswegs individualisierend und charakterisierend, — sie lassen sich an ihrem Platze mühelos durch eine Fülle anderer Möglichkeiten ersetzen, wie sie selber ebenso mühelos auch für eine Reihe anderer Gegenstände ausschmückende, epithetische Verwendbarkeit hätten. Wenn Opitz hervorhebt: „Newe wörter, welches gemeiniglich epitheta, ... vnd von andern wörtern zuesammengesetzt sindt, zue erdencken, ist Poeten nicht allein erlaubet, sondern macht auch den getichten, wenn es mäßig geschiehet, eine sonderliche anmutigkeit",[32]) so fügt er als Beispiel für die Nacht oder die Musik (!) verwendbar hinzu: „Arbeittrösterin", „Kummerwenderin", wie auch das gleich darauf genannte Compositum „Wolckentreiber" nicht nur für den „Nortwind", sondern auch für jeden anderen verwendbar wäre. In diesen Zusammenhang des prüfenden Auswählens und Zusammensetzens reiht Opitz schließlich noch die Aufmerksamkeit auf die Klangwirkung bestimmter Vokal- und Konsonantenfolgen zum Zweck lautmalender Andeutung des Inhalts. Auch hier ist nicht etwa an die Lautmelodie, die in ihrer Ganzheit eine besondere Stimmung hervorruft, gedacht, sondern an das Lautabmalen einzelner konkreter Buchstabenfolgen, — es ist jene literarische Programmusik, wie sie später die Nürnberger und auch Zesen zu einer virtuosen Höhe ausgebildet haben.[33])

In das Zentrum der poetischen Spracharbeit aber führt erst der dritte Punkt bei Opitz, der auf „dignitet vnd ansehen" zielt.

---

[32]) A. a. O. S. 28 f., zitiert auch von A. Tscherning, Unvorgreifliches Bedencken über etliche Mißbräuche in der deutschen Schreib- und Sprachkunst, insonderheit der edlen Poeterey, Lübeck 1658, S. 63 f.

[33]) Vgl. hierzu vor allem die ausgezeichnete Untersuchung von Wolfgang Kayser, Die Klangmalerei bei Harsdörffer. Ein Beitrag zur Geschichte der Literatur, Poetik und Sprachtheorie der Barockzeit. Palaestra 179. 1932.

Die Gehobenheit und Würde besteht in den „tropis und schema-
tibus, wenn wir nemblich ein wort von seiner eigentlichen Bedeutung auff eine andere ziehen".[34]) Dieser noch ganz blasse, fast
beiläufige Hinweis wird für die Zukunft der barocken Sprache
von größter Wichtigkeit. Hier liegt für den sich entwickelnden
und zugleich ganz im Gehäuse der vorhandenen Regeln und Vorbilder, der klassizistischen Theorie gefangenen barocken Form-
willen gleichsam die Stelle des schwächsten Widerstandes. Hier
vermag er, scheinbar ganz in Übereinstimmung mit den „Alten",
durch die ihm eigenen Energien jene außerordentliche Aufschwellung bestimmter humanistischer Stilformen vorzunehmen, die
ein Hauptmerkmal der Kunstdichtung des Jahrhunderts ist.
Opitz begnügt sich noch mit dem bloßen Hinweis auf S c a l i -
g e r , dessen voluminöse Registrierung der Metapher[35]) im
Verein mit dem gerade hier für sein Gefühl ohne weiteres gültigen und übertragbaren Vorbildern ein näheres Eingehen erübrigte.

Auch B u c h n e r beschränkt sich auf einen kurzen Hinweis
auf die Wichtigkeit von Gleichnis und Bild für die dichterische
Sprache, und er fügt die — abermals von der gesamten Barockpoetik nachgesprochene — Mahnung hinzu, daß „man recht damit
ümbgehet / und die Metaphoren nicht zu dunckel / oder zu weit
hergenommen seind".[36]) In seinem lateinischen Hauptwerk warnt
er noch bedeutend lebhafter vor der Hypertrophie der Metapher:
„Primum igitur et generale praeceptum est, ut modus adhibeatur,
nec utamur Metaphoris, nisi cum necesse: hoc est, cum ipsa res
postulat, ut oratio amoenior laetiorque vel grandior ac sublimior
fiat."[37])

Wenn auch bei S c h o t t e l das Deutsche, legitimiert durch
eine bis in die biblische Urzeit der Menschheit zurückkonstruierte

---

[34]) A. a. O. S. 32.

[35]) J. C. S c a l i g e r hat im 3. Buch seiner Poetik etwa 100 Arten
von Figuren aufgezählt und stolz dazu bemerkt: „Figuras quidem ante nos
ad certas species nemo deduxit, sed ut quaeque se offerebat ita explicarunt,
quippe ignari philosophiae, usum tantum accepere, earum causas ignotas
habuere." Tatsächlich ist auch Scaligers Arbeit viel mehr ein Register
des usus als ein philosophisches Eingehen auf die causae. — A. a. O.
S. 307, vgl. 364.

[36]) Kurzer Wegweiser, a. a. O. S. 78 und 80.

[37]) Ders., De commut. rat. dic., S. 31.

Tradition, in den vollen Rang einer souveränen Haupt- und Heldensprache aufgerückt ist, wenn auch in immer neuen hymnischen Anläufen die kommende Erkenntnis von der Autonomie und der eigenlebendigen Unerschöpflichkeit der Nationalsprache heraufzusteigen beginnt,[38]) so blieb doch auch der berühmte Braunschweiger Philologe überall da, wo er von gelegentlichen Visionen und Postulaten zur praktischen Spracharbeit überging, Worttechniker, Ordner und handwerklicher Bearbeiter eines toten, objektiven, festliegenden Sprachmaterials, Sammler und Aufhäufer der copia verbarum, eines Wörtermuseums. Auch er löst sich praktisch nicht von der atomisierenden Vorstellung, die das Sprachganze in eine Vielheit letzter Einheiten, in Wortatome zerlegt, und auch für ihn bleibt also die Sprache wesentlich das riesige Wörterarsenal. Wenn er die Gleichberechtigung, ja Über-

---

[38]) Hatte O p i t z mit vielen Nachsprechern neben der selbstverständlichen Beherrschung der antiken Vorbilder geradezu gefordert, der Poet solle „die epitheta .... sonderlich von der Griechen und Lateinischen abstehlen, vnd vns zue nutze machen ...." (a. a. O. S. 32) und hatte T s c h e r n i n g verlangt:
„Hier liesestu Athen / hier hastu Rom zu finden /
Nicht reime nur allein. Mit worten worte binden
Kan auch ein schlechter mann. Wer nicht genau versteht /
Was Rom war und Athen / heißt weit nicht ein Poet",
(Kurzer Entwurf oder Abriß einer deutschen Schatzkammer. Einl.) — so ist bei S c h o t t e l diese Nivellierung der Nationalsprachen als gleichsam nur verschieden gefärbten, aber den gleichen, gültigen Stilgesetzen unterworfenen Materials bereits überwunden. Schottel verlangt, daß wir die deutsche Sprache „aus ihr selbst erheben / sie in ihre eigene Landart kleiden / nicht nur den Griechen und Römern / wie die sprechen / nachsprechen lassen ...." (Ausführliche Arbeit. 1. Buch, 7. Lobrede, S. 108.) Und H a r s d ö r f f e r ist nur Schottels Schüler, wenn er einmal klar formuliert: „Diejenigen / so vermeinen / man müsse die teutsche Poeterey nach dem Lateinischen richten / sind auf einer gantz irrigen Meinung. Unsre Sprache ist eine Haubtsprache / und wird nach ihrer Eigenschaft / und nach keiner anderen Lehrsätzen gerichtet werden können." (Poet. Trichter, S. 18.) Vgl. dazu auch A. S c h m a r s o w, Leibniz und Schottelius, Straßburg 1877 (Q. u. Forschg. z. Spr. u. Cg. 23) und P. H a n k a m e r, Die Sprache, ihr Begriff und ihre Deutung im 17. Jahrhundert, besonders das vor allem Schottel behandelnde Kapitel „Grammatik, Philologie und Sprachphilosophie", S. 123 f., sowie meinen Aufsatz „Die Sprachauffassung in der grammatischen Theorie des 16. und 17. Jahrhunderts. Zeitschr. für deutsche Bildung 1933.

legenheit der deutschen „Hauptsprache" feststellen will, so tut er
es, indem er zunächst ihre große Zahl von „Stammwörtern", sodann aber ihr überragendes Vermögen zur Bildung von Doppel-
wörtern nachweist. In der praktischen Ausführung dieser Fähigkeit der deutschen Sprache, durch Komposition eine kaum zählbare
Fülle variabler Ausdrücke mit letzthin doch nicht qualitativem,
sondern quantitativem Effekt herzustellen, verliert sich die
bei S c h o t t e l in echter Ahnung zutage tretende Richtung auf
das Schöpferische, Lebendige, Organische wieder im Technischen,
Experimentierenden, Tüftelnden und Addierenden. „Die Doppelung oder Verdoppelung (Compositio) ist ein rechtes Haubttheil
und das allervornemste Kunststück in der Teutschen Sprache."[39]
Die Poesie bleibt auch bei ihm inhaltlich „ein anmuthiger Auszug / und gleichsam ein süßschmekkendes Gericht aller ersinne-
ten Wissenschaften", formal aber „dero rechte gehörige versüßende
Ausrede / aus den innersten Schatzgruben der Sprache ent-
liehen".[40] Und auch die Erkenntnis, daß eine Übersetzung nur
möglich ist als Übertragung in einen ganz anderen Sprachgeist,
als Neugeburt also aus einem eigenen Sprachleben heraus, gipfelt
schließlich doch wieder in der Forderung, daß der Übersetzer
„einen großen Vorraht Teutscher Wörter"[41] zur Hand haben
muß. Als Beispiel nennt S c h o t t e l 18 Möglichkeiten der Umschreibung für den Ausdruck „Prozeß führen", 18 für „den Weg
der Gewalt wählen", 19 für „in der güte handeln", wie er kurz
zuvor über 150 verschiedene Ausdrücke und Umschreibungen des
Begriffs „sterben" namhaft gemacht hatte, Das aber bedeutet,
daß die Poesie auch bei S c h o t t e l wesentlich bleibt, was sie
schon bei O p i t z war: ein Um-Schreiben an sich geläufiger und
jedenfalls durchaus prosaisch wiederzugebender Stoffe und Gedanken in die höhere, ungewöhnlichere und künstlichere Schrift
des poetischen Stils. Der durch die Uneigentlichkeit aller Ausdrücke hervorgerufene „Entgegenständlichungsprozeß"[42] der

---

[39] Ders. a. a. O. Buch 2, Kap. 12, Von der Doppelung der Nenn-
worte, S. 398.

[40] Ders. a. a. O. 7. Lobrede, S. 114.

[41] Ders. a. a. O. Buch 5, Kap. 16, Wie man recht verteutschen soll.
S. 1221.

[42] Sehr fein weist W. F l e m m i n g in der Einleitung zu seiner
Ausgabe des „Schlesischen Kunstdramas" („Deutsche Literatur", Reihe

Sprache wird auch durch ihn nicht aufgehalten. Jene bei S c a -
l i g e r einmal ganz deutlich ausgesprochene Trennung von res
und verbum[43]) ist charakteristisch für diesen Kunstbegriff und
wird uns im folgenden immer wieder beschäftigen. Die res, die
facta, sind da und haben im natürlich-empirischen Seinsbereich
ihren unabänderlichen Bestand. Die Poesie aber hat es nur in-
soweit mit diesen res zu tun, als sie im verbum eine s p r a c h -
l i c h e Existenz erhalten. Die Dichtung bleibt eine Angelegenheit innerhalb des sprachlichen Bereiches. Sie besteht in der
Kunst, den res, die an sich immer bleiben, was sie sind, das
sprachliche Alltagskleid abzuziehen und jenen Umkleidungs-
prozeß vorzunehmen, für den die Anzahl und die Eleganz der
Kostüme der wichtigste Maßstab ist. Die Wesensbestimmung der
Kunst als „imitatio" erhellt den rein sprachlichen Charakter der
Poesie nur von einer neuen Seite. Denn der Akt der imitatio
ist nur die lustvolle Wiederholung und Umsetzung einer realen
Wirklichkeit in die fiktive des sprachlichen Ornaments. Die
innere Distanz des Dichters von der Sache wie vom Wort und
das dieser Haltung entsprechende unpersönlich-sachliche Schal-
ten mit beiden, dieser artistisch-technische Charakter weiter
Schichten der barocken Kunstdichtung liegt grundsätzlich bereits
dem Verfahren des humanistischen Poeta und Rhetor um 1500
zugrunde. Über der starren und disparaten Welt der realia erblüht
diese „idealistische" Poesie, die aus der zutiefst unverbindlichen
Welt der verba mit spielerischer Willkür und graziöser Wendigkeit
„frei" und „schöpferisch" einen erhöhten Abglanz, eine „Wiederholung" der realia in den sprachlichen Raum hineinzaubert. Und
hier beginnt dann das künstlerische Spiel des Poeten, der das un-
aufhebbar Eine und Bestimmte der Sache auflöst in die geistvolle Vielfältigkeit von Benennungen, Umschreibungen, Beziehungen und Gleichnissen. Die Freude an dieser neuen Namengebung,

---

Barock I 1930, S. 31 f.) auf die „Uneigentlichkeit der Wortkunst" hin,
wie sie gerade in der Behandlung der Ephitheta hervortritt, „die Wörter,
zu denen sie treten, gestalten sie .... nicht charakteristischer, sondern
entfalten sie zu bloßer Sinnbildlichkeit; sie überflimmern gleichsam den
Umriß". Vgl. auch H u b e r t S c h r a d e r, Beiträge zu den deutschen
Mystikern des 17. Jahrhunderts, 2, Abraham von Frankenberg, Diss.
Heidelberg 1923, S. 220.
   43) J. C. S c a l i g e r, Poet. lib. 7, Buch 3, S. 303.

dieser durchsichtigen Verhüllung, dieser metaphorischen Vertauschbarkeit und Beziehungsfülle der Dinge gehört zu den Grundbestandteilen des ästhetischen Genusses der Zeit. Daher gehört der Synonyma-Zettelkasten — und zwar keineswegs als notwendiges Übel oder mechanischer Behelf empfunden — zu den Voraussetzungen jeder poetischen Arbeit, wie O m e i s ihn einmal empfiehlt: „Und zwar die geschickt — und zierliche Ausrede betreffend / so muß der Poët sich erstlich eine Wörter-Menge zu legen / damit er leichtlich ein Wort gegen das andere verwechseln kŏnne"; als Beispiel führt er dann für die Sonne an „das guldne Sonnen-Rad", „das Aug der Welt", „der durchleuchte Sternen - Fürst", „der demantne Sonnen - Wagen" usf.[44] Wohl wird die alte Mahnung S c a l i g e r s , man möge sich in der Nähe der „Sachen" halten und sich vor der Katachrese hüten, in fast allen Barockpoetiken weitergeschleppt, auch bei S c h o t t e l ist sie da, der ihr sogar mit einem katachretischen Warnungsbeispiel aus Horaz Nachdruck verleiht.[45] Tatsächlich aber bleibt das summarische Rezept J. B. N e u k i r c h s das mehr oder weniger eingestandene Verfahren des ganzen Jahrhunderts: „Du nimmst die vorhabende Materie, darauf du alludieren willst und läuffst mit derselben in deinen Gedancken geschwinde die Natürlichen Dinge durch, so sich im Himmel, in der Lufft, auf der Erde, in der Erde und in den Wassern befinden";[46] und Sache der Kombinationsgabe ist es nun, die allegorisch-metaphorischen Beziehungen auch der entlegensten Dinge zu dem jeweiligen sujet zu finden. „Nec enim ulla res est, quocunque censeatur nomine, unde similitudinem non possis ducere" ist B u c h n e r s Überzeugung.[47] Auch der vieldeutige, in immer wieder anderen Zusammenhängen auftauchende Zentralbegriff der barocken Poetik: die Erfindung, die „inventio", zielt nicht auf ein Individuelles und Schöpferisches im Sinne etwa der Goethezeit, sondern bedeutet ein analytisches Herausheben und Herstellen von Beziehungen, die irgendwie mit den Dingen selber

---

[44] Gründliche Anleitung zur Teutschen accuraten Reim- und Dichtkunst, S. 145 f.
[45] Lib. 4, S. 797.
[46] J. B. N e u k i r c h , a. a. O. S. 169.
[47] De commut. rat. dic., S. 466.

gegeben sind, die ablösbar von der Individualität des „Erfinders"
allgemeine und typische Gültigkeit und Verwendungsfähigkeit
haben. Wieder macht O m e i s das besonders deutlich: „Ueber-
diss können auch artige Erfindungen und Einfälle hergenommen
werden ex iis, quae cadunt sub oculos, von allen denen Sachen
und Geschöpfen / so einem zu Haus und auf dem Felde zu Gesicht kommen...." So findet der das Lob der Gelehrsamkeit
singende Dichter in der Sonne ein Gleichnis zu der erleuchtenden
Kraft des Wissens; sieht er einen Berg, so fällt ihm ein, daß
man mit Hilfe der Gelehrsamkeit Parnaß und Helikon erklimmen
kann; geht er an einem Acker vorüber, dann weiß er, daß Gelehrsamkeit viele Früchte, Unwissenheit jedoch Dornen und
Disteln einträgt; steht er vor einer Tür, dann denkt er daran,
daß es die Gelehrsamkeit ist, welche die Tür zum Ehrentempel
öffnet.[48] Dies praktische Beispiel wirft ein sehr bezeichnendes
Licht auf den inneren Vorgang bei den Poeten des 17. Jahrhunderts. Es zeigt aufs Neue, in welchem Maße die Struktur
des barocken „Dichtens" die viel späteren Kategorien des Persönlichen, Individuellen und Schöpferischen noch ausschließt.
Das Ich des Dichters bleibt innerhalb der sachlichen Welt der
physischen und geistigen „Dinge" ohne Belang. Die Einzel-
erfindung im Sinne des eben angeführten Beispiels bleibt ohne
jede subjektive Tönung, sie ist ganz versachlicht und gleichsam
ein losgelöstes Stück gültiger poetischer Erkenntnis geworden,
die jederzeit auch von einem ganz anderen Dichter in ganz
anderem Zusammenhange verwandt werden könnte.[49]

---

[48] O m e i s, a. a. O. S. 136. Vgl. auch Birkens für die unpersönliche
Sachlichkeit und Künstlichkeit des Bildvorgangs charakteristischen Satz,
der es deutlich macht, daß diese Gleichnistechnik das gegenständlich-
distanzierte Nebeneinander der beiden Gleichnishälften nie zu überwinden
vermag: „Eine schöne Verse - Zier sind die Gleichnisreden / oder
Metaphorae: darin zu betrachten das Ding oder die Sache / davon man
poetisiert und redet / folgends ein ander Ding oder Sache / und endlich
die Gleichheit / so zwischen diesen beiden ist ... Auf solche weise kann
man von allen Dingen / von GOtt und Menschen / von Engeln und
Teufeln / .... (usf.) Gleichniße hernehmen." (Teutsche Rede - Bind-
und Dichtkunst, Nürnberg 1679, S. 79 f.)

[49] Sehr treffend urteilt G. M ü l l e r, Die deutsche Dichtung von
der Renaissance bis zum Ausgang des Barock, Handbuch der Literatur-
wissenschaft, Wildpark-Potsdam 1929, S. 210: „Für die echt barocke

Erst die Nürnberger, H a r s d ö r f f e r vor allem, haben Wesen und Funktion des Gleichnisses innerhalb der barocken Dichtung zum Gegenstand nachdenklicher Spekulation gemacht und sind so zu freilich oft widerspruchsvollen Ansätzen einer Art von Philosophie der symbolischen Formen aus dem Geiste des Barock gekommen.

H a r s d ö r f f e r verwirft ausdrücklich die für sein Weltgefühl fast nihilistische Auffassung, daß die Dinge in autonomer beziehungsloser Isoliertheit nur in sich und für sich beständen. Denn „gewißlich ist eine Zusammenstimmung aller Sachen in diesem ganzen Erdkreis und vergleichet sich der sichtbare Himmel mit der Erden / der Mensch mit der ganzen Welt".[50]) So wird eine durchgehende Korrelation. das wechselseitige Sicherhellen und Sichwiderspiegeln alles Seienden, die reale Sinn- und Bedeutungsverknüpfung des einen mit dem andern zur Grundlage der Poesie. Und diese Poesie ist wesentlich Allegorik.[51]) Für Harsdörffer gibt es zwei Wege zur Erkenntnis der Sachen: durch die Isolierung der Einzeldinge „ohne Betrachtung / was derselben Eigenschaft / und Beschaffenheit seye / wann sie mit andern vereinbaret wird", — oder aber „durch die Gegenhaltung gleichständiger Sachen / wann man viel auf einmahl anschauet / und solche gegeneinander hält / ihre Gleichheit und Ungleichheit betrachtet / und diese Erkanntnis vergnüget den Verstand so vielmehr / so viel weiter sie sich erstrecket / eine Sache vollständiger an das Liecht setzet / und gleichsam von einer Warheit / in die andere leitet. Diesem nach ist die Gleichnis der Hebel oder die Hebelstangen / welche durch Kunstfügige Ein- und Anwendung aus dem Schlamm der Unwissenheit emporschwinget / was man sonder solche Gerettschaft unbewegt muß erliegen lassen".[52])

Dichtung wäre das persönliche Urerlebnis und seine organische sprachliche Gestaltung, wenn es dort überhaupt erschiene, etwas Unwertiges. Es ist für sie etwas Außerdichterisches, weil — in ihren Kategorien zu sprechen — Unpolitisches, Privates, Untugendhaftes, Undiszipliniertes."

[50]) Frauenzimmer-Gesprächs-Spiele, Nürnberg 1644, Teil 8, S. 191. Vgl. dazu G. A. N a r z i ß, Studien zu den Frauenzimmer-Gesprächs-Spielen G. Ph. Harsdörffers. „Form und Geist", 5. 1927.

[51]) Vgl. ebenda Teil 1, S. 17.

[52]) Poet. Trichter, Teil 3, S. 57.

Hier beginnt die gleichnishafte und metaphorische Funktion über die Rolle des bloßen Ornaments hinauszuwachsen. Das Gleichnis wird zu einem neuen produktiven Mittel der Erkenntnis. Es führt hinein in das verborgene Gewebe der unsichtbaren Bedeutungszusammenhänge der Dinge, es weist den Weg zur inneren Einheit der äußerlich starren und isolierten „Sachen". Nichts ist in der Welt zu finden, was nicht durch das Gleichnis geöffnet und enträtselt werden kann.[53]) So „kan .... eines aus Vereinbarung mit dem anderen viel besser an das Licht gebracht werden / und erscheinet dasjenige / so mit einer anmutigen Gleichnisse als mit einem köstlichen Gewand umgeben / so viel herrlicher und schöner / so viel beweglicher und ansehnlicher / so viel lieblicher und leichter als die bloßentdeckte Beschaffenheit der Sachen selbsten".[54]) Und die Gleichnisse werden „Blicke der Wahrheit / welche / als von einem Feuerspiegel erhitzt / mit so viel mehren Krafte wieder zurücke strahlen".[55])

Harsdörffer unterscheidet dabei drei Arten von Gleichnissen: Das L e h r g e d i c h t , wozu etwa die neutestamentlichen Gleichnisse gehören, die B e i s p i e l g e s c h i c h t e , also das historische Exempel und d i e H ä u f u n g v o n G l e i c h - n i s s e n z u e i n e m Z w e c k , das Ikon,[56]) an anderer Stelle nennt er die gleichen drei Gattungen „beweisend", „beispielhaft" und „erklärend".[57])

Im poetischen Gleichnis arbeitet der Geist an der Herausstellung eines durchgehenden deutbaren Zusammenhanges der Dinge, die immer mehr in eine unendliche Vielzahl von isolierten Gegenständen, Wirklichkeiten, Sachen auseinanderzufallen drohen. Aber es wird — so stark ist der Drang zum Differenzierten und Vereinzelten — nie ein Ganzes zum Symbol einer anderen Ganzheit, sondern das Gegeneinanderhalten mehrerer Einzeldinge läßt

[53]) Poet. Trichter, 2. Teil, die zehende Stund.
[54]) Frauenzimmer-Gesprächs-Spiele, a. a. O. Teil 1, S. 17.
[55]) Ebenda.
[56]) Poet. Trichter, Teil 2, S. 54 f.
[57]) Ebenda, Teil 3, S. 58 f. B u c h n e r teilt ähnlich ein in „imago". „comparatio", „exemplum". De com. rat. dic., S. 463. Etwas abweichend A. Chr. R o t t h , „Kürzlich und doch deutlich und richtige Einleitung..." Leipzig 1688, S. 26 ff.

wiederum nur bestimmte, isolierte, identische Bezüge zutage-
treten. Das Vergleichen von Seinsfragmenten hat zum Resultat
das Bedeutungsfragment. Dem Chaos der „Sachen" kann nicht ein
Kosmos entsprechen, sondern wieder nur ein Chaos von Beziehungen, Ähnlichkeiten und Bedeutungen. Und hier erweist sich
denn der Versuch, von der Poesie her die neue atomistische Wirklichkeit zu überwinden, als mißglückt, denn das Gleichnis selber
verfällt alsbald demselben Atomismus und gleitet in das Spiele-
risch-Rationale ab; es wird zur nichtverpflichtenden Belustigung
des Verstandes und des Witzes. Den Nürnbergern fehlte die
mystisch-metaphysische Substanz, die es Böhme und wenigen
Männern des Jahrhunderts gelingen ließ, über den sinnbildlichen
Gehalt und die Verwandtschaft aller Dinge zu einer neuen einheitlichen Innenschau vorzudringen.

Auch bei Harsdörffer erhebt sich der Geist über die diffuse
und zerrüttende Wirklichkeit, aber er erschöpft sich in der
substanzlos-ungebundenen, schweifenden und zu innerst will-
kürlichen Nebeneinanderstellung von „Sachen" und findet einen
technisch-sportlichen Reiz darin, schlechterdings heterogene Gegenstände, die durch nichts Tatsächliches oder Ideelles mehr
verbunden sind, zu kombinieren. Die Gesprächspiele mit „gebundenen Gleichnissen" etwa zeigen, wie dieses Gleichnisverfahren
in seiner letzten Konsequenz nicht zu einer metaphorischen Bewältigung der Wirklichkeit führt, sondern wie es umschlägt in
das unverbindliche, wirklichkeitsflüchtige Amüsement einer Haus-
und Gartengesellschaft. Es werden dort die vier Gesprächs-
partner aufgefordert, nacheinander das tertium comparationis
zwischen sich selber und den vier Jahreszeiten, vier Winden, vier
Haupttugenden, vier Hauptflüssen usf. zu suchen; es wird der
Gleichnisbezug zwischen einer Laterne und der Menschenstimme
(Laterne rund, Menschenstimme verbreitet sich ins Runde!),
zwischen der Liebe und dem Kartenspiel erfragt.[58]

Dies Ergötzen am kaleidoskopartigen Durcheinanderschütteln
der Dinge, diese behende und geschmeidige Assoziationskraft,
die beständig fähig sein muß, alles auf alles zu „alludieren",
macht für den barocken Dichter nicht minder wie für den Renaissancepoeten neben den „seltenen Gaben der Natur" die „Er-

---

[58]) Frauenzimmer-Gesprächs-Spiele, Teil 1, S. 17, 33, 34.

kundigung fast aller Wissenschaften vonnöthen".[59]) Der Poet
muß gleichzeitig Realenzyklopädist sein, damit er alle Bereiche
des Seins und der Geschichte beherrschen und sie jederzeit metaphorisch fruchtbar machen kann; er „durchwandert.... die Länder der Himmel / die Straßen der Kreise / die Sitze der Planeten / , ... durchkreucht den Bauch der Erden / er durchwädet
die Tiefen / schöpffet scharffe Gedancken / geziemende zierliche
Worte lebendige Beschreibungen / nachsinnige Erfindungen /
wolklingende Bindarten / ungezwungene Einfälle / meisterliche
Ausschmükkungen / seltene Lieblichkeiten und vernünfftige
Neuerungen".[60]) Dem entspricht es, daß nur der gelehrte Leser
den Genuß hat, in den Andeutungen, Verhüllungen und Gleichnissen die Fülle des künstlich hineingeflochtenen Wissenstoffes
wiederzufinden, während „bey dem Büffelhirnigen Pövel die tief-
sinnige Poeterey in keine schätzbare Achtung gesetzt werden
kann" ...[61])

Auch bei den Nürnbergern bleibt Bild und Gleichnis trotz
aller von dem belesenen Harsdörffer ausgeschriebenen mystischen
Philosopheme wesentlich eine rationale Technik, eine zur Virtuosität ausbildbare Tugend des kombinierenden, assoziierenden
und einfallsschnellen Witzes, die eher in das helle Licht des Sa-
lons und ihrer elegant-geistreichen Gesellschaftsspiele als in die
dämmerige Klause des grübelnden Mystikers gehört.

Aber damit ist erst eine Schicht der barocken Theorie von
Bild und Gleichnis freigelegt und vielleicht schon in unzulässiger
Weise isoliert worden. Neben dieser von der Renaissance zur Auf-
klärung hinlaufenden Linie, die ein kombinatorisches Spiel des
die Dinge vertauschenden Verstandes mit allegorischem Tiefsinn
verbindet, und aufs Engste mit ihr verflochten, läuft eine
wesentlich s e n s u a l i s t i s c h e , die mindestens ebenso wichtig
für das Verständnis des poetischen Kunstwollens im Allgemeinen
und des dichterischen Bildes im Besonderen ist.

Mit der gesamten poetischen Theorie des Jahrhunderts ist die
Überzeugung unlöslich verknüpft, daß die Dichtung ein redendes

---

[59]) Poet. Trichter, 2. Teil, Vorrede.

[60]) J. K l a j , Lobrede der deutschen Poeterey, Nürnberg 1645,
S. 3—7.

[61]) Poet. Trichter, Teil 3, Zuschrifft; vgl. Teil 2, S. 3 und Teil 1, S. 5.

Gemälde ist, ein „lebendiges, von treflicher Meisterhand / nach
nur ersinlicher Kunst / ausgefertigtes Gemähld / das uns aus dem
Papyr zuspricht"[62]) — wie andrerseits die Malerei nur eine
„stumme Poetery" ist.[63]) Schon für Q u i n t i l i a n sind die
figurae die colores verborum — wie G r y p h i u s in der Vorrede zu den „Thränen über die Leiden des Herrn" „Erfindungen"
und „Farben" synonym gebraucht — und für M i n t u r n u s ist
die Poesis picturae simillima.[64])

Aber wieder wird ein traditionelles Element nur herausgehoben, um unter Beibehaltung der autoritären Formeln innerlich verwandelt zu werden. Dies Zeitalter der großen natur-
wissenschaftlichen Umwandlung des Weltbildes empfing wie kein
anderes seine Eindrücke in hervorragendem Maße auf optischem
und akustischem Wege. Der Satz J a c o b M a s e n s „Signa
magis quam oratio movent"[65]) bleibt für das ganze Jahrhundert
gültig. Nicht minder charakteristisch ist eine Bemerkung von
J o h. L u d w. P r a s c h, der den Reim als einen hohen Vorzug
der deutschen Poesie hervorhebt, weil er den Lesern die Unter-
scheidung von Poesie und Prosa erleichtere und die reizvollsten
akustischen Wirkungen ermögliche. In der Antike bleibe der
Unterschied von Poesie und Prosa oft zweifelhaft, „aber im
Teutschen kann es nicht verborgen bleiben / weil die Verse in

---

[62]) J. K l a j, Lobrede a. a. O. S. 20.

[63]) H a r s d ö r f f e r, Poet. Trichter, 3. Teil, S. 101. — In den auf-
schlußreichen „Vier Gesprächen über die Malerei" des F r a n c i s c o d e
H o l l a n d a, Originaltext mit Übersetzung von Joaquim de Vasconcelles,
Quellenschriften für Kunstgeschichte und Kunsttechnik des Mittelalters
und der Neuzeit, Neue Folge, 9. Band, Wien 1899, heißt es S. 67: „Es
scheint fast, als hätten die Dichter kein anderes Bestreben gehabt, als
die Vorzüge der Malerei zu lehren...." „.... ein schönes Gemälde nach-
zuahmen, das ist es, was sie für die größte Kunst halten." S. 69: „Der
ganze Ovid ist ein einziges Gemälde." S. 71: „Die guten Dichter voll-
bringen .... mit Worten nicht mehr als mittelmäßige Maler kraft ihrer
Bilder .... Jene befriedigen die Ohren nicht immer, ... während diese
die Augen sättigen." S. 72: „Wonach die Dichter trachten .... ist, mit
Worten .... einen Meeressturm oder den Brand einer Stadt ausmalen,
den sie viel lieber wirklich als Bild malen möchten, wenn sie es
könnten" usf.

[64]) A n t. S e b. M i n t u r n u s, a. a. O. S. 33.

[65]) A. a. O. S. 67.

ihren Reimen dergestalt daher rollen / und klingen / wie ein
trabendes Schlittenpferd in seinem hochzierlichen Aufputz und
silbernen Schellengeleut / oder ein galopirender Hengst quadru-
pedante pedum sonitu sich hören läßt".[66]) Das W o r t als
Träger und Gestalt geistiger Bedeutung galt nur als abgezogenes,
sekundäres Instrument der Verständigung, als unentbehrlicher
Behelf ohne Eigenwert. K u n s t entstand erst da, wo der Poet
über die bloßen Worte hinausgelangte und selbständige optische
oder akustische Wirkungen erzielte. Und von hier aus erhebt
sich für die poetische Theorie aufs Neue die Forderung nach
B i l d h a f t i g k e i t der Dichtungssprache, diesmal aber ausdrücklich im Sinne sensueller Reize und Wirkungen. „Wie
nun . . . . die Wort mit den Ohren reden / also reden die Bilder
mit den Augen / und sonder solcher Kundigung kan sich der
Poët seiner Kunst wenig rühmen; Massen er das / was nicht
ist / als ob es vor Augen stünde vor und mit natürlichen Wort-
Farben ausmahlen sol," heißt es bei Harsdörffer[67]) und gleich
darauf: „Wie ein königlicher Palast mit vielen Seulen / Bildern / Rosen und dergleichen gezieret ist / also machet auch die
Mahlerey und Bilderey ein Gedicht prächtig / ansehlich und beliebet".[68]) Die Malerei ist die Kunst schlechthin; sie überfremdet
die Dichtung, indem sie die Kunst des Wortes den sprachfremden
Gesetzen objektiv-sensueller Wirkung unterwirft.

Aber diese Forderung nach der stärkstmöglichen Identität
des malerischen und des poetischen Effektes berührt sich aufs
Engste mit der Forderung nach den Figuren als wichtigstem
Stilmittel poetischer Formgebung. Denn Tropen und Figuren
sind vor allem Träger und Erzeuger des malerischen Kolorits.
Diese Wirkung auf das Auge als den menschlichen Hauptsinn
hebt V o s s i u s einmal rühmend bei der Metapher hervor:
„Nullus autem tropus plus luminis adfert oratione Metaphorâ
si ad sensus ipsos admoveatur, maxime oculorum, qui sensus
acerrimus."[69]) Die wesentlich sensualistische Aufgabe der Figuren

---

[66]) Gründlicher Anzeiger von Fürtrefflichkeit und Verbesserung
Teutscher Poesie, Regensburg 1680, S. 11.
[67]) Poet. Trichter, a. a. O. Teil 3, S. 105.
[68]) Ebenda S. 108.
[69]) Elementa rhetorica, a. a. O. S. 54.

in der Kunstsprache des 17. Jahrhunderts ist für ihr Verständnis und ihre Interpretation von großer Wichtigkeit. Sie sollen alles Einzelne so sinnlich wirksam machen, als sei es gemalt. Denn auf den Reiz, den Affekt, nicht etwa auf die Anschaulichkeit zielt das „ut pictura poesis" im 17. Jahrhundert.

Die Tropen und Colores aber erheben die poetische Sprache aus der blassen, dem Zweck der Verständigung dienenden Schicht der verba in die sinnlichere, wirkungsmächtigere der pictura. Und die barocke Bildwelt entsteht, „indem auch das geistigste Gefühl, der abgezogenste Gedanke als eine Weichheit, eine Farbe, ein Ton, eine Süßigkeit, ein Parfüm empfunden wird".[70]) Dies barocke Verlangen nach Visibilität und Sensualität geht bis zur völligen Ablehnung des „bloßen", unanschaulichen Wortes als Sinnträgers. H a r s d ö r f f e r sagt, das Malen und Sinnbilden verhalte sich zum bloßen Wort wie das Tun zum Sprechen. „Durch das Tun aber bemercken wir die Verthäuungen . . . . und die stummen Geberden / mit welchen eines jeden Gemütes Meinung ausgedrücket werden."[71])

Auch die Tendenz zur Onomatopoiie wurzelt im Ideal des „Malerischen" — schon O p i t z lobt die „harten und gleichsam knallenden" Buchstaben in Virgils Ätnabeschreibung,[72]) und H a r s d ö r f f e r stellt erfreut fest, daß die Natur „in allen Dingen, welche ein Getön von sich geben, unsere Teutsche Sprache" redet.[73]) Das Wort beginnt erst, interessant und wertvoll zu werden, wenn es Abmalung der Sache wird, die es ausdrückt, wenn es also die res in sensuelle Wirkung, in Affekte umsetzt. Daher eröffnet die Lautmalerei einen wichtigen Zu-

---

[70]) F. S t r i c h , Der lyrische Stil des 17. Jahrhunderts. Abhandlungen zur deutschen Literaturgeschichte, F. Muncker dargebracht, München 1916, S. 44 f.

[71]) Frauenzimmer-Gesprächs-Spiele, Teil 1, S. 40.

[72]) Buch v. d. deutsch. Poeterey, a. a. O. S. 31. Vgl. H a r s d ö r f f e r , Poet. Trichter, 1. Teil, S. 110: „Hierbey ist nicht zu vergessen / daß sich der Poet bemühet / die Stimme der Thiere / oder den Ton eines Falls / Schlages / Schusses / Sprunges / Stoßes oder anders was einen Laut / oder eine Stimme von sich giebet / auf das vernehmlichste auszudrucken."

[73]) Frauenzimmer-Gesprächs-Spiele, 1. Teil, Anhang. Schutzschrift für die Teutsche Spracharbeit, S. 14.

gang zu der Welt der verba. Das verbum wird ein tönender
Teil des res, ihre akustische Offenbarung. Es ist echt barocke
Philologie, wenn die Worte als tonmalende Hieroglyphen der
Dinge angesehen werden. Diese sensuelle Etymologie wird gerade auch wieder von den Nürnbergern eifrig betrieben. So gibt
es für K l a j „kein Wort in Teutscher Sprache / das nicht dasjenige / was es bedeute / wovon es handele / oder was es be-
gehre / durch ein sonderliches Geheimnis ausdrükke: also daß
man sich über die unausdenkige Kunst / die Gott unserer
Sprachen verliehen / wundern muß".⁷⁴) Freilich schwanken die
Nürnberger, wie Kayser in seiner gründlichen Untersuchung gezeigt hat, zwischen einer tiefsinnig mystischen Ausdeutung des
Wortklangs auf dem Hintergrund der Natursprachenlehre, dem
primitiven Vergnügen an der akustischen Übereinstimmung von
Naturvorgang und sprachlicher Wiedergabe und schließlich dem
Spielen mit sachlich beziehungslosen, klanglich selbständigen
Vokalentsprechungen und Lautgebilden.

Die Poesie ist also die Kunst, extreme Zuständlichkeiten
des Seins, wie etwa das Grauen des Krieges, die Verzückung der
Wollust u. a. durch höchstgesteigerte sensuelle Mittel, durch
Farbe, Ton und Melodie, vorzutäuschen, die Wirklichkeit gleichsam zu wiederholen nicht durch Gestaltung eines Inneren, sondern durch Addition sprachlicher Töne und Pinselstriche, die
dann künstlerisch gelungen sind, wenn sie das Wort als solches
in Vergessenheit gebracht haben und nur noch als sensuelle,
affektsteigernde Impression wirken. Denn nicht auf das Unendliche der Seele und der Stimmung, nicht auf das Fluten des Gefühls, sondern auf den Reiz des Auges und des Ohres, auf die
pathetische Bewegung der assoziierenden sensuellen Phantasie
kommt es an. In der malerischen Wirkung liegt der ästhetische
Wertmaßstab: „Wie nun der Redner zu seinem Inhalt schick-
liche Figuren / abgemässne Wort und der Sachen gemässe Be-
schminkung und Beschmuckung anzubringen weiß / seine Zuhörer
zu bewegen: Also sol auch der Poët mit fast natürlichen Farben
seine Kunstgedanken ausbilden / und muß so wol eine schwartze
Kohlen aus der Höllen gleichsam zuentlehnen wissen / die ab-

---

⁷⁴) Lobrede, a. a. O. S. 14.

scheulichen Mord-Greuel eines bejammerten Zustandes aufzureisen; als eine Feder aus der Liebe Flügel zu borgen die Hertzbeherrschende Süßigkeit einer anmutigen Entzückung zu entwerffen . . . ."[75])

Die Gattung, in der Wort und Farbe, Sache und Bedeutung, Sinnliches und Geistiges so eng wie möglich aufeinander bezogen waren, die daher zum Lieblingsbereich der Geister des 17. Jahrhunderts wurde, ist d a s S i n n b i l d , das Emblem, — nach H a r s d ö r f f e r s Definition „ein Gleichnis / welches durch eine Figur und Schrift / des Erfinders Meinung zu verstehen gibet / und mit sonderbarem Nachdruck auswürcket".[76]) Das Emblem befriedigt die Neigung nach der Zwei- und Mehrdeutbarkeit alles Vorhandenen; es enthält das Tüfteln über das Sichtbare hinaus und durch das Sichtbare hindurch nach einem Hintersinn, nach einem „das bedeutet", das Bedürfnis, jedes Ding nicht zunächst eigentlich, sondern uneigentlich zu nehmen, als Träger und Künder von Geheimnissen, als Umhüllung von Sinn und Geist, als sichtbare Rätselaufgabe, wie denn für Harsdörffer auch das Rätsel nichts als ein „dunkles Gleichnis" ist.[77]) Es ist die barocke Verwirklichung des klassischen Prinzips der Verleiblichung des Sinnes und der Durchgeistung des Stoffes, wie hier die Welt, die in eine unendliche, disparate Vielheit selbständiger Einzeldinge auseinanderstürzt, noch einmal zusammengehalten wird durch den mittelalterlich-idealistischen Glauben, daß alles Seiende auch ein Bedeutendes zu sein vermag, alles Geistige erst in seiner sinnlichen Ent-

---

[75]) H a r s d ö r f f e r , Poet. Trichter, 3. Teil, Vorrede.

[76]) Frauenzimmer-Gesprächs-Spiele, 1. Teil, S. 53. Vgl. auch K. A. K r o t h , Die mystischen und mythischen Wurzeln der ästhetischen Tendenzen Georg Philipp Harsdörffers. Diss. München 1922, Maschinen-Ms., S. 85: „Im Barock hat das Sinnbild in seiner merkwürdigen Fähigkeit, Natur und Kunst . . . Malerei und Dichtung zu einem Ganzen zu vereinen, als höchster Kunstausdruck des menschlichen Geistes gegolten. Wir finden daher alle Eigenart des Barock in ihm wiedergegeben . . . ."

[77]) Poet. Trichter, 2. Teil, S. 65. Vgl. F. G u n d o l f , Martin Opitz. München-Leipzig 1923, S. 32: „. . . . ein Hauptzweig und eine Hauptpflicht der Kunstpoesie ist das Uneigentliche: die Dinge heißen nicht nach ihrem Wesen, sondern nach ihren Beziehungen und Bedeutungen . . . ."

sprechung und Versichtbarung zur Ruhe kommt. Dann ist der
Mensch der Wirklichkeit mächtig, dann ist die Wirklichkeit
human, menschenwürdig, wenn das sinnleere Chaos des bloß
Seienden verwandelt ist in einen Kosmos um den Menschen
zentrierter Bedeutungen.

Eine Vertiefung in die mystisch-kabbalistischen Traktate
und Lehrbücher, in denen oft mittelalterliche Weisheiten, etwa
des Physiologus, unmittelbar wieder lebendig werden, zeigt, wie
es sich bei den zahllosen allegorisch-emblematischen Tüfteleien,
den Buchstabenspielen, bei der Zahlenmystik und Farbensymbolik,
bei den Namenumsetzungen und vor allem bei der ausgebildeten
Lehre von den allegorischen Figuren keineswegs nur um
willkürliche und leere Spielereien einer form- und zuchtlosen
ratio handelt. Selbst die gekünstelten anagrammatischen Spielereien etwa eines Zesen, bei dem aus „Margareten": gern am
Rate, mag er raten, er mag arten, mager arten, arm geraten usf.
wird,[78] — sind zugleich ein Zeichen, wie auch das Wort eine
vielbedeutende, über ihr äußeres So-Sein hinaus voll geheimer
Sinngehalte steckende res ist, eine Aufgabe vielmehr als eine
Lösung. Von hier aus gehen dann die Linien zu dem gnosti-
schen und kabbalistischen Schrifttum der Zeit. Gegenstände wie
Stein, Totenkopf, Ruine usf. sind nicht nur, als was sie sichtbar
erscheinen, sondern zugleich reale Verkörperungen bestimmter
seelischer und gedanklicher Gehalte von höherem Wirklichkeits-
wert als es Worte und Begriffe wären. So waren die emblematischen Lehrbücher von M a s e n , B e c a n u s , A l c i a t u s ,
S p a n g e n b e r g , P e t r a s a n c t a , Nic. C a u s s i n oder
das italienische des C a e s a r e R i p a gleichzeitig Einführungen
in den Tiefensinn der „Sachen", ein zum Sprechen Bringen, ein
vernünftig und durchsichtig Machen der stummen und in sprö-
der Verschlossenheit in sich selbst verharrenden Dinge, die nur
der Dichter und der Weise aufzuschließen und zu ihrer Bedeutung zu befreien vermögen.

„Ut enim speculare vitrum non sui gratia, sed Imaginum
potius, in ipso occurentium causa intuemur; sic rerum corpo-
rearum mole figurâque exteriore neglectâ; latentes sub hoc velut

---

[78] Hochdeutscher Helikon. Obertreppe, 5. Stufe. Vgl. auch
S c h o t t e l , Ausführliche Arbeit, S. 972 ff.

cortice, veritatis imagines indigamus," heißt es in der Introductio lectoris des J a c o b M a s e n.

Freilich stoßen wir auch hier wieder auf jenes typische Nebeneinander in der Geistigkeit des 17. Jahrhunderts: neben der echten Mystik, die, von mittelalterlicher Substanz gespeist, in Böhme noch einmal aufblüht und der das Sein vor allem zur heiligen, sinngewaltigen Hieroglyphenschrift ewiger Geheimnisse wird, — neben dieser echten Mystik steht, gleichsam als eine Art intellektueller Sport, das willkürlich spielerische Komponieren beziehungsloser „Sachen" als emblematische Denkaufgabe und allegorisches Rätsel oder die Verkleidung beliebiger Devisen und Sentenzen in eine zunächst schwer durchschaubare Verbindung von Einzeldingen, wobei dann eine knappe Unterschrift die Lösung des Sinnbildrätsels ermöglicht. Hier wird nicht mehr an eine transsubjektive Bedeutungs- und Sinntiefe der Dinge geglaubt, sondern hier sind die Dinge beliebiges Material der schweifenden und sich selber gefallenden ratio geworden.[79] Beide Haltungen sind eng verflochten, und auch hier

---

[79] Auch das Emblem ist nicht etwa ein Organismus, sondern dessen genaues Gegenteil: ein anorganisches, additives Sachenmosaik, — jeder Teil hat seine selbständige Bedeutung, die Beachtung der Zahlen, Farben, Anordnungen gehört dazu, um den Sinn des Ganzen voll zu enträtseln. K. B o r i n s k i weist sehr richtig darauf hin, daß die Gesamterfindung im 17. Jahrhundert viel weniger galt als die Erfindungen im Einzelnen, daß die Vorstellung vom Stil die einer „mosaikartigen Zusammenfügung schöner Gleichnisse war". Die Poetik der Renaissance, S. 208 und 210. H a r s d ö r f f e r stellt sich den Aberglauben vor „. . . . in Gestalt eines Alten Weibes / welche eine Nachteule auf dem Haubt / und einen Raben oder Dahen zu ihren Füßen / weil der Aberglaub viel auf Vogelgeschrey achtet. In der rechten Hand hält dieses Bild deß Himmels und der Planeten Lauff / unter den Arm einen Hasen / welcher die Furcht bedeutet / und in der Linken Hand eine Waxkerze / sehend mit blaßem Angesicht nach den Sternen." Poet. Trichter, 3. Teil, S. 117. — Das wäre jedoch erst e i n Kompositionsteil eines möglichen Emblems. Die in eine für sich kaum verständliche Kürze zusammengepreßte Unterschrift faßt die Teile dann zur Einheit zusammen und von diesem Sinnspruch her kann das Sinn b i l d als sichtbare Entfaltung auseinandergeblättert werden. Über die Art und Verbreitung der symbolischen und emblematischen Werke um die Wende des 16. und 17. Jahrhunderts vgl. K. G i e h l o w, Die Hieroglyphenkunde des Humanismus in der Allegorie der Renaissance. Jahrb. der kulturhistor. Sammlungen des Allerhöchst. Kaiserhauses. Bd. 32, Wien, Leipzig 1915.

haben Andreae, Knorr u. a. ihre Vorgänger im Humanismus, etwa Reuchlins, und im Allegorismus der Renaissance.

In alledem findet sich also kaum etwas, das nicht schon seit langem als „vorbarockes" gemeineuropäisches Eigentum nachweisbar wäre. Dennoch scheint es kaum angängig, auf Grund solchen Nachweises die Existenz eines spezifisch barocken Geistes überhaupt zu bezweifeln. Darin, wie er sich mit dem Stilgehäuse, in das er gebannt ist und das er als das einzig richtige und gültige kennt, und mit den überkommenen Stilformen abfindet, wie er, voll innerer Unsicherheit, das poetische Erbgut bald überstreng wahrt und bald vergeudet, wie er etwa Bild und Emblem jetzt mit mystischer Feierlichkeit und dann wieder mit spielerischer Willkür behandelt, wie er ästhetische Haltungen und Methoden vereint, die sich im Grunde ausschließen, wie er alles, auch die sich widersprechenden Überlieferungen, zwar respektvoll und autoritätsfreudig annimmt, aber da ihm die notwendige Beziehung fehlt, ratlos und unsicher auftürmt, — in diesen, oft nur indirekt nachweisbaren Vorgängen lebt der vielschichtige und schwer erfaßbare Geist des 17. Jahrhunderts, von dem wir immer nur Teile greifen, wenn wir ihn höfisch, gesellschaftlich, rational, sensuell, mystisch usf. nennen. Und auch wenn wir diese Gegensätze durch die Klammer eines „antithetischen" spannungsträchtigen Weltgefühls verbinden, ist die Aufgabe im Grunde schließlich doch mehr umschrieben als gelöst.

Damit ist — andeutend und ganz allgemein — von der Theorie her der Fragenbereich des barocken Bildvorganges umschritten und der Weg zur deutenden Entfaltung des metaphorischen Verhaltes freigelegt, wie er bei einem maßgebenden Dichter des Jahrhunderts, bei Andreas Gryphius, vorliegt.

Zweites Kapitel.

Stoffgruppen.

Die Tragweite statistischer und tabellarischer Zusammenstellungen auf dem Gebiet der Metapher ist oft überschätzt und
die Fruchtbarkeit dieser allzu groben Methode dem Zartesten,
Unwägbarsten und Individuellsten, dem bildschaffenden dichterischen Vorgang gegenüber, mit Recht oft bezweifelt worden. Aber
ein erschöpfendes ästhetisches Verständnis und Urteil ohne
solche rein materielle Fundamentierung ist nicht möglich. Selbst
für die Erkenntnis der dichterischen Eigenart Kleists, Schillers,
Hölderlins ist die Feststellung der Bereiche, denen das metaphorische Material entstammt, bedeutungsvoll, obwohl bei ihnen das
Material als solches durch die individuelle Formung und gestaltende Durchdringung ganz entstofflicht ist. Für das 17. Jahrhundert aber bedeutet diese „materialistische" Methode nicht
weniger als daß sie den Schritt vom fertigen Bild zu seinen
Voraussetzungen, den Weg also seiner Entstehung zurück geht
und eine Verkettung von Gliedern auflöst, die immer nur künstlich, mittelbar und lose verbunden waren. Denn es kommt im
17. Jahrhundert gar nicht zu der symbolhaften Verschmelzung
beider Gleichnishälften zu einer neuen irrationalen, gefühls-
getragenen Einheit, sondern es bleibt das letzthin disparate Nebeneinander zweier Glieder. Der metaphorische Akt führt nicht
schöpferisch zu einer wirklichen Einung in der Sphäre des
Ästhetischen, zu einer neuen einheitlichen Gestalt, vielmehr bleibt
ein dualistisches Nebeneinander, ein Hiatus von der Bedeutung
zum Sein des Bildes hinüber.

Ferner: Wo Goethe, Kleist, Hölderlin aus einem bloßen
Stoff ein dichterisches Bild formen, da erhält dieses sein einmaliges, individuelles, wesentlich unwiederholbares Antlitz. Im
17. Jahrhundert laufen ganze Bildreihen unverändert durch alle
Dichtungen von Opitz bis zu Neukirch und Weise, gehören um-
fassende metaphorische Bezüge zum gültigen säkularen Inventar
der dichterischen Technik, werden handbuchartige Kataloge von

Symbolen, Metaphern, Gleichnissen ohne das geringste ästhetische
Bedenken von Dichtergenerationen verwandt. Diese überindivi-
duelle Gültigkeit des zutiefst nicht dichterisch verwandelten
metaphorischen Materials fordert geradezu seine gesonderte Betrachtung, während das gleiche Verfahren 150 Jahre später zunächst unvermeidlich zur Zerstörung des individuellen dichterischen Gebildes führen würde.

Die scheinbar überwältigende Fülle der metaphorischen Beziehungen in der lyrischen und tragischen Dichtung von Gryphius ergibt bei näherem Zusehen ein durchaus übersehbares
System mehr oder minder festliegender, geordneter Vergleichsfelder. Summarisch zusammengefaßt, stellen die e l e m e n -
t a r e n , a l l g e m e i n e n E r s c h e i n u n g e n u n d G e -
g e n s ä t z e d e r N a t u r : Licht, Sonne und Gestirne —
Nacht und Dunkel — Flamme und Hitze — Eis und Schnee —
Gewitter, Sturm, Flut und Meer — die Tages- und Jahreszeiten — die eine, die umfangreichste Stoffgruppe dar. Eine
zweite umgreift wesentlich die o r g a n i s c h e N a t u r : Knospe,
Blüte und Baum — Saat und Ernte — Dürre, Regen und Tau
— die Tiere. Die dritte entnimmt ihre Beispiele dem Funktions-
bereich des Organismus: Liebe — Schlaf und Traum — Tränen,
Krankheit und Wunden — Geruch und Geschmack. Eine letzte
Gruppe schließlich bilden alle z w e c k v o l l m i t d e m M e n -
s c h e n z u s a m m e n h ä n g e n d e n D i n g e : Haus und
Wohnung — Edelsteine — Waffen, Fessel, Kerker — Geräte —
Weg und Reise — Schauplatz und Spiel. So stellt sich das
metaphorische Material dar als eine Summe abgrenzbarer Sach-
gebiete, isolierbarer Bildfelder, denen zumeist nicht minder bestimmte Bedeutungsfelder zugeordnet sind. Zusammenstellung
und Entfaltung dieses Verhalts werde nunmehr versucht.[1]

---

[1] Für die Zitate: L = Lyrik, T = Trauerspiel. Die einfache
Zahlenangabe bezieht sich immer auf L, die Reihenfolge bezeichnet
Seite, (Gedichtnummer) und Zeile. Bei T ist der Titel des Dramas je-
weils vorgesetzt, es folgen Akt und Vers. Zugrunde gelegt ist die leider
immer noch allein maßgebliche P a l m s c h e Gesamtausgabe (Stuttgarter
Literar. Verein Nr. 171 und 162, 1882—84), obwohl sie von Text- und
Druckfehlern aller Art geradezu wimmelt, wie schon V. M a n h e i m e r
(Die Lyrik des Andreas Gryphius, Studien und Materialien, Berlin 1904)
für L schlagend nachgewiesen hat. — Bemerkt muß noch werden, daß

A. Elementares.

1. Licht.

Bei weitem das umfangreichste und am häufigsten verwandte Bildfeld ist das des L i c h t e s : Licht, Flamme, Glut, Brand, Glanz, Feuer, Strahl, Funken, Kerze, Fackel — sind die substantivischen —, heiß, erhitzt, glänzend, entbrannt, entzündet, versengt, schitternd — die adjektivischen —; (ent)brennen, strahlen, leuchten, schimmern, glänzen, entzünden, funkeln, flammen, verlodern, glühen, glimmen — die verbalen Erscheinungsweisen dieses metaphorischen Bereichs.

Innerhalb der r e l i g i ö s e n Lyrik behauptet sich am stärksten die „Licht"metapher. Sie ist, in Anknüpfung an die biblische Wendung, Anrede und Umschreibung für alle drei Personen der Trinität, vor allem für Christus.

„Mein licht": das war die bis auf Ovid zurück verfolgbare typische Anrede der L i e b e n d e n : Vgl. 194, 65, 6 - 195, 66, 1 - 195, 67, 4 - 196, 69, 1 - 197, 69, 11 - 134, 8, 1 - Card. 1, 426; 4, 58 - Leo 2, 445 - Carol 1, 65; 193; 3, 6 - aber auch der V e r w a n d t e n : „ihr, meiner seelen lichter" 532, 8 - besonders der K i n d e r : „angenehmes licht" wird der Sohn des Papinian angesprochen 2, 363 - schließlich v e r e h r u n g s w ü r d i g e r M e n s c h e n : „lichter unser zeit" sind Pap. 5, 367 - die Märtyrer und d y n a s t i s c h e P e r s ö n l i c h k e i t e n 184, 46, 1 - die Prinzessin; 507, 24 - Leopold.

Aber die Metapher „Licht" geht nicht nur auf die P e r s o n der Gottheit; sie umschreibt auch die g ö t t l i c h e n K r ä f t e : „der hat mir sein licht entzogen, der das licht und euch gemacht" 225, 12, 51. - Vgl. 41, 29, 6 - 240, 5, 43 - 261, 1, 65 - 280, 10, 38 - 386, 195 - 275, 8, 3 - 461, 8, 7 - 503, 9 - 514, 67 - bei der

in L, zumal in den Perikopengedichten, die unmittelbar dem biblischen Text entnommenen bildlichen Ausdrücke nicht berücksichtigt sind. — Nach Abschluß der Arbeit erschien die Dissertation von G. L a z a r u s , Die künstlerische Behandlung der Sprache bei Andreas Gryphius, Berlin 1932, die auch der Bildhaftigkeit des Gryphius einen Abschnitt widmet (S. 45—55).

menschlichen Kraft des Glaubens dagegen konzentriert sich das
„Licht" zum irdischen Mittel des Leuchtens: 485, 11 „ . . . steck
an die glaubens-kertz" - oder die Metapher gibt d e n d u r c h
d i e g ö t t l i c h e E i n w i r k u n g i m M e n s c h e n g e -
s c h a f f e n e n Z u s t a n d wieder: „Doch geht dem mörder auf
ein neues licht im hertzen" 329, 18, 13. - Vgl. 380, 68 - 388,
249 - Leo 4, 383 - Carol. 1, 26 - auch von „der tugend hellem
licht" spricht G. einmal.

Sodann erscheint das „Licht" in der t y p i s c h e n Z u s a m -
m e n k o p p e l u n g m i t d e m e i g e n t l i c h e n, z u u m -
s c h r e i b e n d e n B e g r i f f, wie „gnaden-licht" 51, 42, 9 -
298, 4, 23 - „blütenlicht" 53, 45, 2 - „lebenslicht" 485, 3 -
dasselbe für Christus 57, 50, 7 - 77, 9, 10 - 78, 12, 5 - 91, 32,
12 - 215, 7, 37. -

Das Licht, die Lichter sind ferner Umschreibungen der für
das Licht geschaffenen Organe, der A u g e n : „die beyden lichter,
die durchsehen der ewighellen lichter schaar" 209, 4, 25. - Vgl.
425, 304 - 535, 59 - 537, 24 f. - Pap. 3, 527. -

Übrig bleiben gelegentliche Einzelumschreibungen des T a -
g e s 343, 99 - der S t e r n e 118, 36, 1 - ein Ausdruck von den
„hellstrahlenden lichtern" der Wissenschaft 508, 43. - „Sie gläntzt
in solchem lichte" . . . sagt Carolus von seiner Gemahlin 2, 366 -
dem sterbenden Papinian wird der „schöne tod zu einem hellen
licht" 5, 246. -

Verwandt mit dem metaphorischen Gebrauch des Lichtes ist
der von Glanz und glänzen, von Strahl und strahlen, leuchten,
funkeln, schimmern. Auch hier ist die Lyrik der Hauptanwen-
dungsbereich und neben der G o t t h e i t 131, 3, 11 - 240, 5, 52;
54 ff. - 100, 4, 7 - u. a. m. sind die e r h a b e n e n A b s t r a k t a :
Herrlichkeit, Gnade, Weisheit usf. die Hauptträger.

Aber wir finden auch den „Glanz" der A u g e n, der W a n -
g e n 113, 26, 3 - 194, 64, 3 f. - 237, 4, 2 - den „g l a n z d e r
e r s t e n j a h r" 475, 18, 10 - den versehrenden Glanz der
s c h ö n e n O l y m p i e Card. 1, 168 - und den gemüterleuchten-
den wundervollen Schein des G e s i c h t s d e r G e l i e b t e n
194, 64, 7 - den Glanz der A h n e n 185, 48, 1 - vgl. „licht" der
Ahnen Pap. 5, 292 - und den Glanz der f r e i e n S e e l e
192, 61, 8. -

2. Sonne und Gestirne.

Auf das Engste verbindet sich mit der Metaphorik des Lichts die ganz analoge der S o n n e, der Quelle des Lichts, des einzigen Konkretums, das zugleich imstande ist, Sinnbild höchster religiöser und sittlicher Wirklichkeiten zu sein.

G o t t 491, 205 - 479, 18, 143 - 461, 7, 36 - 410, 326 - Carol. 5, 437 f. - 479, 143 - noch häufiger aber C h r i s t u s ist die „Sonne" der Welt 171, 22, 5 f. - 454, 2, 25 - 130, 1, 14 - 162, 3, 9 f. - 280, 10, 42 - 466, 12, 12 - 388, 236 f. - 502, 68 - 41, 29, 4 - oft wieder mit gleichzeitiger Auslegung in Gestalt des D o p p e l w o r t e s: freuden-sonne 269, 4, 29 - 275, 8, 4 - gnaden-sonne 81, 17, 2 - lebens-sonne 516, 23 - Carol. 5, 486 - friedenssonne Carol. 4, 173 - Kath. 2, 137. -

Der Aufgang der Sonne Christi in der Weihnachts- und Sündennacht wird gern zu antithetischem Spiel mit Bild und Wirklichkeit benutzt:

„...die sonne, die eh morgen,
Eh der besternte krantz
Der himmel weiten bau geschmücket,
Eh ewigkeit selbst vorgeblicket,
Hervor gestralt in schimmerndlichter pracht,
Geht plötzlich auf in schwartzer mitternacht."
Leo 4, 371 ff. - vgl. 379, 56 - 225, 12, 57 f. - 78, 117 f. -

Gleichzeitig gibt die Vorstellung der Sonne die Möglichkeit zu astrologisch-sinnbildlichen Konstellationen, etwa im Zusammenhang mit den drei Weisen und ihrem Stern: „Der neue morgenstern zeigt euch die neue sonnen" 377, 7 f. - vgl. 393, 19 f. - und „Euch geht die sonn' im west und mit der jungfrau auf" 377, 5 f. -

Sodann erscheint die Sonne analog dem Licht als Ausdruck für hervorragende und geliebte Menschen: für K ö n i g e: Chach Abbas ist „Der Persen sonn und wonn" Kath. 2, 182 - Katharina die „sonn" Iberiens Kath. 1, 421 - 5, 38, 176 -, für das geliebte K i n d 183, 43, 10 - Pap. 5, 427 - Carol. 2, 361 - besonders in der Klage um Geta:

„Kanst du, angenehmes licht! nicht bis auf den abend stehn?
Mußt du, eh der tag sich theilet, finster-blutig untergehn?"
Pap. 2, 363 f. -

für t r e u e A n h ä n g e r Pap. 5, 373 f. - ja, einen angesehenen
Mathematiker apostrophiert G. einmal: „Der ihr der sonnen
selbst auch eine sonne seyd" 108, 18, 3, - vgl. auch das Antlitz
der zum Tode schreitenden Katharina, das „gleich der sonnen-
lichte, Wenn es nun untergeht, weit angenehmer schien". Kath.
5, 38 f. -[1a])

Hauptsächlich aber ist die Sonne wieder überschwängliche
Metapher der L i e b e , und hier häufig in allegorischer und anti-
thetischer Ausweitung:

> „Sie, unsre sonne, macht die sternen gantz zu nichte." Kath. 1, 772. -
> „Hier finden wir die sonn', es mag der himmel prangen
> Mit seiner flammen glantz! ...
> Welch trüber nebel deckt diß liebliche gesicht?" Kath. 1, 727 f. -
> vgl. 5, 393 -
> „... meine seelen-sonne
> Hatt' ander hertzen auch in heißen brand gesetzt,
> Die sich unwissend ihr an ihrem glantz verletzt." Card. 1, 166 ff. -
> „Holdseligste! wie ists? schaut man so schöne sonnen
> Bey trüber mitternacht?" Card. 4, 29 - vgl. 193, 63, 9. -

Die S e l i g e n werden einst „mehr denn das licht von zehn-
mal tausend sonnen schimmern" 351, 360 f. -

Im Unterschied zum Licht bietet die Sonne durch ihre einzelnen Phasen reichlich Gelegenheit zu allegorisch ausgespon-
nenen Gleichnissen. Vom A b e n d m a h l heißt es:

> „Die zehrung, die sich selbst für eure noth auffstellt,
> Verdecket brodt und wein wie wolcken eine sonne." 40, 26, 13 f. -

Durch der Feinde Lügen und Verleumden wird die W a h r h e i t

> „...als der sonnen-glantz, der dampff und wolcken trenn't,
> Und durch der nebel dampff am heißen mittag rennt,
> Brechen durch die nacht ..."   241, 5, 80 f. -

Umschwung und Wechsel m e n s c h l i c h e n G e s c h i c k s
versinnbildlicht die auf- und untergehende Sonne:

> „So sinkt das licht der welt in die Guiener see
> Und steigt mit neuem glantz, wenn die gespitzte höh
> Der felsen sich entfärbt."   Kath. 4, 87 ff. -

[1a]) Auch diese Verwendung des Sonnenuntergangs geht bis auf Seneca
zurück („Troades" v. 1140, vgl. Opitz' Übersetzung v. 1367 f., vgl. auch
S t a c h e l , Seneca und das Renaissancedrama S. 203). Auch Z i n c g r e f
verwendet das Motiv bereits in seiner „Vermanung zur Dapfferkeit".

Ähnlich wird Cardenios Geschick im Gespräch mit Pamphilio am Lauf der Sonne demonstriert, wobei, wie häufig, das Bild, das der eine Dialogredner zur Bekräftigung seiner Darstellung anwendet, vom andern aufgenommen, aber zu dem entgegengesetzten Schluß verwendet wird. Es wird aus der Metapher oder besser aus der Natur der metaphorisch verwendeten Sache heraus weiter argumentiert und dem Partner bewiesen, daß der gleichnishaft herbeigerufene Tatbestand auch ganz andere Interpretationen zuläßt. Pamph. (nachdem Cardenio Virens plötzliches Eintreten für ihn geschildert hat):

> „So bricht die sonn hervor nach rauhen donnerschlägen
> Und dem mit himmel-feur und schloß-vermischten regen.

Card.:

> Sie brach uns freylich vor; doch wie sie schöner steht,
> Im fall der tag verkürtzt und sie zu rasten geht
> Und schwartzen nächten rufft, so lieff die schönste wonne
> In höchste trübsal aus."　　　　　Card. 1, 161 ff. –

Erstaunlich selten erscheint der M o n d , dieser später so treue Gefährte des lyrischen Dichters. Er tritt seine Rolle als mitfühlender Seelenfreund der Liebenden wie der einsamen Herzen erst bei Anbruch der subjektiven, bekenntnishaften Dichtung an. In einer noch wesentlich von der Objektivität des sinnlichen und des übersinnlichen Seins beherrschten Welt, in einer Dichtung also öffentlichen, gültigen und repräsentativen Charakters hat er noch keine Stelle. Er ist bildhaft verwendbar nur von seinen dinglich-natürlichen Eigenschaften aus: als reiner Lichteindruck, als unbeständig sich wandelnde Gestalt und als astronomischer Erreger der Sonnenfinsternis. Da es also zu einer dichterischen Beseelung noch gar nicht kommen konnte, wurde die poetische Erhöhung und Verzierung der „Sache" durch die P e r s o n i f i z i e r u n g gewonnen, zu der in diesen wie in vielen anderen Fällen die a n t i k e M y t h o l o g i e den gewünschten gelehrt-antiquarischen und zugleich durch und durch fiktiven Namen gab.

Der Vorgang, wie die um Geta trauernde Julia den Schleier von dem blassen Antlitz nimmt, wird folgendermaßen beschrieben:

„... Strich sie das schwartze tuch von ihrem antlitz hin,
Das durch die finsternis des traurens heller schien
Wie wenn Dian bey nacht auffgeht mit vollem lichte ...“
Pap. 3, 93 f. -

Und Papinian bemüht eine S o n n e n f i n s t e r n i s, um das
Verhältnis seines heldenmütigen Sohnes zu den an sich auch
namhaften Ahnen deutlich zu machen:

„Wie großer väter fleiß
Und glück und ruhm ist nicht auf erstes kind abkommen,
Durch das der ahnen licht beschwärtzt und abgenommen,
Wie wenn Diane sich vor ihren Phoebus stellt.
Und den durchlauchten glantz entzeucht der trüben welt!“
Pap. 5, 290 ff. -

Schließlich ist der Glanz des Mondes, wie der der Sonne
und Sterne, gleich allen kostbaren Dingen dazu geeignet, vor
der Schönheit der Geliebten zu verblassen. Der S c h ö n h e i t s -
w e t t k a m p f z w i s c h e n d e r G e l i e b t e n u n d d e m
M o n d e läuft zu einer so schmählichen Niederlage des letzteren
aus, daß Diane errötend sich hinter Wolken verbirgt: Card.
4, 30 f. - vgl. 4, 209 f. -

Die S t e r n e schließlich sind das Bild der A u g e n: 113,
26, 6 - 238, 4, 19 - 117, 33, 5 - Kath. 2, 96 -, die in zorniger
Wildheit auch den „blut-cometen“ gleichen, die „mit über-
häufftem ach und jammer, mord und tödten Bedräuen land und
see“ Pap. 3, 589 f. -

„M o r g e n s t e r n“ wird einmal für Christus verwandt 81,
17, 1 -, zuweilen auch für a n g e s e h e n e M e n s c h e n: Pap. 5,
481 - 295, 15 f. -, und s t e r n e n g l e i c h leuchtet der R u h m
d e s e d e l S t e r b e n d e n: Pap. 5, 246 f. -

3. Nacht und Dunkelheit.

Der Gegensatz der wertbejahenden und wertsteigernden Licht-
Metapher ist die w e r t v e r n e i n e n d e d e s D u n k e l s, der
Nacht, der Wolke, des Nebels, der Trübe, der Finsternis. Die
sittliche Verlorenheit des Menschen und die Todverfallenheit des
irdischen Daseins sind in Dunkel gehüllt und dem reinen Glanz
der himmlischen Welt häufig gegenübergestellt, in a n t i t h e -

t i s c h e r F o r m , die das Barock bevorzugt und zu der diese
Metapher besonders einlädt:

„Wenn sünden-finsternis des himmels glantz verdeckt." 51, 42, 2 -
„Du licht, das unsre nacht und tunckelheit vertreibet." 165, 9, 12 -
Vgl. 240, 5, 52 f. - 468, 141 f. - 225, 12, 57 f. -
„Doch schau' ich licht in dieser nacht, das alle trübe wolcken trenn't."
54, 46, 10 -
„Wir gehn durchs finsternis zu gott, der licht von licht." Kath. 4, 331 -
„... o helles licht, erleuchte meine nacht..." 99, 2, 9 -
vgl. Kath. 4, 14 f. -
„Die jungfrau..., die meiner sünden nacht
Gebärt die gnaden-sonn und himmel-lichte kertzen." 78, 9, 7 f. -

D i e G e b u r t s n a c h t C h r i s t i oder d i e N a c h t d e r
e i g e n e n G e b u r t verlockt auch hier besonders zu geist-
reichen antithetischen Wortspielen und zu dem künstlichen
Durcheinander von eigentlichem und metaphorischem Sinn, wie
etwa in jenem Sonett auf die eigene Geburt:

„Doch weil ich meine nacht, herr! durch dein licht verlohren,
Bin ich zwar in der nacht doch nicht der nacht gebohren." 386, 195 -

oder in dem auf Christi Geburtsnacht:

„Die jammer trübe nacht, die schwartze nacht der sünden
Des grabes dunckelheit muß durch die nacht verschwinden."
99, 3, 12 f. -

„Recht eine nacht voll nacht." 561, 6, - oder in Verbindung mit
einer anderen Metapher der Tageszeit, die aber in Bezug auf
Glück und Unglück ganz neutral ist und nur auf das Lebensalter zielt: „Im mittag hat uns nacht und finsternis gefunden."
Kath. 1, 760. -
Die religiös-ethische Antithese von Licht und Finsternis kehrt
auch in p r o f a n e n Z u s a m m e n h ä n g e n wieder: wo „dieses
lebens licht in seine nacht" hingeht, 485, 2 f. - „Um daß der
schwester glantz in finsternis verkehrt." Pap. 4, 62. - Der
„ahnen licht" wird durch den Ruhm der Nachkommen „beschwärtzt". Pap. 5, 292. - „Die sonn Iberiens (Katharina) ...
Verfinstert dieser stein." Kath. 1, 91 ff. -
Fast mit allen Arten des Unheils erscheint „Nacht" und
Finsternis" in a t t r i b u t i v e r V e r k n ü p f u n g : „die nacht
der traurigkeit" 24, 5, 3 - 145, 28, 2 -, „der höllen" 73, 3, 9 -

„der thorheit" 189, 55, 4 - „der dienstbarkeit" Kath. 1, 423 -
„des zagens" Carol. 5, 437 - „des kerckers" 174, 28, 2 - „der
grufft" Carol. 5, 215 - vgl. Card. 4, 387 - „Die finsternis der
pein" Kath. 1, 176 - oder k o o r d i n i e r t: „finsternüs und todt"
485, 4 - „nacht und tod" 77, 9, 2 - „nacht und irrthum" 29, 11,
14 - „nacht und plage" 461, 7, 19, - „aus angst und finster-
nüssen" 484, 89 f. - oder auch a b s o l u t s t e h e n d : „mein
betrübtes hertz, das dicke nacht umgeben" 572, 35 - vgl. 130,
1, 9 - 122, 42, 10 - Carol. 5, 334 f. - „Wir irrten sonder licht,
Verbannt in schwartze nacht ..." Leo 4, 383 f. - „was kan in
meiner nacht ich als die stern erkennen?" 194, 64, 5. -
> „... vertreibt die schwartze nacht,
> Die alles auf dem hof bestürtzt und dunckel macht!" Pap. 5, 373 f. -
> „O rauer untergang! o uhrsprung harter nacht." Pap. 2, 365 f. -
> „O höllen-schwartze nacht, die aus dem abgrund flog
> und stete finsternis in dieser brust erweckte",

ruft Katharina angesichts der Tücke des Chach aus. Kath. 3,
364 f. -

Dieser Bereich gehört zu den wenigen, in denen die epithetische Form der Metapher zahlenmäßig an die sonst weit über-
wiegende nominale heranreicht: „Dunckeles grauen, finstere kälte"
131, 4, 1 - „die trüben, rauen donnerjahre" 221, 10, 17 - „trübe
furcht" 79, 14, 1 - „trübe", „dunckelreiche zeit" 195, 66, 2 -
Leo 3, 255 - „dunckel grause wege" Card. 4, 281 - „schwartze
schuld", „trübe werke" 51, 42, 7 - Das „trübe tal der erden" 48,
38, 11 - „schwarze schmerzen" 206, 2, 22 - „trüber sand"
Leo 5, 338. -

> „Mein Jesus ... reiß diese wolck entzwey,
> Die dein gesicht verdeckt ..."   Kath. 1, 191 f. -

oder:

> „... daß nichts das licht der wahren friedens-sonne
> ... In einem nun verdeckt, als die verfluchte wolck,
> Die ein auf seinen printz mit stahl gerüstet volck
> In dieser lufft erweckt..."   Carol. 4. 173 f. -

Zuweilen tritt für „Nacht" das konkretere Bild der Wolke
ein: die „wolck entsetzungsvoller pein" 273, 6, 57 - „welch trüber
nebel deckt diß liebliche gesicht" Kath. 1, 729 - besonders auch,
wenn es sich um verhinderte Erkenntnis und Ähnliches handelt.

4. Feuer, Hitze.

Licht und Dunkel sind die beiden an der Grenze der Gegenständlichkeit stehenden Metaphern bei G., wie sie auch überwiegend Versichtbarungen ethischer und spiritueller Wertbejahung und Verneinung sind. Sehr viel weniger inhaltlich festgelegt ist der Bereich des B r a n d e s , F e u e r s , d e r G l u t , F l a m m e , H i t z e. Hier erscheint das Element, das den Zeitgenossen des 30jährigen Krieges im Allgemeinen und G. in besonderem Maße als furchtbare und zerstörende Macht immer wieder schrecklich begegnet war, das also für das brandbeschienene Jahrhundert unmittelbare Eindruckskraft besaß. G. entnahm diesem Bereich eine erstaunliche Fülle sprachlich verschiedener Ausdrücke und einen wesentlichen Teil seines metaphorischen Materials.

Glut, Flamme, Feuer, Brand — dieser Reihenfolge entspricht die Häufigkeit der Anwendung in L und zumeist auch in T. Zu dem unbewegten Sein des Lichts und des Dunkels tritt das Bild der F l a m m e und bietet der barocken Dynamik volle Entfaltungsmöglichkeit. Gott ist beides, das Ruhende und das Verzehrende, ist „licht und feur zusammen" 281, 11, 18. - Wie weit der Bedeutungsbereich dieses neuen Bildfeldes geht, wird daran sichtbar, daß die „flamme" die W i r k u n g G o t t e s 166, 10, 10 - 166, 11, 6 - 175, 28, 8 f. - und der H ö l l e 63, 57, 13 - umschreiben kann, daß sie Ausdruck der T u g e n d 238, 4, 21 - 560, 35 - und der S ü n d e 166, 10, 12 f. - sein kann, wie andrerseits die „g l u t" häufig die Qual der Hölle beschreibt 63, 57, 13 - 290, 1, 7 - 330, 18, 44 - 384, 157 - 48, 38, 3 - u. a. m. - und das Wesen des heiligen Geistes darstellt 165, 9, 10 - 166, 10, 12 - 178, 35, 7. - Das Sonett 165, 10 — ist aufgebaut auf dem Gegensatz von der tödlichen Flamme der Sünde und Verdammnis und der lebenschaffenden Glut Gottes, die im Menschen einen Kampf miteinander führen, dem durch die dritte Vorstellung, daß das menschliche Herz zu leblosem Eis erstarrt ist, auch die letzte Möglichkeit der Anschauung genommen wird.

Desto mehr Raum ist der harten, bildbegrifflichen Antithese, dem O x y m o r o n , gegeben: „Ein wilder, kalter brand" V. 5, - „Es hitzt in mir, es hitzt ein höllisch-kaltes brennen" V. 9.

Auch N o t , V e r f o l g u n g , T r ü b s a l wird in zahlreichen
Fällen durch Brand, Feuer und Glut umschrieben, darin die
Frommen sich dann wie Gold läutern und bewähren 385, 177 -
Leo 4, 357 - 126, 50, 5 - 383, 140 - u. a., vgl. 414, 83 - Pap.
4, 242 - 92, 34, 8 - 187, 52, 1 f. - u. a. „Mein hertz ist wie asch
und bründe" ruft der um Erbarmung Flehende Gott zu 473, 16
68 - und die „bründe gespenster-schwerer nächte" erwarten den
Verdammten 351, 366 f. -

Gern nutzt G. es aus, wenn in dem besungenen Stoffe selber
bereits ein sinnenhaftes Moment liegt, das dann dichterisch zu
einer allegorischen Deutung erweitert und vertieft werden kann.
In den Evangeliensonetten geschieht das häufig; hier sei nur das
Sonett auf Elias erwähnt 158, 50: -

    1. „Der flammen aus der brust der mutter hat gesogen",
    2. „Der von der heilgen flamm des eyfers heiß entbrannt",
    9. ... kein feurig roß und wagen",
    10. „Letzt den, der feur im mund und hertzen pflag zu tragen",
    12. „Der gantz von feuer war, muß mit dem feur hinscheiden".

Damit nähern wir uns bereits dem Bedeutungskreis, der vor
allem diesem Stoffgebiet sein sensuelles Zeichensystem entnimmt:
der Welt der A f f e k t e . Liebe, Zorn, Grimm, Angst, Haß,
Eifer, Rache, Schmerz, Andacht — die ganze Skala leiden-
schaftlicher Gefühle findet in den nominalen, noch stärker aber
in den adjektivischen Formen — Feuer, Glut und heiß, erhitzt,
entzündet, entbrannt — ihren typischen metaphorischen Ausdruck.
So erscheint z. B. die L i e b e als: Die „flamme" 134, 8, 8 - 165,
9, 2 - 191, 58, 6 - Kath. 1, 789 usf. - die „glut" 63, 57, 10 -
112, 25, 7 - 141, 21, 4 - 165, 9, 10 usf. - das „hertzenfeu'r" 122,
42, 11 - das „fried- und freuden-feur" 188, 52, 5 - die „flamme
treuer brunst" 112, 24, 8. - Daneben gibt es: die „flamme der
grimmigen rache, die der erhitzete zorn angeblasen" 157, 48, 12 -
die „heilig heiße brunst" der Andacht Leo 5, 76 - vgl. 165, 9, 2 -
die „flammen" der Lüsternheit Card. 5, 346 f. - vgl. Card. 2,
277 ff. -

Weit häufiger kommt hier das Epitheton vor; etwa 80mal
erscheint in L und T „heiß" in Verbindung mit einem Affekt.
Die Dichte bei L und T verhält sich dabei wie 3 : 4. In wachsendem Maße aber bevorzugt G. das gewichtigere, aktuosere „er-

hitzt", das rund 90mal in L und T steht, diesmal im Verhältnis 1 : 2. Stärker als L ist T der Ort der entfesselten und gesteigerten Leidenschaften. „Heiß" ist das Beiwort, das unermüdlich alle Affekte begleitet, zumal die passiven: Schmerz 475, 18, 17 - 501, 2 - u. a. und Angst 208, 3, 25 - 274, 9, 19. - „Erhitzt" hält sich mit vielen Ausnahmen („erhitzter zorn" 157, 48, 12 - Leo 1, 199 -; „erhitzte andacht" 455, 2, 28 -) überwiegend an Personen oder an Personifikationen, z. B. Besen „erhitzter seuchen" 190, 56, 7. -

Den verbalen Formen dieses Bildfeldes: (ent-, durch-)brennen, lodern; entstecken, entzünden, versengen, (ent)glimmen, die ebenfalls sehr häufig sind, ist natürlich das gleiche Bedeutungsgebiet wie den nominalen und epithetischen Formen zugehörig.

Eine große Fülle von S e n t e n z e n oder sentenziösen Wendungen ist schließlich diesem für G. zentralen Bildbereich entnommen.

„Du wirst die flamme nicht in finsterniß verstecken." 383, 141 -
„Man kan zu glut und stro leicht holtz und schwefel finden."
113, 26, 11 -
„Aus heißer aschen aufblasen neue glut." Carol. 3, 585 f. -
Im „höchsten durst bei flammen wasser" suchen. Carol. 5, 32 -
„Itzt lodert dir die gluth, zu der du pech getragen." Pap. 3, 545 -
„Was mit der gluth gespielt, muß asche werden." Leo 2, 444 -
Es kan ein kleiner funck ein großes feur entzünden." Carol, 1, 169 -
„Schickt thoren nach der glut, so brennt eur gantzes haus."
Leo 4, 194 - vgl. noch Carol. 5, 48 und 3, 434 - Pap. 1, 343 f. und 3, 308 -

Es ist nur die Erweiterung eines solchen sentenzhaltigen Beispiels, wenn G. den allgemeinen Satz, daß langes Zaudern oft gefährlich sei, durch konkretisierend-allegorische Anwendung auf einen Brand verbildlicht:

„. . . Wer, wenn die rauhen winde
Sich lägern um die gluth, den flammen zu wil sehn,
Biß es um gibell schon und höchstes dach geschehn
Rufft leider nur umsonst, wenn maur und pfeiler krachen
Und stein und marmor fällt . . ." Leo 1, 212 ff. -

Noch anschaulicher ist das zweite eingehendere Bild des Brandes, das sich ebenfalls in Leo Arm. findet 2, 19.

Erwähnt kann in diesem Zusammenhange noch werden, daß die F a c k e l, das Gerät der L i e b e Card. 5, 343 f. - 397 -

und des T o d e s Kath. 4, 459 f. -, zuweilen auch zur Umschreibung der A u g e n C a r d. 2, 14 - (Kerzen: 124, 45, 5 f.) -
der S t e r n e Card. 1, 128 und 4, 5 - aber auch des J a m m e r s
Pap. 2, 397 - und des b ö s e n G e w i s s e n s 166, 10, 13 -
dient. Viel häufiger noch ist das Bild der K e r z e für M o n d
274, 7, 26 - und S t e r n e Pap. 3, 625 - für die W a h r h e i t
44, 32, 8 - den G l a u b e n 485, 11 - den erlöschenden M e n -
s c h e n 169, 18, 8 - besonders für C h r i s t u s , die „Lebens-
kertze" 82, 17, 9 - 55, 47, 6 - die „himmel-lichte kertze" 78,
11, 8. -

5. Strömendes Wasser.

Das B i l d f e l d d e s s t r ö m e n d e n W a s s e r s , des
Baches, der Flut, des Regens mit den verbalen Formen des Er-
trinkens und Ertränkens stellt zunächst den metaphorischen
Schmuck für die „Tränen" und für das „B l u t".
N o m i n a l : „thränen-bach" 144, 26, 12 - Card. 5, 239 - Pap.
5, 536 f. - Carol. 3, 291 - u. a. - „thränen-fluß" Kath. 5, 7 -
„thränen-regen" Kath. 5, 222 - vgl. 207, 3, 6 - „die herbe fluth"
207, 3, 23 - 90, 31, 6 - „dieser augenbrunn" Kath. 4, 360 - „Der
augen quell" Leo 5, 177. - V e r b a l : „in thränen schier ersoffen" 23, 3, 8 - „in thränen schwimmen" Carol II, 413 - in
„thränen ganz zufließen" 42, 31, 1 - „in ... thränen ganz erträncket" Kath. 2, 360. - Vgl. „Mit purpurrotem blut, das strömen
gleich geflossen" 73, 4, 14 A - „So schätzt ihr unser blut gleich
einer wasserbach?" Carol. 3, 736 - vgl. Leo 3, 77 f. - Brittens
Heil muß bei Karls Tod in seinem „blut ertrincken" Carol. 3,
845 ff. - Christi Blut ist „thau" 302, 5, 96 - wie das der Märtyrer
„tau" und „regen" für die Kirche ist, Kath. 5, 241 ff. -
Die unaufhaltsam strömende Flut wird ferner für G. ein
Bild der unwiderstehlichen V e r g ä n g l i c h k e i t des Lebens.

„Und wie ein strom verscheußt, den keine macht aufhält,
So muß auch unser nahm, lob, ehr und ruhm verschwinden."

104, 11, 10 f. -

„Was du zuvor genossen,
Ist als ein strom verschossen."

219, 9, 76 f. -

Schließlich liefert dies Feld noch die Metaphern für a l l e
ü b e r g r e i f e n d e n M ä c h t e , die äußeren des Unglücks,

d e r N o t , aber auch des S e g e n s — und die inneren der
Leidenschaft, der Schuld, der Knechtschaft, aber auch der Freude
und der göttlichen Gnade.

Aus der Fülle der vorliegenden Beispiele können nur einige
typische herausgegriffen werden: „Der tollen laster fluth reißt
ein und überschwemmt den kreis bestürtzter erden." 165, 9, 3 f. -
„strom der angst" 252, 11, 37 - „die wellen rauer jammer Be-
decken die zaurufften haare", 267, 3, 17 f. - „strom des ersten
grimms" Kath. 4, 41 - „der tyranney" Kath. 4, 60 - „verteufft
in unglücks-wellen" Pap. 5, 368 - „plagen-volle fluth" Carol.
5, 520 - „. . . . diese flut, die ungehämmt sich häuffet Und
brausend über land und volck das land ersäuffet Und über-
schwemmen wird" Carol. 4, 97 ff. - vgl. Carol. 2, 198 f. - „So
wär ich gantz in angst ertruncken und verschmacht" 138, 15, 11 -
vgl. 504, 14 - „Und unser hoffen selbst in tieffster schmach er-
trinckt" Pap. 5, 42 - vgl. Pap. 4, 224 - und 351, 348. -
Daneben:

> „Ich schau die freuden-quell, die mich erquicken kann,
> Und die mit vollem strom durch alle lande dringet." 76, 9, 10 A.
> „Unterdessen läßt er stündlich seinen immer-reichen segen
> „Über diß was athem holet, fallen als gehäufften regen." 254, 12, 17 f. -

„allmachts-thau" 252, 11, 21 - „segens regen" 252, 11, 23 -
„gnaden-thau" 276, 8, 20. -

An den h e i l i g e n G e i s t :

> „O theure gnaden-quell,
> O regen, der in angst mit segen uns befeuchtet.
> Ach laß ein tröpflein nur von deinem lebens-thau
> Erfrischen meinen geist."

Vgl. ähnlich 246, 8, 41 ff. - 252, 11, 13 ff. - 166, 11, 2 - entsprechend ist Gott der „brunn der guten gaben" 98, 1, 1 f. - u. a. -
„. . . tugend . . . läßt die ströme fließen Und reichlich . . . sich er-
gießen Und wässert sand und land . . ." 535, 60 f. -.

Nur selten wird das Bild oder die metaphorische Benennung
zur s e l b s t ä n d i g e n G l e i c h n i s f o r m ausgeweitet. Neben dem in L einige Male ausgeführten, religiös gewandten Bild
vom R e g e n , der das verschmachtende Land oder den verdur-
stenden Wanderer erquickt - 252, 11, 13 ff. - 246, 8, 41 f. - ist

es hauptsächlich die Erscheinung des S t r o m e s , der vergeb-
lich an einem Hemmnis emporschäumt oder aber es mit sich
fortreißt, die G. anzieht. So gibt er z. B. das Bild der Leidenschaft mit sofort darauf folgender allegorischer Interpretation:

> „So schwimmt der ulmen-baum, wenn ihn die strenge bach
> Aus seinem grunde reißt. So fiel ich mit Celinden
> Durch reitzen schnöder lust in vor verhaßte sünden;" Card. 1, 428 -

Und von dem stoischen Helden heißt es:

> „Ein steiler felsen steht, ob schon die schnelle bach
> Hell rauschend um ihn scheußt." Pap. 5, 150 f.

Besonders anschaulich wirkt die Ausführung des rein materiell
natürlich auch schon traditionellen Bildes Leo 5, 153 ff.

6. Meer und Seefahrt.

In vielfacher Berührung mit dem eben behandelten Bild-
felde steht das verwandte des M e e r e s und der S e e f a h r t.
Es gehört zu den verbreitetsten in der Literatur des Barock und
der Renaissance und hat eine bis auf Seneca, der es bereits bevorzugt, zurückgehende Tradition. Es eignet sich zur einfachen
Metaphernbildung und lädt gleichzeitig zu einem verweilenden,
schildernden Ausbau der hier verborgen liegenden malerischen
und allegorischen Möglichkeiten ein. Und es bietet in noch stärkerem Maße als das Material des Brandes die Gelegenheit zu
sprachlichen Steigerungen und Ballungen, zu auftürmender, ge-
schwellter Wortkunst.

Mehr als 70mal hat G. das Seefahrtsmotiv in seiner Dichtung
bildhaft und gleichnishaft verwandt, und zwar verteilt sich diese
Zahl auf L und T im Verhältnis 3 : 4. Und auch hier verbindet
sich, wie bei dem Brandbereich, die stilistische Konvention mit
dem persönlichen „Erlebnis". Das sprachmächtige Sonett „An-
dencken eines auf der see ausgestandenen gefährlichen sturmes"
173, 26 - hält dies Ereignis, das in die Reise nach Holland
fällt, fest und weicht nach Art und Inhalt kaum von den späteren ausführlichen Vergleichen dieser Art ab. Diese den barocken
Geist so unwiderstehlich anziehende Szene der Seenot eines
Schiffes hat auch G. am stärksten verlockt, über die allegorisch

verwendbaren puncta comparationis hinaus sich in die sprachliche imitatio dieses Schauspiels voll großartiger Bewegung und Spannung zu verlieren.

Einige beispielhafte Möglichkeiten: Des Leibes Schiff naht sich nach stürmischer Lebensfahrt dem Port des Todes:

„Mein offt bestürmtes schiff, der grimmen winde spiel,
Der freien wellen ball, das schier die flut getrennet,
Das wie ein schneller pfeil nach seinem ziele rennet,
Kommt v o r d e r Z e i t an port, den meine seele wil.
Offt, wenn uns schwartze nacht im mittag überfiel,
Hat der geschwinde blitz die segel schier verbrennet.
Wie offt hab ich den wind und nord' und sud verkennet.
Wie schadhaft ist der mast, steur, ruder, schwert und kiel!

— — — — — — — — — —

Steig aus, du müder gast, steig aus, wir sind am lande."

125, 49, 1 f.

Ähnlich, aber mit beständig durchbrechender Interpretation, die die allegorische Ästhetik ebenso fördert, wie sie der symbolischen widerspricht:

„Gott lob! Der rauhe sturm führt durch die wüste see
D e r r a s e n d - t o l l e n w e l t, w o i m m e r n e u e s w e h
U n d l e i d u n d a n g s t s i c h h ä u f f t, wo auf das harte knallen
Der donner alle wind in flack und seile fallen,
Von kaum erkennter klipp und seicht verdecktem sand
Mein schiff (zwar vor der Zeit) doch an das liebe land
Das hochgewünschte land, d a s e r d u r c h b l u t e r w o r b e n,

— — — — — — — — — —

Spannt nun die segel ab! fällt ancker! ich steig aus
Und laß an diesem port dis mein beweglich haus,
Der s c h w a c h e n g l i e d e r kahn ..." 524, 1 ff.

Das gleiche Bild findet sich in kurzer, auf Ausmalung verzichtender Andeutung: 52, 43, 10 - 131, 3, 5 - 567, 1 f. - Kath. 1, 762 f.; 4, 63; 5, 238 - Leo 5, 182 - Pap. 5, 137 - Carol. 1, 28; 5, 217. -

Zur offenen Katachrese kommt es, wenn der Tod, dessen typisches allegorisches Gerät der B o g e n ist, mit dem Leib, der als Schiff nur s c h e i t e r n kann, zusammentrifft, vgl. 63, 58, 3 f.

Am häufigsten erscheint der Seesturm als Bild der L e b e n s - n o t : Dabei wird Zug um Zug der Schilderung mosaikhaft aneinander gereiht, oft sogar ohne deutlich erkennbare planmäßige Steigerung, - bis die Addition an irgendeiner Stelle, früher oder

später, abgebrochen wird und mit einem: ebenso geht es . . .
die Summe des Ganzen gezogen wird.

> „Wie ein schiffer bebt und zaget,
> Wenn die umgekehrte see
> Sich bis an die sterne waget
> Und den grund sprützt in die höh',
> Wann sich das schwache schiff fast trennt
> Und über klipp' auf klippen rennt,
> Wenn nun die seiten-bretter knacken,
> Wenn er den mast selbst um muß hacken,
> Wenn er west und ost verlohren
> Und fast keinen wind mehr kennt,
> Und die sich auf ihn verschworen
> Mit nicht rechten namen nennt,
> Wenn ihm die nacht den tag wegnimmt,
> Wenn ihn das brausen überstimmt,
> Wenn er nunmehr nicht kan entgehen
> Und schon den tod siht vor sich stehen, -
> Ebenso war mir zu muhte . . ." 224, 12, 17 ff. - vgl.

241, 6, 1 ff.; - Kath. 2, 263 ff. - vgl. auch Carol. 2, 332 ff. - 211, 5, 31 f. -
und in kurzer Andeutung 137, 12, 4 - 186, 49, 5 - 208, 3, 27 f. - 259, 1 f. -
281, 19 f. - 464, 10, 57 f. - 513, 26 f. - Kath. 1, 762; 3, 335 - Carol. 3, 173 -
Leo 1, 187; 2, 420; 3, 391; 4, 215 f. - Pap. 1, 31-156; 3, 543; 4, 80 f. und
434 f.; 5, 27. -

Im „Papinian" ist das gleiche Bild zweimal nach einer anderen Seite hin allegorisch entwickelt. Bassian sagt da, nach der
Ermordung Getas von Mißtrauen auch gegen Papinian erfüllt,
an dessen Eintreten für die Tat ihm alles liegt, zugleich beständig bemüht, seine Gewalttat dem Kreise der privaten Moral
zu entrücken und aus den mit besonderen Maßstäben zu messen-
den Aufgaben eines Fürsten zu erklären:

> „Der segellose kahn, der an dem strande spielt,
> Laufft furcht- und anstoß-frey, wo er nicht klippen fühlt,
> Nicht felsen, sturm und sand. Soll man ein last-schiff führen,
> So muß man nicht nur stets nach wind und nordstern spüren,
> Man muß, wo seichten sind, wo steile höhen stehn,
> Wo um die vorgebirg' erhitzte wellen gehn,
> Wo teuffen, wo die see wil keinen bleywurff kennen,
> Wenn stete schläg' auf schläg' ietzt bret und kiel zutrennen,
> Offt weichen von dem strich', auf den der botsmann sieht,
> Wenn nicht der tolle nord sich um die segel müht.
> Man fährt offt seitwerts ab, auch öffter gar zurücke.
> So wird der port erreicht mit vortheil, ruhm und glücke, . . ."

4, 25 ff. -

In ganz ähnlicher Weise, wie hier Bassian, seine unlauteren Wege mit den Pflichten des Fürsten entschuldigend, den lavierenden Steuermann allegorisch benutzt, versucht Hostilius später seinen Sohn Papinian zu einem vorsichtigen, sein Leben rettenden Kompromiß zu bewegen 5, 89 ff. -

In einigen wenigen Fällen ist die L i e b e s l e i d e n - s c h a f t die Klippe oder der verderbliche Sturm, an dem das Schiff scheitert.

> „Die mich vor dem ergetzt, ob der mir ietzund grauet,
> Die als ein wirbelwind mich hin und her gerückt
> Und mein zerscheitert schiff in langem sturm zustückt."
>
> Card. 1, 74 ff. -

Die Liebe ist die Klippe, die niemand

> „Besegelt sonder angst, wen hat der süßen lippen
> Geschwinder zauber-wind nicht in die täuffe bracht,
> In welcher brett und mast im schaum der wellen kracht
> Und offt in scheiter geht . . ."
>
> 569, 64 f. - Ähnlich für den W a n k e l m u t Pap. 1, 164.

Nur ganz äußerlich gehört in diesen Zusammenhang schließlich noch das alte, an Noah orientierte Bild vom „S c h i f f" d e r K i r c h e, 176, 30, 8 - 548, 24 f. -

Auch das L e b e n a l s G a n z e s, eine U n t e r n e h - m u n g oder dergl. wird zuweilen in nur andeutender Allegorik als „Kahn" und „Schiff" bezeichnet. „Was hoffen wir, nun der auch schifft in diesem kahn, . . ." Leo 3, 214 - „. . . ich schifft in festem kahn" Card. 3, 172 - „Gut ists, daß man so viel einlud in diesen kahn" Carol. 3, 28, - vgl. Carol. 3, 173 - Card. 1, 151 - Pap. 1, 156. -

In den verhältnismäßig wenigen vom M e e r allein genommenen Bildern ist es entweder Ausdruck des Ü b e r m ä ß i g e n u n d U n e n d l i c h e n „wollustmeer" 157, 49, 2 - „gnadenmeer" 75, 7, 4 - „meer Der schmertzen" Leo 5, 422 f., - oder die im Toben des Meeres unerschütterlichen K l i p p e n werden ein Bild unberührbaren G l e i c h m u t e s 308, 8, 12 ff. - Pap. 4, 289 f. - Leo 4, 333. - E b b e u n d F l u t versichtbaren die U n b e s t ä n d i g k e i t Carol. 3, 191 - Pap. 5, 54 - 444, 92. -

Und schließlich werden dem Meer, gleichsam als extremem Fall der Naturwirklichkeit, unter der rhetorischen Figur „eher wird" die unvereinbarsten Gegensätze zugesellt, um die Unmöglichkeit einer Sache deutlich zu machen: „Eher wird Thetis helllodernd verbrennen" Pap. 4, 452.

7. Schnee, Eis, Kälte.

Uneinheitlich in sich ist der Bedeutungsgehalt des der Hitze entgegengesetzten Bereichs von S c h n e e , E i s u n d K ä l t e ; andrerseits läßt sich hier besonders gut verfolgen, wie die einzelnen Eigenschaften der „Sache" sie zu jeweils ganz verschiedenen Begriffsrepräsentanten qualifizieren.

Der Schnee ist 1. blendend weiß, er ist 2. ein charakteristisches Abbild des Winters, und er ist 3. schnell vergänglich. So kann er zum konkreten Sinnbild des Begriffes „Weiß" werden, weiß ist eine Hauptfarbe bei der Ausmalung des s c h ö - n e n m e n s c h l i c h e n , besonders des weiblichen K ö r p e r s , „des halses schnee" 347, 28, 220 - Kath. 1, 5, 42 - „der stirnen schnee" Kath. 2, 93 - 117, 33, 2 - „der hände schnee" 237, 4, 13 - „der glieder schnee" Card. 3, 208 und 238 - Kath. 5, 366 - 426, 322 - 391, 307 - 527, 102. - Das unberührte Weiß ist gleichzeitig die Farbe der U n s c h u l d — „in ihrer keuschheit schnee" 534, 19 — und der h i m m l i s c h e n R e i n h e i t ; die selige Katharina prangt in Kleidern „darfür schnee kein schnee" 5, 399 - vgl. 345, 150. -

Der Schnee wird sodann zum S i n n b i l d d e s A l t e r s . Das Farbenmotiv vereinigt sich hier mit dem des winterlichen Sterbens; „der schnee der greisen jahr" 109, 19, 7 f. - „bedeckt der graue schnee Die vorhin gelben haar" Carol. 2, 299 f. - „Des hohen alters schnee" Pap. 5, 423 - vgl. 260, 1, 32. -

Und er wird endlich, in seiner raschen Auflösung, zum Bilde des D a h i n s c h w i n d e n s und der V e r g ä n g l i c h k e i t , gleich dem Wachsbild und der Kerze Card. 4, 397 ff. - 124, 45, 5 f. - „Fällt meine zeit nicht hin wie ein verschmelzter schnee" 169, 18, 6 - „Die schönheit ist wie schnee" 236, 3, 6 - 150, 37, 6 - „der große muth vergeht Als schnee" Leo 4, 173 f. -

> „Die kräffte sind zerronnen
> Wie auff der gipffel höh
> Der auffgetaute schnee
> Schmeltzt in dem strahl der sonnen." 501, 9 f. -

„Der stahl zischt in dem blut; das fleisch verschwand als schnee
In den die flamme fällt" Kath. 5, 76 f. -

„Was sind wir menschen doch ...
Ein bald verschmeltzter schnee und abgebrannte kertzen."
103, 11, 1 f. -

Ganz ähnlich läßt sich die Verwendung des Eises nach seinen
Eigenschaften aufteilen: Es ist 1. kalt, 2. glatt, 3. zerbrechlich.

War die Hitze eine beständige Metapher der Leidenschaften
und Gefühle, so ist die meist physisch auf die Glieder ange-
wandte Kälte eine B e g l e i t e r s c h e i n u n g v o n F u r c h t ,
S c h r e c k e n u n d L i e b l o s i g k e i t . „In mir herrscht
furcht und kaltes zittern" 267, 3, 22 - „Und die durcheisten glieder schüttern" 341, 46 - vgl. Carol. 1, 236 - „Ein kaltes eiß Be-
fröstet adern, hertz und lungen" 342, 73 f. - „Mehr kalt denn
Scytisch eis ist mein erfrörtes hertz" 165, 10, 1 - vgl. 59, 53, 2 -
„Bald wird, was kalt wie eis, von deiner lieb entbrennen" 79, 12,
12 - vgl. Card. 2, 8 - 442, 8 f. -

Die Glätte des Eises sodann ist das Bild für die G e -
f ä h r d e t h e i t e i n e s U n t e r n e h m e n s o d e r e i n e r
S t e l l u n g . „Daß ich mich noch nicht schau auf diesem gläteis
wancken" Carol. 3, 414 - „Tritt auf kein schlüpffrig eis!" Carol. 2,
432, - „Lern' auff dem glätt-eis heut um etwas sänffter traben"
Pap. 3, 698 - „Kan iemand ohne fall auf glattem eyß bestehn,
Wenn ihn der neid anstößt? ..." Leo 2, 137 f. -

Und schließlich weist das Wort „auf schwaches eis" bauen
Pap. 3, 114 - auf die G e b r e c h l i c h k e i t .

Nur ganz s e l t e n durchbricht G. den Kreis der Konvention
durch ungewöhnliche und s e l b s t ä n d i g e A n w e n d u n g e n
wie etwa dort, wo er von „der salben eys" 115, 29, 8 - und von
der Klinge, die „als eyß" auf dem feindlichen Stahl zerspringt,
Leo 5, 135 - redet.

In diesem Zusammenhang muß auch das mit Frost und Eis
verbundene „e r s t a r r t" und „e r s t a r r e n" erwähnt werden, das G: recht eigentlich zum Gegensatz zu dem leidenschaft-
bewegten „erhitzt" macht. Die allgemein starke Betonung des
Dynamischen macht das Gegenteil aller Bewegung, die Reglosig-
keit, doppelt eindrücklich und unheimlich. S c h r e c k e n ,
A n g s t u n d K u m m e r führen hauptsächlich zum „Erstarren":

„Da sah ich und erstarrt in ungeheurem schrecken" Card. 5,
194. -
>„... als ein bestürtzter pfleget,
>Der laß von todesangst in tieff erstarren fällt" Leo 3, 232 f. -

„Starrt seelen und erschreckt!" Card. 2, 284 - „Manch greiser
bart erstarrt ob meinen gelben haren" Card. 1, 50 - „Das große
Rom erstarrt ob seinem Bassian" Pap. 2, 571 und 5, 4 - u. a. m.

8. Gewitter.

Eins der am häufigsten verwandten und in diesem Umfang
für G. charakteristischen Bildfelder ist das des Gewitters.
Es erscheint in L über 60, in T über 100mal. Der Mensch, um-
ringt von berstenden, schwarzen Wolken, krachenden Donner-
schlägen und flammenden Blitzen, — diese Vorstellung entsprach
vorzüglich der düsteren und erhabenen Seelenstimmung des
Dichters.

Das Vergleichsfeld des Gewitters mit Donner und Blitz wird
in der Mehrzahl aller Fälle — etwa 90mal — für das Bedeutungsfeld Unheil, Trübsal, Schicksalsschläge eingesetzt.

Für „ich lebe in Trübsal, ich bin vom Unglück verfolgt"
heißt es:
>„Um mich blitzt der himmel flamme." 24, 5, 9. -
>„Des donners schwefel-lichte flammen
>Die schlugen über mir zusammen." 224, 12, 15 f. -
>„Der donner ists, der mich und dich in nichts verkehret."
>>Carol. 2, 86 und 318 f. - vgl. 562, 13. -
>„Dort brennt der himmel an und geht mit donnerkeilen
>Hochschwanger auf diß haupt ..." 58, 51, 5 f. -
>„Diß war ein donnerschlag, der durch sie seele gieng
>Und mein getroffen hertz mit lichter glut umfieng,"
>>Kath. 1, 259 f. -

Oder ausgesponnener, wobei wieder malend und addierend
Strich neben Strich, Farbe neben Farbe gesetzt wird:
>„Der himmel brennt mit lichten blitzen,
>Der harten donner rasen knallt,
>Die hart-erschreckte lufft erschallt,
>Indem die schweffel-feur umspritzen;
>Die erde zagt ob fall und todt ..." 497, 1 f. -

Ähnlich ein Bild für die Kriegsnot:

> „Die erhitzte wetterflamme,
> Die dich Gurgistan verzehrt,
> Die dich mit laub, ast und stamme
> In umschwermend aschen kehrt,
> Wil sich, leider! noch nicht legen,
> Ob gleich alles kracht und schmaucht
> Und zusprengt von donnerschlägen
> Durch die lüffte stäubt und raucht;" Kath. 1, 831 ff. -

Wie uneigentlich der „donner" nur noch verstanden wird, wie er im Grunde lediglich als Klangkostüm, als Zeichen, durch das man sofort auf seine Bedeutung sieht, verwandt wird, zeigen die Beispiele, in denen er nach mehreren Richtungen hin „schlägt":

> „Der donner, der uns traff, hat auch nach euch geschlagen;"
> > Kath. 4, 314. -
> „Der donner, der uns traff, hat auf dich losgeschlagen."
> > Pap. 3, 546. -

Stärker noch als das rein seelische Leid wird die Mannigfaltigkeit ä u ß e r e n U n h e i l s : K r a n k h e i t , V e r - f o l g u n g , S t r a f e , G e w a l t t a t , U m s c h w u n g d e s G l ü c k e s usf. im großen Sammelbilde des Gewitters ausgedrückt, das selber freilich wieder in sehr abwechslungsreichen Gestalten erscheint, als „wetter" Pap. 2, 420 und 3, 689 - 515, 10 - „donner-wolcken" 80, 14, 6 - „ungewitter" 142, 21, 10 - 525, 11 - Krachen des himmels Carol. 1, 38 - „der harte blitz" 518, 4 - und zumal als Ausdruck für einmalige, heftige Katastrophen als „donnerschlag" Carol. 1, 259 und 2, 377 - Pap. 2, 377 und 5, 476 - 406; 436 - „donnerkeile" Leo 4, 332 - der auf dem Kopf erkracht Leo 1, 412 und 5, 180 - oder „auf ihren Haaren lag" Pap. 2, 409 f. - „der lichte pfeil der donner" Leo 2, 558 - oder überhaupt als „blitz" Pap. 3, 292 und 657 - 4, 228 und 412 - Kath. 1, 369 - Card. 5, 182 und 520, 58. -

Der Bedeutungsgehalt des Gewitters legt seine metaphorische Verwendung auch dort nahe, wo e i n e m Ä u ß e r s t e n a n i r d i s c h e m L e i d e n d i e n o c h s t ä r k e r e s i t t l i c h e K r a f t g e g e n ü b e r g e s t e l l t wird:

> „Reine lieb' ists, die nichts zwinget,

> Ob durch schwartze lüffte dringet
> Der entbrandten strahlen-macht." 280, 11, 1 und 3 f. -

„... eines helden muth
Mehr mächtig denn der blitz" Leo 2, 61 f. - vgl. 194, 64, 7 f. -

„... glaub es fest,
Daß keiner blitzen glantz, kein ungeheure pest
Uns ie den muth benahm!" Leo 3, 289 ff. -

„Kein donner wird erwecken
Auch keiner blitzen trutz ...
Den, der in (Gottes) schutz." 263, 1, 140 f. -

Eine wichtige Gruppe — mit etwa je 20 Beispielen in L und T
— bildet die r e l i g i ö s e A n w e n d u n g d e s G e w i t t e r -
b i l d e s auf den Strafen, Anfechtungen und Prüfungen ver-
hängenden Gott, in dessen Hand Blitz und Donner buchstäblich
ruhen, der „mit schweren ungewittern" Leo 2, 380 - den Sünder
überfällt und von dessen rächendem und zürnendem Verhalten
das ganz providentiell gesehene irdische Schicksal zeugt:

„Um mich erkracht mit ungewittern
Der auf den schwachen geist zu hart erhitzte Gott." 267, 3, 23 f. -

„Ach herr! wil sich dein zorn erhitzen
Und um und um mit lichten blitzen
Von schwartz-gewölckter höh
Auf die erschreckten glieder schlagen?" 476, 18, 50 f. -

Vgl. auch die farbenreiche, ausgeführte Klage des vom Gewitter-
zorn Gottes heimgesuchten Frommen: 239, 5, 21 f. und 499, 29 f. -
Gott ist es, der mit seines „grimmes donnerkeilen Und höllen-
heißen schwefel-pfeilen" die Sünder straft 214, 7, 12 f. - der
„mit geschwindem blitz und hartem donner" schreckt 206, 2,
23 - 299, 5, 4 f. - aber sein „donnerstral" fällt auch auf das
„schönste tugend-reis" 116, 32, 3 f. - vgl. 515, 10 - und er bricht
durch sein Blitzen Feinde und Sünder 184, 45, 1 - 272, 6, 50 -
Leo 3, 52 - „Sein donner kracht auf meiner brust" 477, 18, 79 -
vgl. 499, 14 - 572, 50 - 253, 11, 53 f. - 299, 5, 4 f. - Seine
„donner-stimm" kracht die Sünder an 67, 63, 8 - 156, 47, 10 -
Er vermag „blitzen durch das hertz und rauhe donnerschläge
Durch marck und glieder" zu jagen 446, 154 f. -
Besonders häufig bedienen sich die Fragen der u n g e d u l d i g
o d e r v e r g e b l i c h G o t t e s S t r a f e für offenen Frevel
H e r a b f o r d e r n d e n des Gewitterbildes. Allein in Kath.
finden sich dafür folgende Beispiele:

„... blitzt der himmel nicht?" 1, 484 - 5, 26. -

„Und wil der himmel nicht,
Gewaffnet mit der glut von schweffel-hellem licht,
Feuer nach dem kopffe geben?" 5, 346 ff. -

„Geht denn kein donner an, der diese mörder trifft ...?" 5, 191. -

„Wenn wird die rach' erwachen,
Wenn nun dein strahl nicht wil durch alle lüffte krachen?"
5, 29 f. -

Nur in vereinzelten Fällen empfindet G. das Bedürfnis nach a l l e g o r i s c h e r A u s w e i t u n g d e r G e w i t t e r m e - t a p h e r. Zweimal verbildlicht er den Gedanken, daß großes Unglück nur große Herren heimsucht:

„So bleibt ein grüner strauch von blitzen unverletzt,
Wenn der erhitzte grimm in hohe cedern setzt". Leo 3, 21 f. -
„Ein schatten-reicher baum wird von dem himmel troffen;
Ein strauch steht unversehrt." Pap. 1, 152 f. -

Das abschwellende Gewitter, der Durchbruch der Sonne, das Aufatmen der Kreatur gleicht der F r e u d e n a c h ü b e r - s t a n d e n e r G e f a h r:

„Wie wenn der donnersturm der wetter sich verzogen,
Wenn nach der blitzen knall der wolcken nacht verflogen,
„Der tauben matte schaar sich an der sonn ergetzt..."
Kath. 4, 1 f. - vgl. Card. 1, 161 f. - Pap. 5, 101 f. - 522, 43 f. -

Umgekehrt vergleicht Papinian einmal in längerer Allegorie 1, 33 f. - die Regel, daß Tugend Haß und Verfolgung nach sich zieht, mit der aufgehenden Sonne, die Nebel und Dunst erweckt und zur Gewitterbildung führt.

Nur in wenigen Einzelfällen geht die Verwendung von Donner und Blitz über den bisher beschriebenen typischen Bedeutungs- bereich hinaus, so in der — natürlich auch uralten — Anwendung auf die Waffen: „blitz der schwerdter" 140, 19, 3 - „der waffen donnerklang" Kath. 3, 10 - einmal sogar die lähmende Furcht: „Verzagter furchten blitz" Leo 2, 37. -

9. Sturm.

In enger Verwandtschaft, oft auch in äußerer Verbundenheit mit der Metapher des Gewitters steht die des S t u r m s und des W i n d e s, mit etwa 30 Fällen in L und 40 in T. Sie ist

ebenfalls überwiegend Zeichen für N o t, U n g l ü c k, V e r -
f o l g u n g u n d G e f a h r: 99, 2, 3 - 142, 21, 10 - 170, 20, 7 f. -
524, 1 - 521, 71 - 532, 5 - Carol. 2, 431 - „verfolgungs-nord"
46, 35, 8 - für die Gefühle der A n g s t u n d S o r g e: 262, 2,
89 - 568, 3 - Kath. 2, 258 - und für den T o d : „des todes sturm"
219, 9, 54 - aber auch für L ü g e, V e r l e u m d u n g, H a ß :
„Wenn die ergrimmten wind erhitzter lügen blasen?
Wenn die erzürnten stürm untreuer zungen rasen?" Leo 2, 139 f. -
Und in der großen, die Stellung des Fürsten in der Welt beschreibenden Einleitungsrede im „Papinian" 1, 17 ff. - ist der
„nord" das Sinnbild der äußeren Gefahr, der „faule sud" aber
Bringer der pestartigen Seuche, „Die man verläumbdung heißt".
Der W i n d, das „stille, sanfte Sausen" dagegen ist Abbild
z a r t e r s e e l i s c h e r R e g u n g e n : der „seuffzer west" 195,
65, 11 - vgl. Kath. 1, 730. -
Eine dritte Bedeutung dieses Bildfeldes wird unten in anderem
Zusammenhange erörtert.

10. Krachen.

Und schließlich gehört hierhin noch jene einzige beherrschende
a k u s t i s c h e Metapher, die entnommen ist dem Dröhnen
berstender Wolken 161, 1, 2 - im Sturm zersplitternder Masten
570, 66 - und dem jener Zeit so bekannten Geräusch, dem Getöse
zusammenbrechender Mauern Leo 1, 215 - und nächtlich lohender
Brände: das tonmalende Lieblingswort G.s, k r a c h e n. Das
„lichte krachen" des Gewitters 161, 1, 2 - 495, 22 - und der
Flamme, die „in ihrer eng erkracht Und durch das krachen lebt"
Leo 4, 254 f. - ist der Ausgangspunkt dieses unaufhörlich wieder-
kehrenden Ausdrucks, in dem sich Wollust und Grauen der Zeit
angesichts des eigenen Chaos spiegelt, — der Zeit, in welcher man
den Augenblick, da „die letzten reich' auf eignen flammen
krachen" 179, 36, 8 -, vgl. ebenfalls eschatologisch angewandt: 528,
118 - 156, 47, 1 - 518, 78 - u. a., wieder für nahe herbeigekommen
hielt.
Der Übergang zu der im eigentlichen Sinne metaphorischen
Behandlung geschieht da, wo „krachen" zum gesteigerten Ausdruck physischer oder psychischer Leiden wird. Und zwar hat
es da, wo dies Leiden im Bilde des Feuers dargestellt wird, noch

seinen ursprünglichen Sinn, wenn es etwa heißt: „mein hoch-
betrübtes hertz, Das im jammerfeu're krachet ..." 250, 10,
50 f. - oder wenn von der Hölle gesagt wird, daß dort „die
verdamm'te seel' in schwartzen flammen kracht" 48, 38, 3. - Wo
es dagegen isoliert wird — „mein krachend hertz erstickt" Pap.
5, 505 - „Mein bebend hertze kracht" 181, 39, 7 - es wird „der
leib vor gifft zerkrachen" 116, 31, 5 - Der Zorn, der „durch alle
sinnen kracht" Kath. 3, 343 - usf., da zeigt sich wieder der
innere Bedeutungswandel, der nichts anderes ist als eine Ent-
leerung des konkreten Sinnes, — eine Folge der barocken Sprach-
behandlung.

Die Vorliebe für diese akustische Metapher erklärt den Reichtum der Synoyma. G. spricht gelegentlich von „donnernden beschwerden" 102, 8, 8 - von der in ihren Banden „heulenden"
Freiheit 141, 19, 8 - von Thronen, die krachen, knacken, brechen,
stürzen 442, 35 - vom Abgrund, der „zersplittert" 456, 3, 33 -
vom „ersausen" der Luft und vom „brausen" der Winde 562,
15 f. - vom „mord-geknirsch" der Waffen Carol. 4, 76 - und
von der selbst in Ketten brüllenden Untreue und Schuld Leo
2, 225 f. - Das Wortmaterial also, das Spätere dann in rück-
sichtsloser Technik ausnutzten und zu erstaunlichen klanglichen
Wirkungen schmeidigten, ist auch bei G. da, aber ihm kam es
gemeinhin gar nicht auf den Wechsel an; er bevorzugt einen bestimmten, gleichzeitig eindringlichen und vieldeutigen Ausdruck.

11. Abgrund.

Eine ähnliche Tendenz zur Entkonkretisierung teilt auch die
Verwendung von „A b g r u n d" bei G. Zunächst bezeichnet
„Abgrund" einfach das U n t e r i r d i s c h e, die Grenze nach
unten, wie sie Himmel und Sterne nach oben bilden. 209, 4, 34 -
161, 1, 3 f. -

So wird der Abgrund vielfach zur Umschreibung der H ö l l e:
Die „höllen-schwartze nacht" der Bosheit fliegt aus dem „abgrund" auf Kath. 3, 364 f. - Gott kann Leib und Seele „in des
grausen abgrunds höle" stürzen Kath. 4, 447 - „des Satans
macht zubricht — Der abgrund selbst zersplittert" 456, 3, 32 -
vgl. 497, 7 f. - 506, 23 f. - 499, 33 f. -

Dann aber wird das räumlich-sinnliche Moment ganz aus-
geschieden, und der „Abgrund" wird zur inhaltlich ganz neutralen
Metapher für das Extrem, für den S u p e r l a t i v , b e -
s o n d e r s d e r A f f e k t e : „abgrund ernster angst" 65, 60,
14 - vgl. 89, 29, 8 - „holder güte" 82, 17, 11 - „der schmertzen"
Leo 5, 422 f. - „grund der traurigkeit" 223, 11, 28 - „abgrund-
tieffes weh" 234, 2, 85. - Eine ursprüngliche Fassung „Die füll
des reichthums" schien dem Dichter zu blaß, und er setzte
dafür das zugleich konkrete und „donnerndere" „des reichthums
abgrund" 26, 8, 5. -

Auch der M e n s c h , in dem sich die betreffende Eigenschaft gleichsam verkörpert, kann zum „Abgrund" z. B. „der
ärgsten schande" Leo 1, 488 - werden.

Schließlich erhält der Begriff „Abgrund", wo er absolut steht,
die Bedeutung von V e r d e r b e n , U n h e i l : „von höchster
höh in tieffsten abgrund" stürzen Pap. 1, 408 - vgl. Leo 1, 310
und 5, 109 - „Sinckt Albion nun gantz dem abgrund in den
rachen?" Carol 2, 6 - vgl. Card. 3, 78 - 225, 12, 44 f. - 501, 14 f. -

12. Schatten, Dunst, Staub.

Eine neue, wieder durch eine bestimmte Bedeutung zusammen-
gehaltene Gruppe in sich verschiedener „Sachen" enthält den
dahinfliehenden S c h a t t e n , der etwas zu sein vorgibt und
doch wesenlos ist, den in nichts sich auflösenden R a u c h und
D u n s t , den W i n d , der ungreifbar und flüchtig vorüberfährt,
die W o l k e , die aus dem Nichts sich bildet und in nichts zer-
rinnt, den T r a u m , diesen nichtigen und jäh zerstiebenden
Schein des Lebens, den S c h a u m , mit dem eine Welle sich
krönt und den die nächste verschlingt, den unstät dahingetrie-
benen S t a u b . Dem allem liegt die flüchtig hinfahrende und jäh
verfallende Gebärde des S c h e i n s und der V e r g ä n g l i c h -
k e i t zugrunde. Sie auszudrücken ist die bildliche Funktion
dieser einzelnen Dinge, und dieser Ausdruck muß sich noch steigern, wenn eine Reihe dieser die Nichtigkeit transparent machenden Dinge nebeneinandergestellt werden, wie es gerade in diesem
Bereich häufig geschieht.

In dem schönen Chorlied von der Vergänglichkeit aller Dinge,
das den 2. Akt des „Leo" beschließt, heißt es:

> „Sterbliche! was ist dis leben,
> Als ein gantz vermischter traum?
> Diß was fleiß und schweiß uns geben,
> Schwindet als der wellen schaum!" Leo 2, 629 ff. –

Unvermeidlich und schon gegenwärtig gefühlt ist der Augenblick, da

> „Mein nahme, meine zeit, mein leben, ruhm und stand
> Verschwunden als ein rauch…" 411, 341 f. –

> „Der schnellen tage traum, Der leichten jahre schaum
> Zerschlägt sich an der schwartzen bahr." 233, 2, 45 f. –

> „Was ist der hohe ruhm und jugend, ehr und kunst?
> Wenn dise stunde kommt, wird alles rauch und dunst."
>   125, 48, 12 f. –

Das Faktum des E n d e s ist es, das G.s leidenschaftliche,
nach Ewigkeit, nach Unantastbarkeit durch Zeit und Verhängnis verlangende Seele verdunkelt, es ist die „ungeheure nacht",

> „Die aller thaten ruhm und tapffern nahmens pracht
> Wird mit beschwärztem dunst und nebel überdecken." 514, 65 f. –

Von der allgegenwärtigen Wirklichkeit des Endes her wird dies
Leben zum „schatten, rauch und wind" 38, 24, 13 – zum „traum"
417, 143 – ja, „schlechter als ein traum", denn „Dein traum war
wahre freud, dein leben dunst und schaum" 412, 31 f. – nur
einem schrecklichen Traum ist es vergleichbar:

> „Diß lebenlose leben
> Fällt, als ein traum entweicht,
> Wenn sich die nacht begeben
> Und nun der mond erbleicht.
> Doch mich hat dieser traum nur schreckenvoll gemacht."
>   274, 7, 20 f. –

Nicht die Fülle von Leid, Trübsal und Entsetzen, die der
Dichter in seinem Leben und in seiner Zeit fand, war entscheidend, sondern daß „alles, was man mit gebeugten knien ehrt,
Nur fantasie und spiel" 443, 52 f. – daß der mensch vergeht, wie
„rauch von starcken winden" 104, 11, 14 – daß die „schönheit
rauch" 155, 46, 3 – der „erden pracht" und der Adel „dunst"

155, 46, 4 - ist, daß der „erden schmuck ... in mott und
aschen" vergeht 527, 96 - daß die „herrligkeit ... nur ein
traum" 210, 4, 50 - ist, daß sie zu „rauch und aschen" werden
muß.

> „Was hilfft die wissenschafft, der mehr denn falsche dunst?
> Der liebe zauberwerck ist tolle phantasie;
> Die wollust ist fürwahr nichts als ein schneller traum ..."
>   236, 3, 3 f. -

Alle Majestät ist „schatten, rauch und wind" Carol 5, 432. -
„Wind, schatten, rauch und spreu ist aller menschen pracht."
Pap. 5, 270. -

> „Der hohen thaten ruhm muß wie ein traum vergehn.
> Ach, was ist alles diß, was wir vor köstlich achten,
> Als schlechte nichtigkeit, als schatten, staub und wind."
>   102, 8, 9 f. -

Wie der Ruhm sich bald „in die aschen neigen" muß Leo 2, 572 -
so faßt die Ewigkeit in dem Eingangsmonolog zur „Katharina"
die Vergänglichkeit aller menschlichen Werte sinnbildlich zusammen:

> „Schmuck, bild, metall und ein gelehrt papier
> Ist nichts als spreu und leichter staub vor mir." Kath. 1, 69 f. -
> „Was nutzt mein thun und schreiben,
> Das die geschwinde zeit
> Wird als den rauch zutreiben?" 275, 7, 50 ff. -

fragt der D i c h t e r G., und in einem „Scire tuum nihil est"
überschriebenen Gedicht wird der Inhalt aller Bücher ein einziges memento mori, — freilich anders in der Bedeutung als das
der mittelalterlichen Bußprediger.

> „Und was ich hier seh stehn,
> Der werthen bücher lust was kan die anders lehren,
> Als daß wir untergehn,
> Wie dieser, der sie schrieb? Was kan ich anders hören,
> Als daß ich gleich dem klang,
> So ietzt die lufft durchstreicht und ietzt auch gantz verschwindet,
> Eil auf den untergang." 264, 2, 17 f. -

Die „schatten-kurtze zeit" 279, 10, 5 - die uns gegeben ist, welkt
und schwindet hin wie eine Blume am Mittag, wie der Tau in der
Sonne, wie der Funke in der Nacht, wie das Schiff, der Vogel,
der Wind, wie die dahinfliegenden Pfeile.

„Doch nichts läßt hinter sich des zu geschwinden ganges zeichen. -
Wir sind kaum in diß licht gebohren
Und sind schon von dem tod erkohren.

— — — — — — — — —

„Wir kommen, und man heißt uns scheiden!" Kath. 2, 357-78. -

Ein neues ecce homo wird hier erlebt:

„... wir sind ein wind, ein schaum,
Ein nebel und ein bach, ein reiff, ein thau', ein schatten.
Itzt was und morgen nichts, und was sind unser thaten?
Als ein mit herber angst durchaus vermischter traum."
124, 45, 11 ff. -

Alles Höherkommen des Menschen ist im Grunde ein „steigen
nach dem fall." Leo 2, 575 ff. -

Das Vergänglichkeitsmotiv ist bei den gesamten Bildern primär und entscheidend, die Wertlosigkeit erst eine Folge. Beides
läßt sich natürlich nicht streng voneinander trennen. Immerhin
gibt es eine Reihe von Fällen, in denen der Bildbereich einfach
als ein Zeichen für Nichtigkeit, Schein und Trug auftritt. — Und
damit wird die Angleichung an die konventionelle Barockpoetik
wieder vollzogen. So spricht G. vom „dunst der worte"
Pap. 4, 147. -

Bedeutung und Metapher nebeneinandergestellt: „ein leerer
wahn, ein falscher dunst" Leo 3, 110, 341 f. - vgl. 442, 25 f. -
„rauch und dunst trug" Carol. 4, 331 f. - „der fremden ehr
Geschminckter dunst" Pap. 4, 210 f. - vgl. Pap. 4, 318 - Carol. 1,
104 - ebenso „eitler liebe dunst" Kath. 3, 134 - „rauch des
falschen ruhms" Kath. 1, 43 - „dunst" der eitlen Lehre Leo 1,
532 - der „scepter tockenwerck" Leo 1, 45. - Als Beschreibung
des religiösen Verhältnisses von Gott und Mensch:

„Wer Gott zum streit austagt
Wird asch und staub und dunst und rauch und wind."
Leo 3, 63 f. - vgl. 268, 3, 58. -

13. Farben.

Man könnte von einer Auffassung der Dichtkunst als einer
Malerei mit Wortfarben vermuten, daß sie zu einer starken Bevorzugung und Ausnutzung der F a r b e n innerhalb des dichterischen Sprachfeldes anrege. Allein der malerische Charakter

bezieht sich nicht so sehr auf das Kolorit als auf die grundsätzliche Gestaltung der dichterischen Kunstform im allgemeinen:
das flächenhafte Nebeneinander der einzelnen Teile, das innerhalb
der Sprache zum addierenden Nacheinander wird, die Versinnlichung alles Unsinnlichen durch allegorische Konkretisierung
und andrerseits die Erhebung des sinnlichen Seins vermittels
dieser allegorischen Durchformung zur durchsichtigen Erscheinung einer Bedeutung —, und das Wort als das magische Mittel,
diese allegorische Vertauschung von Sinn und Sache herzustellen
und über der vielfach zerfallenden Wirklichkeit den prächtigen
und geschmückten Bogen einer bedeutenden und gedeuteten,
spielerisch oder erhaben, tiefsinnig oder pedantisch gemeisterten
Welt aufzuführen.

In dieser Gesamtstruktur stellen auch die Farben nur ein bestimmtes, abgegrenztes Bildfeld, auf das der Dichter nur bei gewissen typischen Bedeutungsanlässen zurückgreift. Am ehesten
wird die repräsentative Rolle der M a l e r e i in dem metaphysischen Gebrauch des Verbums für sinnlich darstellen, ver-
schönern, deutlich: Die S o n n e „mahlt" 171, 22, 5 - Welt, Tier
und Pflanze „mahlen" Gottes Allmacht 416, 123 f. - M o r -
p h e u s „mahlt" dem Schlummerden etwas vor 529, 9 f. - die
S t e r n e „mahlen" die Wolken 559, 5 f. - die N a c h t streicht
alles schwarz an Leo 3, 34 - und die Majestät des sterbenden
Carolus

„... streicht, indem sie nicht in purpur fünckeln kan,
Mit unerschöpfftem glantz die schönen glieder an." Carol. 5, 279 f. -

Neben „mahlen" hat „ s c h m i n c k e n " fast durchweg die
üble Nebenbedeutung des Unechten, Trügerischen, Vergäng -
lichen. Die Sonne „mahlt" den Himmel, aber sie „schminckt"
die — tatsächlich so gebrechliche — Welt 171, 22, 6.- Dabei ist
gerade „schmincken" im Begriff, mit der sinnlichen Vorstellungs-
möglichkeit seinen im eigentlichen Sinne metaphorischen Charakter zu verlieren und zum unmittelbaren Ausdruck für das
äußerlich Schöne, in Wirklichkeit Nichtige zu werden. Eine
Hauptursache dieses schnellen Verbrauchs der metaphorisch-
sinnlichen Kraft ist die beständige Anwendung auf Abstrakta
oder auf unsinnliche Gegenstände, die die bildliche Wirkung
sofort ersticken. So schminkt sich die Ketzerei, die „scharffe

pest" mit „heilig-seyn" Carol. 4, 140 f. - vgl. Carol. 4, 318 und 5, 526. - Fürsten und Schmeichler bedienen sich oft „geschminckter worte" 578, 168 - vgl. „das geschminckte loben" Kath. 3, 511 - „geschmünckte tyranney" Leo 5, 317 - „mit geschmincktem schein" Carol. 2, 283 - „schön geschmincktes nichts" 181, 39, 3 - „des geschminckten glückes falsche pracht" 247, 9, 2 - Cardenio sieht auf der Universität „nicht geschminckten preis Durchaus gegründter lehr" Card. 1, 40 f. -
S c h w a r z ist alles Böse und Verderbliche:
„Die todte majestät, die auf das mord-klotz fällt,
Beschwärtzt das weite land."
185, 47, 9 f. - vgl. 465, 11, 15 f. - Pap. 3, 667. -

S c h w a r z ist der A r g w o h n Leo 1, 469 - die A n g s t Leo 4, 332 und 5, 182; 346 - die „r a s e r e y e n" Pap. 2, 393 - das S ü n d e n b u c h, in dem die Frevler stehen 266, 2, 79 - das Gift der Zwietracht Kath. 5, 437 - vgl. Kath. 1, 481 - Card. 3, 100 - sogar der Schmerz 206, 2, 22. - In der schwarzen „ruh der ungeheuren stille" wohnen die abgeschiedenen Geister Carol 2, 29. - Dem Sorgenvollen naht nachts „die beschwärzte schaar, das heer der angst" Leo 1, 387 f. - In echt barocker Parataxe erwägt Chach Abbas, ob nicht der Glanz seines Herrschertums das geplante Verbrechen unsichtbar bleiben ließe:
„Man wird durch maiestät und sonne so verblend't,
Daß man so wenig der als jener schwärtz erkennt."
Kath. 3, 439 f. -

Das geht bis zu der Wendung: „War nicht des bischofs hut mit vieler schuld beschwärtzt?" Carol. 3, 623 - oder die lasterhafte „brunst" „beschwärtzt" den Liebesbrief Card. 1, 447. - Das für Karl Stuart aufgestellte Blutgericht ist,
„... ob es schwartz bezogen,
Noch nicht so schwartz als die, die printz und gott gelogen."
Carol. 5, 139 f. -

Sehr häufig findet sich bei G. „ b l a ß " und „ b l e i c h " bzw. „erblassen" und „erbleichen" als Ausdruck des Leidens und Dahinschwindens. „blaß" und „bleich" ist der T o d : Coral. 5, 44 und 4, 13 - Leo 2, 110 - 536, 65 - 223, 11, 27 - 216, 8, 4 - 48, 38, 9 - der alles erbleichen läßt: 137, 12, 9 - auch die S c h ö n h e i t 210, 4, 45 - und die „ R o ß' d e r W a n g e n 343,

84 - 254, 12, 16 - die die Zeit „mit kaltem bleiche seyn"
Carol 2, 297 f. - bestreicht. Aber auch F u r c h t 475, 18, 19 -
und H u n g e r 561, 2 - sind bleich, ebenso der N e i d Pap. 1,
405. - Ein L a n d , eine S t a d t kann bleich werden Carol.
3, 793. - Umgekehrt bedeutet es gerade die Abnahme des Affekts,
wenn vom Erblassen der R a c h e Carol. 3, 84 - und der
S t ä r k e 299, 5, 12 - gesprochen wird.

Sind die Farben die sinnbildliche Darstellung unsinnlicher
Verhalte, so tritt andrerseits dort, wo die Farben selber benötigt
werden, eine Umsetzung in ein anderes Feld, eine Umschreibung
durch Gegenstände, deren eine Eigenschaft auch die betreffende
Farbe ist, ein. Hier handelt es sich nicht mehr um die allegorische Weltbetrachtung; das darüber weit hinausgreifende Streben zur umschreibenden Vermeidung des Gewöhnlichen, zur
Konkretisierung alles Abstrakten in den Einzelgegenstand hinein
führt vielmehr dazu, daß auch die Farbqualität als solche ersetzt
wird durch einen Gegenstand, dessen stärkster sensueller Ausdruck eben jene bestimmte Farbe ist. So treten R o s e n , L i -
l i e n , S c h n e e , M a r m o r, A l a b a s t e r , K o r a l l e n ,
P u r p u r usf. für die jeweilige Farbe ein. R o t tritt an die
Stelle von B l u t : „die rothe martertauff" 84, 21, 7 - und Blut
an die Stelle der Röte: „der monden steht in blut" 22, 2, 3 -
„die wangen sind mit blut und lilien umfangen" 117, 33, 2. - Daneben gibt es durchaus noch Fälle, in denen die direkte Farb-
beziehung beibehalten ist: „die zeit kan deinen kopff und bart
in weiß verkehren" 400, 153. -

B. Lebendige Natur.

1. Blume.

Von den bisher behandelten Bildbereichen läßt sich, in freilich immer nur loser Abgrenzung, eine weitere Gruppe trennen,
welche die l e b e n d i g e N a t u r : Blume, Baum, Saat und
Ernte, Frühling und Herbst, Pflanze und Tier umfaßt.

In fast 200 Fällen erscheint in L und T die Metapher der
B l u m e und des B l ü h e n s. Dabei ist die verbale Form zu
einem geläufigen Ausdruck für kräftig sein, sich entfalten, wohl

ergehen — geworden, der die Schwelle des eigentlich metaphorischen Bewußtseins zweifellos vielfach schon überschritten
hat. Es „blühen" vor allem die Abstrakta: der R u h m 393, 15 -
477, 18, 63 - 214, 6, 64 - Pap. 5, 59 - Kath. 3, 48 - Carol. 3,
116 - das L e b e n 402, 175 - Kath. 1, 627 - Pap. 2, 37 -
465, 12, 2 - die F r e u d e 443, 45 - die J u g e n d 443, 66 -
518, 74 - die G e r e c h t i g k e i t 507, 21 f. - der F r i e d e 282,
12, 17 - Kath. 5, 322 - das G l ü c k 556, 67 - Kath. 4, 104 -
Pap. 2, 471 - 535, 35 - die G u n s t Card. 3, 47 - die U n -
s c h u l d Carol. 2, 423 - das A l t e r Kath. 1, 13 - das L o b
Carol. 3, 159 - Pap. 5, 85 und 152 - die F r e i h e i t Pap. 3,
584 - die L u s t Pap. 4, 38 - die E h r e Pap. 5, 289 und 502 -
die D e m u t 340, 1, 1 f. - Seltener erscheint „blühen" bei Abstrakten, die mit Unlust und Unwert verbunden sind: „ a n g s t ",
die unaufhörlich blüht" 271, 6, 4 - ebenso L e i d Kath. 4, 364 -
Z w i e t r a c h t Carol. 3, 108 - T r o t z Kath. 1, 526 -
„ w i d e r w i l l " Pap. 2, 86. - Zuweilen ist das Bild auch
n e g a t i v gewandt: „nun redlikeit verblüht" 180, 38, 7. -

Der Ausdruck „blühen" wird daneben für L ä n d e r ,
S t a m m und H a u s gebraucht, wie für S t ä d t e , die
K i r c h e und G o t t e s R e i c h : 470, 15, 32 - 551, 11 - Carol.
5, 409 - Leo 1, 447 und 101 - Leo 2, 224 - Pap. 4, 298 - Kath.
1, 715 - Carol. 4, 138 - und besonders auch für M e n s c h e n :
„Er wird durch boßheit groß und blüht" Leo 5, 239 - „Er fieng
kaum an zu blühen" Kath. 3, 105 - vgl. Carol. 3, 200 und 2, 159
und 461 - Leo 5, 239 - Pap. 2, 215, -

An dieser Stelle sei das Substantiv „B l ü t e " und „B l u m e "
eingeschoben, das die Höhe und Kraft der J u g e n d beschreibt:
„In meiner ersten blüt', im frühling zarter tage" 145, 28, 1 -
vgl. Kath. 1, 758 - 93, 36, 1 - 523, 56 - Card. 3, 256 - Carol. 3,
573 - Pap. 4, 267 f. und 5, 485 f. - „Der glieder blum" 537,
33 - vgl. Card. 2, 42. - G. spricht aber auch von der „blüt des
alters" Kath. 4, 423. - Zugleich wird „Blume" zur formelhaften
U m s c h r e i b u n g h ö c h s t e n W e r t e s : „tugend und verstand, die blume deiner jahr…" 120, 40, 2 - „der keuschheit
blum" Card. 1, 414 und 5, 286. - Die Sterne schmücken als
„blumen" die Himmelsauen 118, 36, 4. - Hauptsächlich von Menschen, vor allem von F r a u e n : „blume letzter zeit" ist Maria

78, 11, 13 - „zarte blum" Carol. 2, 367 - 515, 10 - „edle tugend-
blum" 105, 13, 1 f. - „andachtsvolle ros" und „blum der erden"
105, 13, 4 - 534, 9 - „rose der jungfrauen" 110, 22, 1 - vgl.
194, 64, 9 - „aller blumen blum" Kath. 2, 92 - „der frauen blum"
Kath. 5, 175 - „blum, die vor der zeit verblüht" Pap. 2, 514 - aber
a u c h v o n M ä n n e r n : „o blumen aller helden" Leo 1, 7 -
Carol. 2, 33 und 1, 210 und 4, 13 - „Des adels schönste blum"
Kath. 1, 556 - vgl. Carol. 3, 245 - „blum der tapfferkeit" Pap.
4, 431 - „blumen erstes mertzen" nennt G. einmal seine Jugend-
gedichte 94, 36, 8. -

Den Hauptanteil in diesem Bereich stellt bei G. die uner-
müdliche Variation jenes alten b i b l i s c h e n M o t i v s , das
den Menschen mit der frühe blühenden und rasch verwelkenden
Blume vergleicht. Die Blume in ihrer Anmut und in ihrer unaufhaltsamen Hinfälligkeit kehrt in der Lyrik und in der Tragödie, die ja in ihren Höhepunkten ebenfalls rein lyrisch ist,
immer wieder. Und hier hat der Dichter, im Gegensatz zu den
bisherigen formelhaften Verwendungen, stets aufs neue die Gelegenheit zu farben- und kontrastreicher Ausmalung.

„blumen-gleich" verblühen wir 120, 39, 8 - 137, 12, 9 - 165, 8, 7 -
                        265, 2, 26 - vgl. 254, 12, 7 f. -
„rosen gleich" erbleichen wir Kath. 1, 859 f. -

„Wie eine rose blühet,
Wenn man die sonne sihet
Begrüßen diese welt,
Die eh der tag sich neiget,
Eh sich der abend zeiget,
Verwelckt und unversehns abfällt,
So wachsen wir auff erden...

— — — — — — — —

Doch eh wir zugenommen
Und recht zur blüte kommen,
Bricht uns des todes sturm entzwey." 218, 9, 43 f. - vgl. 211, 5, 19 -
                      103, 9, 9 f. - vor allem Kath. 1, 302 ff. -

Selbst das Heu der Weihnachtskrippe führt den Dichter auf sein
Grundthema zurück:

„Diß kindlein liegt auf heu, es wil dein hertz zum küssen,
Das wie die blum und heu doch wird verschwinden müssen."
                                      379, 47 f. -

Für die unlösbare Verwobenheit von Lust und Schmerz wird die d o r n u m g e b e n e R o s e zum Sinnbild. Rose und Dorn werden zum Gleichnis für die l e i d v e r f o l g t e S c h ö n h e i t d e r F r o m m e n 207, 3, 22 f. - für die Welt überhaupt 233, 2, 58 f. - für die Z u n g e : „Ein rosenzweig, der reucht und sticht" Leo 1, 550 - für das H e r r s c h e r t u m :

> „Wir haben von der cron nur dornen zu gewinn.
> Nur dornen, die wir noch, als alle lust verschwunden,
> Den rosenblättern gleich auf diesem haar gefunden."
> Kath. 4, 356 ff. -

Vgl. die noch stärkere Anspielung auf die Dornenkrone in dem ganz analogen Bilde Kath. 1, 302 ff. -

Nur als Illustration dieser alles Leben durchdringenden allgemeinen Wahrheit hat das Bild Wert und Gültigkeit. Es beruht auf der Realität des unlöslichen Beieinander von Freudigem und Schmerzlichem an dem gleichen Gegenstand. Das Bild selbst ist nur C h i f f r e dieser allgemeinen Wahrheit, hinter der das spezifische Sein, in diesem Fall das der Rose, ganz verschwindet. Daher kann es auch auf ihm schlechterdings unvergleichbare in sich ganz heterogene Gegenstände angewandt werden: auf C h r i s t u s 88, 27, 13 - auf A n s e h e n u n d G r ö ß e 93, 36, 11 - auf die Z u n g e Leo 1, 550 - auf die L i e b e 537, 41 f. usw. So sehr schätzte G. dieses Bild, daß er seiner T o c h t e r den Namen „Röschen" gab und ihn in einem besonderen Sonett allegorisch entwickelte. 176, 32. -

Schließlich gehören R o s e n und L i l i e n zu den Gegenständen, die neben anderen zur Verbildlichung der Farbeneindrücke verwandt werden, mit denen vor allem die w e i b l i c h e S c h ö n h e i t geschmückt wird. 254, 12, 16 - 343, 84 - 527, 103 - 237, 4, 11 - Carol. 1, 66 u. a. m.

2. Baum.

D e r B a u m kann das Bild eines Menschen, noch häufiger einer Familie, in seltenen Fällen auch eines Landes sein Kath. 1, 831 f. - Mit dieser noch ganz allgemeinen Analogie wird jedoch der Anspruch des barocken Dichters an das Bild keineswegs befriedigt. Es entsteht nun die Frage, ob das Bild wirklich sinn-

reich fruchtbar gemacht werden kann, — nicht durch ästhetische Versenkung in das einfache Baum-Mensch-Gleichnis, sondern dadurch, daß das Gleichnis ausgebaut und weitergeführt
wird, daß es sich zur Allegorie entwickeln läßt. Das wird
dadurch erreicht, daß das einfache, statische Nebeneinander von
Baum und Mensch in Bewegung gebracht und auf die einzelnen
Phasen des Baum-Schicksals angewandt wird: er grünt oder verdorrt, er bringt Frucht, er wird gefällt, er wird von Blitz oder
Sturm zerstört usf. Entsprechend ist der Mensch ein „tugend-
reis" oder er ist „dürren ästen" vergleichbar 116, 32, 4 f. - Auch
beim Menschen kommt alles auf die Frucht an:

> „Nicht großer blätter art, nicht weiter äste sprossen,
> Nicht hoher stämme macht, nicht hoher blüthen licht
> Ist, was den baum bewährt —"

eine der wenigen Stellen, in denen die Schönheit der Natur entfaltet wird, aber auch hier nur als Sinnbild des Negativen:

> „... man suchet nur die frücht,
> Alsbald die reiffe zeit des sommers ist verflossen.
> Der zweig verraucht, von dem nie iemand was genossen.
> So nützen schöne wort und kluge reden nicht." 53, 45, 1 f. -
> vgl. besonders auch Carol. 3, 73 ff. -

Gleich einem starken B a u m wird oft ein H e r r s c h e r -
h a u s vom „nord" eines Krieges mit „äst und strumpf verderbt"
148, 33, 14 - wie auch die Feinde Gottes mit „stamm und haus,
mit ast, stock und wurtzel" ausgerottet werden müssen. 476, 18,
32 f. - vgl. Kath. 1, 638 f. - Pap. 5, 273 und 523. - Wie bei
starken Bäumen genügt schließlich bei mächtigen Menschen ein
einziger Streich, um sie zu Fall zu bringen Carol 1, 272 - Kath.
2, 352 -, wie überhaupt d i e M ä c h t i g e n dem Unwetter stärker ausgesetzt sind als die Geringen, die in diesem Falle niedri-
gem Strauchwerk zu vergleichen sind Leo 3, 21 f. - Pap. 1, 152 f.
und 2, 148 f. - Fällt der Stamm, so ist es auch um Zweige und
Wurzeln geschehen — der Fall des Mächtigen reißt sein ganzes
Geschlecht in den Abgrund Carol. 2, 397 - Pap. 5, 523. - Nur
ein „gottverlobter Geist" ist

> „Gleich einer ceder, die von tollem nord bekrieget,
> Mit felsen-festem stamme sieget." Kath. 1, 875 f. -

Aber auch eine brennende Stadt kann „gleich einem cederbaum mit ast und stumpf" untergehen 562, 8 - und ein Land „mit laub, ast und stamm" verheert werden Kath. 1, 831 f. - Der erschlagene ruhmvolle Papinian wird dem Lorbeerkranz verglichen, dessen Zweige einst Schutz und Ruhe boten Pap. 5, 476 f. -

Wie gleichgültig das barocke Bild gegen jede tatsächliche, seinshafte Beziehung zwischen dem Verglichenen sein kann, wie es ihm allein auf die Verkörperung eines bestimmten Einzelgedankens, einer bestimmten Einzelbeziehung ankommt, wird deutlich, wo Carl von England mit einem Wald verglichen wird. Das tertium comparationis liegt darin, daß der Einfluß des Königs nur mit seinem Fall endet, wie der Schatten des Waldes nur mit seiner Abholzung.

„So lang als dieser wald das land wird überschatten,
Getröste die gemein sich ein'ger sonnen nicht." Carol. 3, 354 f. -

So unmöglich dieses Bild als Symbol ist, so trefflich ist es als allegorische Verkörperung des vom Für-sich der Dinge gänzlich absehenden Gedankens: die Majestät des Souveräns, sein unzerstörbarer Einflußbereich, die Notwendigkeit, ihn gänzlich hinwegzuräumen, wird in dem einen Bilde „abgemalt".

3. Saat und Ernte.

Verhältnismäßig selten ist das Bild von S a a t , E r n t e und F r u c h t ; neben unmittelbaren b i b l i s c h e n Ü b e r t r a - g u n g e n steht eine gelegentliche S e n t e n z : „Was nicht der regen netzt, bringt selten reife frucht" 93, 36, 10a - vgl. dasselbe auf die Sonne gewandt Kath. 4, 91 f. - ein paar Anwendungen auf die „Beete" des Friedhofs 340, 1, 9 ff. - 557, 19 f. -

4. Tages= und Jahreszeiten.

Ein in seinem Sinnbereich ganz eindeutig festliegender Kreis sind die T a g e s - u n d J a h r e s z e i t e n . Sie sind das Sinnbild der menschlichen Lebensalter, der Jugend, der Höhe des Lebens, des Alters und Endes. „m o r g e n r ö t h e" 525, 24 - und „f r ü h l i n g" bedeuten die J u g e n d 145, 28, 1 - vgl. 519, 30 -

515, 1 - 534, 1 f. - 536, 67 f. - gelegentlich auch die Geliebte
und ihre Nähe 195, 97, 6 f. - 197, 69, 14 f. - vgl. 112, 25, 10. -
Der M i t t a g bezeichnet die H ö h e d e s L e b e n s: Kath. 1,
760 - vgl. 105, 13, 5 f. - Pap. 5, 428 und 2, 363 f. - der A b e n d
A l t e r und A b s c h l u ß: 131, 3, 13 - vgl. 274, 7, 11 - 194,
64, 13. - Der alle Geheimnisse der Nacht aufdeckende M o r g e n
wird ferner zum Gleichnis des j ü n g s t e n G e r i c h t s 132,
4, 12 - ein l i e b r e i c h e r M u n d wird einmal dem „m o r g e n -
l i c h t e" 193, 63, 4 - ein r e t t e n d e r H e l f e r der „morgen-
röthe" verglichen Kath. 1, 429 ff. - Wie stark der barocke Vergleich vom Ganzen des Vorgangs, von der Stimmungsseite der
„Sachen" zu abstrahieren vermag, nur um die allegorisch exakte
sensuelle Detailbeziehung durchzuführen, zeigt ein Beispiel, in
dem die V e r w e s u n g d u r c h d i e W i r k u n g d e s F r ü h -
l i n g s v e r d e u t l i c h t w i r d: des „Halses schnee" wird
„erdfarb" — soll dieser Vergleich noch verstärkt werden, so
bleibt nur übrig, ihn naturgemäß auszuführen. Der Schnee
verfärbt sich unter der wärmenden Frühjahrssonne, also fährt
der Dichter fort

> „Wie wenn nun die sonnen
> Dem strengen frost hat abgewonnen
> Und heißer stral't von ihrer höh." 347, 220 f. -

5. Tiere.

Das gegebene Sinnbild menschlicher Eigenschaften ist das
Tier. Zwischen Gott und Tier schwankt das Gefühl des Barockmenschen von sich selber, dem überkommenen Sein der höheren
jenseitigen Welt noch verknüpft und der Realität der sich ver-
selbständigenden diesseitigen Welt schon verfallen, ohne in sich
selber eine neue Mitte gefunden zu haben. So wird der Mensch
als das Über-Tier empfunden, das „wunder-thier" Pap. 5, 109 -
das „ungeheure thier" Leo 4, 309 - das „überweise thier" Leo 4,
309 f. - Vor allem gibt das Tierreich eine Fülle häufig verwandter
Möglichkeiten zur allegorisch-konkreten Verselbständigung und
Einkleidung bestimmter Eigenschaften.

Am vieldeutigsten ist der L ö w e. Er ist Beherztheit und
Majestät — Christus selbst ist „löw und lamb" 41, 28, 7 - dem
„behertzten löw" steht der „verzagte hase" gegenüber 575, 46 -

vgl. Leo 2, 425 f. und 1, 108 und 5, 137 f.; 266 und 310. - Aber hauptsächlich ist der Löwe das Tier, das „auf blut und mord und würgen" geht Leo 4, 185 - Kath. 5, 224 und 5, 59 - Pap. 2, 491 und 3, 551. - Auch Satan ist — wie schon in der Bibel — der „heißergrimmte leu" 294, 3, 4 - vgl. 42, 30, 6 f. - „In der löwen rachen" sein heißt nichts als „verloren sein" 179, 36, 1 - Carol. 392, 5. -

B l u t d u r s t verkörpert der T i g e r Leo 3, 337 f. - 268, 3, 44 - 560, 31. - Die N a t t e r ist das Bild der S ü n d e 44, 33, 6 - 506, 17 - 100, 4, 5 - 486, 33 - Card. 2, 273 f. - die S c h l a n g e ist ferner das Bild der F a l s c h h e i t, des H a s s e s, der V e r l e u m d u n g :

> „Du falscher böser mensch! aus dessen krummen rachen
> Die grüne natter pfeifft, aus dessen schlimmem mund
> Die schwartzen schlangen sehn, du mehr denn tober hund ...‟
>
> 115, 31, 1 f. -

Vgl. 216, 8, 22 - 223, 11, 35 - 267, 3, 40 f. - Leo 1, 490 f.; 222; 147 und 5, 404 - Carol. 5, 403 - Pap. 2, 265 und 4, 484. - Cromwell sagt über den jungen Prinzen Carl:

> „Die junge natter kan kaum in der hölen lauren,
> Die lufft ist noch zu rauh; doch pfeifft sie schon hervor
> Und steckt den schlauen kopff und scharffe zähn empor.‟
>
> Carol. II 274 f. -

Der Verkörperung des gehässigen, bösen usf. Menschen durch das analoge Tier entspricht die Darstellung der ihn beherrschenden gefährlichen Eigenschaft durch die tückische Waffe des betreffenden Tieres, nämlich „drachen-eyter" Pap. 1, 410 - „nattern-gifft" Pap. 2, 301 - „Drachen-blut" Pap. 2, 303. - Der H u n d ist nur S c h i m p f w o r t Leo 1, 145 und 2, 96 - Carol. 5, 1 - Kath. 2, 223 u. a. - und Ausdruck n i e d r i g e r E i g e n s c h a f t e n: des Neides 60, 54, 4 - 143, 23, 7 - der Tücke - Pap. 2, 185 - des Zankes und der Schmähsucht 426, 337 - 417, 141 - wie auch die Verbindung „bluthund" zeigt Leo 1, 71 - Kath. 1, 154 und 2, 403 - 27, 9, 2 - der „stinkend b o c k" „prellt erschreckt" vor reinen Frauenaugen zurück 535, 58 f. -

„H ö l l e n v o g e l", „H ö l l e n r a b e" - 40, 26, 8 - 34, 18, 3 - 295, 3, 17 - „h ö l l e n b ä r" - 42, 30, 7 - sind Teufelsbezeichnungen; das „v i e h" verkörpert ärgstes Laster -

56, 48, 3 -, besonders in der Verbindung „mehr viehisch als ein vieh" - 442, 32 - Leo 4, 390 - Card. 4, 295 f. -

Der Gegensatz hierzu sind T a u b e und L a m m als Bilder der R e i n h e i t und der U n s c h u l d - 98, 1, 4 - 561, 50. - Zu Lamm und Herde wiederum gehört als ihr Feind der W o l f - Kath. 1, 214 - Carol. 2, 99 f. -, zur Taube der F a l k e - Leo 3, 354. -

Neben diesen durch bestimmte Tiere ganz typisierten Ver-bildlichungen meist übler moralischer Eigenschaften stehen ver-einzelte, die von charakteristischen Bewegungen und Tätigkeiten von Tieren ausgehen. Das scheuende durchgehende P f e r d gleicht dem S c h i c k s a l, es führt seinen Reiter ungewollten Zielen zu - Card. 1, 230 f.; - ein anderes Mal spiegelt sich der U n d a n k b a r e, der seinen Wohltäter vergißt, in einem Pferde, das, wild geworden, seinen Reiter nicht mehr kennt und überrennt - 584, 90 f. - Michael schließlich entschuldigt seinen Aufruhr damit, daß Mißgunst ihn der Besinnung beraubt habe, wie ein „großmüthig pferd" auf einen Streich hin davonjagt - Leo 2, 25 f. -

Die Frauen des Hofes bemühen sich um den toten Geta
„Wie der bemühte schwarm, wenn sich der tag verjüngt,
Um frischen klee, camill und reine rosen dringt." Pap. 3, 77 f. -

Wie die S e i d e n r a u p e sich unermüdlich ihr eigenes Grab spinnt, so arbeitet der Mensch oft nur für sein eigenes Verderben:
„Das kleine thier,
Das seiden spinnt, verstrickt sich in sein spinnen;
So müssen wir
Durch unsern fleiß offt unsern tod gewinnen."   - 211, 5, 12 ff. -

Angst und Qual des Irdischen und die Sehnsucht nach dem grenzenlosen ewigen Leben geben G. auch hier die e i g e n -s t e n G l e i c h n i s s e : Wie die Seele, die sich lobend zu Gott erheben will, gehemmt wird vom Fleisch
„... so schweigt die nachtigall
Wenn nun die heiße zeit den wunder-süßen schall
Dem kühlen wald abschlägt ...",

sofort aber wird das Bild allegorisch umgebogen und zur geist-reichen Entsprechung jedes Bildgliedes mit einem bestimmten Gedankengliede künstlich zurechtgemacht:

„... Ein vogel, der verschrencket
Im festen käficht steckt, ie mehr begier ihn lencket
Nach dem, was freyheit heißt, ie härter kommts ihn an,
Wenn er sein enges haus gantz nicht erbrechen kan.
Mich schleust der kercker ein. Diß fleisch, die haut, die beine ..." usf.

559, 7 ff. -

Die Freiheit der Seligen aber ist

„Wie, wann die nachtigal dem kercker ist entkommen
Und nun der frische lentz die felder eingenommen..." 572, 27 f. -

Und schließlich gehört das schöne Bild hierher, mit dem Katharina den erhofften Umschwung ihrer Lage beschreibt, - das Wiederaufatmen der Kreatur, nachdem der Gewittersturm vergangen ist und „Der tauben matte schaar sich an der sonn ergetzt..." Kath. 4, 3 ff.

C. Menschliches Leben.

Ein dritter Umkreis darstellerischen Materials umgreift die Funktionen des menschlichen Organismus: Liebe; Tränen, Wunden und Krankheit; Schlaf und Traum; Geruch und Geschmack.

1. Liebe.

Im Gebrauch der Liebesmetaphorik übt G. eine auffallende Zurückhaltung. In den etwa 80 Fällen verhalten sich L : T wie 2 : 1. Die größere Hälfte dieser Bilder gehört in das religiöse Gebiet. Es handelt sich hier um die an das Hohelied und die Apokalypse anknüpfende, bis zu einem gewissen Grade kirchlich früh rezipierte erotische Symbolik, die in der Mystik jeweils besonders gepflegt wurde, aber auch im Kirchenlied der strenggläubigen Lutheraner in ihren Grundelementen ihre unangefochtene Stelle hat. Wenn G. sie verwendet, spürt man nichts von der erglühenden, schaudernden und entzückten Inbrunst, mit der Scheffler und Spee diese blasse, alles gefährlichen und berauschenden Inhalts beraubte Metaphorik wieder mit Wirklichkeit und Leben füllten. Seinem Willen zur Gottgleichheit, den Hankamer einmal als die Wurzel seiner Lebens-

askese bezeichnet,[2]) fehlte das eigentliche Ferment der Sinnlichkeit. Der Vers:

> „Mein seelen bräutigam! der du mich stets geliebt
> Und schon von ewigkeit zu deiner braut erwehlet
> Und dich mit mir in fried und glauben fest vermählet..." 63, 57, 1 f.

enthält, so wie er ist, reine Kirchensprache. Er offenbart keinerlei „mystische" Tendenz, und er umfaßt im Grunde alles, was G.
an erotischer Metaphysik religiös verwendet. C h r i s t u s ist
der B r ä u t i g a m 29, 12, 7 - 234, 88 - 279, 10, 13 - Kath.
4, 282 und 336; - die S e e l e ist die B r a u t 62, 55, 10 -, die
sich sterbend mit Christus vermählt 525, 8 - 527, 89; 91; 94. -
Auch die K i r c h e 572, 19, - ja die „R e l i g i o n" Carol.
4, 327 - ist die Braut des Herrn, wie andrerseits die „rohe, tolle
welt" des „teuffels braut" 29, 12, 12 - ist. Nur das L e i c h e n -
g e d i c h t   a u f   d i e   f ü n f z e h n j ä h r i g e   M a r i a n n e
v o n   P o p s c h i t z - 524 - enthält ein näheres Eingehen auf
das Motiv, an dessen allegorischen Möglichkeiten sich das Gedicht aufrankt.

> „Weil mich mein liebster schon in sein gemach verborgen
> Und mich statt euer küst und hoch in obacht nimmt." 528, 124 f. -

Auch hier ist der T o d der Weg zum Bräutigam, während die
Mystik schon in der Z e i t die Beseligungen bräutlicher Liebe
des Göttlichen erfährt. Die alles durchdringende Stärke des
Todesgefühls verhinderte es, daß die bei G. zweifellos latenten
Neigungen und Beziehungen zur M y s t i k sich verwirklichten.
Denn der Mystiker überwindet den Tod immer wieder schon in
seinem Leben.[3])
Wenn das erotische Moment aus der religiösen Liebesmeta-
phorik bei G. auch ganz getilgt oder zum mindesten stark
zurückgedrängt ist, so war die traditionelle Bildlichkeit doch

---

[2]) A. a. O. S. 114.
[3]) Vgl. K. V i ë t o r , Probleme der deutschen Barockliteratur. „Von
deutscher Poeterei", Bd. III, S. 42: „Mystiker der Weltabkehr und
Verinnerlichung nach, bleibt er doch ohne die entschädigende Erlösung
durch die »unio mystica«. Das ist der Ursprung der dunklen Trauer
dieses doch wahrhaft Glaubensgewissen." Vgl. auch S. 37. — F. W.
W e n t z l a f f - E g g e b e r t , Das Problem des Todes in der deutschen
Lyrik des 17. Jahrhunderts. Palästra 171, Leipzig 1931.

ein Ausdruck gesteigerten Gefühls. Aber auch dieses ist im Schwinden begriffen, und z. B. die metaphorische Verwendung von „k ü s s e n" zeigt, daß nur eine abstrakte Bedeutung des Begrüßens, des Bejahens, des Berührens übrig bleibt. Für „Damit du diese Tugend gewinnen möchtest", tritt ein: „daß diese tugend hier dich möcht, o frömmste! küssen" 418, 165; - für „den Tod erleiden" heißt es, daß Hippolyte „den zwar schnellen Tod doch ohn' entsetzen küßte" 396, 74; - für „Gott tröstet den Leidenden" - er „küsset, wenn man weint" 261, 75; 236, 111 - vgl. 454, 1, 21 f.; - für „Christus nahe sein" - ihn „im paradiß … küssen" 299, 4, 60; - für „hätte ich die Welt verlassen, sobald ich sie betrat": „O hätt ich doch die welt, als sie mich erst gegrüßet, Eh ich sie noch erkennt, auffs letzt alsbald geküsset" 519, 17 f.; - wie für Abschied nehmen tritt die Metapher auch ein für begrüßen: „So küssen wir den tag…" Kath. 1, 309 - vgl. 130, 1, 5; - für „bekehrt euch zu Gott, solange es Zeit ist" heißt es: „seyd geflissen, … Gott zu grüßen, Auf dem weg ihn noch zu küssen" 471, 16, 8; - für „den Tod vorziehen": „Sie dann versichre sich, daß Karl sein ende küss" Carol. 1, 151; - im gleichen Sinne: „Ich will das mordbeil küssen" Carol. 4, 222 - vgl. 3, 642; für „bei Gott sein" und „sich seinem Willen unterwerfen" steht schließlich in einem Trauergedicht für eine Verstorbene: „Sie küßt des höchsten mund, du küsse seine hand" 184, 45, 14. -

Beschreibt „küssen" zumeist einen bestimmten Vorgang, eine augenblickliche Regung, so erscheint für den Zustand und das Bleibende in paralleler Funktion „v e r m ä h l e n". Sich dem Alter vermählen - wie etwa der Ewigkeit 181, 39, 10 - 155, 45, 5 f. - Pap. 4, 233 f. - ergibt, da das Alter durch sein konkretes Signum: das weiße Haar, meist aber durch den Schnee umschrieben wird, im Endresultat: „ihr, die ihr euch dem schnee der rauen zeit vermählet" 260, 1, 32. - Zumeist ist „v e r - m ä h l e n" die konkrete Verbildlichung für v e r e i n e n. Christus hat sich „mit unserm fleisch vermählt" 414, 77, - wie ihm selber „zeit und ewigkeit … vermählet" sind 378, 8, 22. - Königsberg ist die Stadt, die

„…land und see
In fried und krieg vermählt als in verknüpffter eh." 108, 19, 2 f. -

Weniger Scheu als vor dem Erotischen trägt G. vor dem
Physiologischen. In Analogie zu „küssen" und „vermählen" ist
„s c h w a n g e r" die konkretisierend gesteigerte, ihrer sinnlichen Ursprungsbedeutung aber fast ganz beraubte „Farbe"
zur Bezeichnung der S t ä r k e , der F ü l l e , des R e i c h -
t u m s , - oft genug, zumal in seiner Anwendung auf Affekte,
bloßer I n t e n s i t ä t s a u s d r u c k : „freuden-schwangre lust"
273, 6, 70 - „jammer-schwangrer schmerz" 344, 130 - „frieden
schwangre ruh" Carol. 5, 436. - Ferner: der „freuden-
schwangre tag" Kath. 3, 19 - vgl. 250, 10, 44; - „zähren"
477, 18, 78 - „hertz" Card. 4, 78 - „nacht" Pap. 5, 406 -
„seuffzen-schwangre thränen" Kath. 4, 301. - Häufig ist die
Anwendung der Metapher auf den G e w i t t e r h i m m e l :
„Dort brennt der himmel an und geht mit donnerkeilen Hoch-
schwanger auf diß haupt" 58, 51, 5 f. - „donner-schwangre
wolcken" Carol. 5, 513 - „Von hartem knallen schwer und
schwanger mit der noth" Pap. 1, 37, - und der Verwünschende
ruft: „. . . daß sich der himmel färb Und schwanger geh mit gluth"
Carol. 4, 203 f. - Das Bild nähert sich sinnlichen Vorstellungen
vollends, wenn der Friedhof als „schwangrer schooß der erde"
340, 10 - angesehen wird, der Tau das Land „schwängert"
453, 1, 14, - und der Frühling der „verneuten welt hoch
schwangre schooß" bewegt 531, 70. -

Weniger zahlreich ist die Verwendung von „gebären" im abstrakten Sinne von S c h a f f e n , H e r v o r b r i n g e n . „Das
glück, so furchtbar ist, nur wunder zu gebären" 149, 34, 1 - „Die
sonne, die aus sich die zeit gebiehrt und theilet" 410, 323. - Viel
Unheil „Ist durch der zungen macht gebohren" Leo 1, 537 - „Zum
himmelreich gebährt uns tod und erden" 388, 234. - Am jüngsten Tag wird

> „. . . Amphitritens tolle schoß
> Viel tausend menschen . . . gebähren" 350, 304. -

Das niedrigere „h e c k e n" erscheint selten und nur bei
a b s c h e u l i c h e n D i n g e n : „Itzt heckt die faule lufft geschwinde pestilentzen" Leo 1, 371 - „Und schwere ketzerey sich
heckt in allen landen" 67, 62, 8. -

2. Tränen.

T r ä n e n, K r a n k h e i t, W u n d e n und S e u c h e n als Erscheinung und Vergegenständlichung menschlichen Leidens stellen ein in sich geschlossenes Bildfeld. „Thränen über das leiden des herrn" überschrieb G. seine Passionsgesänge, und die schon lange in der Sprache der Predigt und des Kirchenliedes beheimatete Bezeichnung der E r d e als „t h r ä n e n t h a l" nahm er voll Überzeugung auf 243, 7, 1 - 233, 2, 59 - 264, 2, 2 - 183, 43, 13 - 470, 15, 18 - 103, 10, 12 - 491, 206 - 30, 13, 7 - 25, 6, 9 - Kath. 1, 65 und 4, 499 - u. a. Tränen fließen — als eine steigernd-konkrete Verkörperung erscheint: der Bach 144, 26, 12 - die Flut 90, 31, 6 - der See 244, 7, 31 - der Tau 103, 9, 11 - usw.

Analog der substantivischen Bildung der Metapher aus dem „nassen" Vorgang des Weinens entsteht die v e r b a l e : „mit thränen abgewaschen" Pap. 5, 490 ff. - „in thr. baden" 523, 78 - „in thr. schier ersoffen" 23, 3, 8 - „in angst und thr. gantz erträncket" Kath. 2, 360 - „aus heißen thr. waschen" 515, 19 - den „creutz-kelch" ... mit thr. „einschenken 29, 12, 10 - in thr. gantz verleschen" Carol. 2, 316.

3. Wunden, Krankheit.

Hervorgerufen werden die Tränen, das subjektive Leid-empfinden, durch die „W u n d e n", - die geläufigste Umschrei-bung für K u m m e r, E n t t ä u s c h u n g und T r ü b s a l Carol. 2, 318 f. und 3, 226 - Leo 5, 203 f. - Pap. 1, 317 f. und 2, 9 und 5, 8 - Kath. 1, 234 und 2, 341 und 3, 403; 411 und 4, 405 - 520, 52 - 521, 73 - u. a. „verwundtes hertz" 397, 86 - vgl. Kath. 1, 234 - „seelen-wunden" Carol. 2, 254 - vgl. Kath. 2, 23 - 29, 12, 4. - Die „rauhe not" 522, 29 - Schuld und Sünde 482, 18 - Verblendung und Leidenschaft Card. 5, 178 f. - schlagen Wunden; Gott verwundet und heilt zugleich Kath. 1, 394 und 2, 45 f. - vgl. 469, 14, 21 - vgl. auch die Zusammen-stellung: „W u n d e n" und „v e r b i n d e n" Kath. 2, 341 - mit „P f l a s t e r und S a l b e" Carol. 4, 103 und 3, 403; 411 - mit B a l s a m Kath. 1, 256. -

Eine weitere Verselbständigung und Objektivierung erfahren
die Mächte, welche Leid und Pein hervorrufen, wenn sie mit
den S e u c h e n verglichen werden. Es sind zunächst die unent-
rinnbaren allgemeinen Mächte der L i e b e , die zur „liebespest" wird 121, 41, 7 - und des T o d e s , der „die pest der
großen welt" heißt 248, 9, 13 - vgl. Kath. 1, 314, - dann die
„harte n o t h und a n g s t , die pest der hertzen" 222, 11, 3 -
vgl. Kath. 1, 314; - Ketzerei und Aufruhr sind eine

> „heiße pest, die kirch und herd
> Und gantze reich in nichts verkehrt" - Carol. 1, 305 f. und 4, 140 f. -;

die S ü n d e ist des Menschen „seuch" Card. 5, 279 f. - und sein
„aussatz" 58, 51, 4, - die L u s t steckt ihn mit „pest" an 523,
73, - V e r l ä u m d u n g ist eine „ungeheure pest" Pap. 1, 18 f. -
vgl. Kath. 3, 108 f. und 280 f. - Einzelne T r ä g e r d i e s e r
L a s t e r können selber mit der Seuche, die sie verbreiten, identifiziert werden. So wird Laetus „blatter dieses hofs" Pap. 3,
49, - Bassian wird von seinen beleidigten Ahnen die „seuche
deiner zeit" Pap. 4, 483 - genannt, wie Katharina von Seinelcan
„Persens heiße pest" apostrophiert wird 2, 65; - sogar pluralisch:
„Euch pesten dieser zeit" Kath. 1, 667. -

Für die Menschen des 17. Jahrhunderts war d i e P e s t die
repräsentative, mit Gefühls- und Anschauungsgehalt erfüllte
„Sache", in der das rasch sich ausbreitende, unwiderstehlich alles
Ergreifende und Vernichtende sich abbildete. Dennoch verblaßt
auch dieses Bild bald zu einem völlig unbestimmten, in seiner
Anwendung unbeschränkten Gefühlsausdruck des äußersten Ab-
scheus vor etwas sehr Verderblichem.

Der Bereich von Krankheit und Seuche mußte den vom Vergehen und Zerfall der Menschen und Dinge wie mit magischem
Grauen angezogenen Dichter verlocken, über den bloß nominalen
Anruf hinaus ein Sprachgemälde der leiblichen Auflösung herzustellen. Zweimal ist in „Cardenio und Celinde" (2, 75 ff. und
2, 253 ff.), wo hauptsächlich die „Liebespest" in ihrer zerrütten-
den Wirkung geschildert wird, eine solche a u s g e f ü h r t e
P h y s i o l o g i e d e r K r a n k h e i t gegeben.

4. Schlaf, Wachen.

Das Feld des S c h l a f e n s , W a c h e n s und T r ä u m e n s ist, wie viele andere für G., biblischer Herkunft und zunächst im r e l i g i ö s e n S i n n e verwandt. Der F r o m m e muß wachend bleiben, die Gefahr, einzuschlafen, meiden und dem erweckenden Geist, „der wachen heißt" 493, 45 ff. - vgl. 166, 11, 6 - 461, 21 f. - sich offen halten.

> „Es lehrt das creutz uns munter seyn,
> Man schläft bey stiller ruh leicht ein." 492, 43 f. -

und:

> „Indem die sünden-nacht
> In trüben schlaff die trägen menschen bracht." 31, 15, 2 f. -

Andrerseits ruft auch der verlassene Fromme Gott zu: „Wie lange schlummerst du?" Carol 1, 324[4]) - und noch kühner: „beweis' anitzt, daß dich der schlaff nicht überwunden." 268, 3, 51 - vgl. 272, 6, 34. - Auf den M o n a r c h e n angewandt heißt es: „Ja freylich schläfft der fürst, der nicht den ernst läßt schauen" Leo 2, 463. - Nicht weniger alt ist das bei G. in dieser Verbindung sehr selten verwandte B i l d d e s S c h l a f e s f ü r d e n T o d : Ich werd' in tieffen schlaff den kalten leib einlegen" 485, 5 - vgl. 476, 18, 46 f. - Die Negation eines Abstraktums wird ausgedrückt: „Die t a p f f e r k e i t schlieff ein und starb in so viel siegen" Kath. 2, 302; - ebenso für das R e c h t Kath. 5, 325, - die R a c h e Kath. 5, 384. -

Wo der e i g e n t l i c h e S c h l a f erscheint, da wird er als s ü ß e r A b s c h i e d v o n d e r m ü h s a m e n P e i n d e s L e b e n s und doch auch als u n h e i m l i c h f r e m d e r , l ä h m e n d e r B a n n empfunden, wie es das folgende Beispiel mit seinen charakteristischen akzentbeschwerten Epitheta zeigt:

> „Weil nun der süße schlaff die müden augen schleust,
> Und die beschwärzte nacht gleich einem strom herfleust,
> Weil dicke finsternis die frembden träum einführet,
> Und der gebundne leib nichts fühlt, nichts kennt, nichts rühret"
> 491, 193 f. -

Noch ist das Verhältnis des Menschen zum Leben ganz selbstverständlich und unmittelbar bejahend, noch gibt es keine

---

4) P a l m zählt hier wieder einmal, wie so häufig, 10 Verse doppelt.

Liebe zum Nichts, keine Verherrlichung des Schlafes, keine
Ästhetik und Romantik des Traumes. Wie der unstillbare Drang
nach Leben den Tod nur zum Quell des Grauens macht, so erscheint der T r a u m dem unbeirrbaren Sinn für die Wirklichkeit
nur als wesenloses S c h a t t e n b i l d, T ä u s c h u n g und
W a h n. „falsche träum" und Wahrheit — lautet der Gegensatz Kath. 1, 7, - „träume, dunst und wind" Carol. 5, 180 -
sind Synonyma. Willkürliche Hirngespinste heißen „tolle träume"
Carol. 4, 317 f. - Die E i t e l k e i t d e s T r a u m e s macht ihn
besonders geeignet zum Bilde menschlichen Lebens und menschlicher Taten, „Gleich wie ein eitel traum leicht aus der acht hin-
fällt" 104, 11, 9, - werden die Verstorbenen vergessen, und

> „...was sind unser thaten?
> Als ein mit herber angst durchaus vermischter traum."
>
> 124, 45, 13 f. -

Das Leben selber ist nichts als „ein gantz vermischter traum"
Leo 2, 629 f. - vgl. 237, 3, 34 f. - 241, 5, 95. -

Spezifisch G. eigen ist die häufige Verwendung von „m ü d e".
Ein persönlicher Wesenszug offenbart sich in diesem Bilde, denn
von einer frühen und immer wachsenden Müdigkeit war das Auge
dieses Dichters beschattet, dessen glühender Frage an das Leben
immer nur die gleiche lähmend trostlose Antwort zuteil wurde.
Vgl. „das müde land" 170, 19, 1 - Carol. 4, 165 - „die müde
welt" 409, 319 - „das müde fleisch" 412, 13 - der „müde
leichnam" 427, 340 - „die müden jahr" Pap. 5, 387 - „die erd'
ermüdet, mich zu tragen" 499, 33 - u. a. m.

5. Geruch, Geschmack.

Dem Felde des G e r u c h s und G e s c h m a c k s gehört zunächst das seines metaphorischen Bewußtseins vielfach schon
ganz entkleidete, von der Gebrauchssprache rezepierte Begriffs-
paar: h e r b u n d s ü ß - als Beschreibung einfachen U n l u s t -
u n d L u s t g e f ü h l e s an. Schlechthin alles, was von negativer
Wirkung auf die Gemütsstimmung ist, kann das Prädikat „herb"
erhalten und erhält es auch bei G. Nur wenig eingeschränkter
ist die Anwendung von „süß". „S ü ß" ist: die T r e u e 64,
58, 9 - der S c h l a f 121, 41, 6 - die F r e u d e 24, 5, 5 -

282, 12, 19 - Kath. 4, 165 - Card. 4, 66 - die L i e b e Kath. 5, 369 - die R u h e 491, 197 - der F r i e d e 512, 3 - das L i c h t 519, 15 - der T a g 212, 6, 13 - das V a t e r l a n d Kath. 3, 461 - die N a c h t Pap. 3, 673 - zumal die d e r G e b u r t C h r i s t i 377, 1, 1 - 387, 213 - (die der eigenen Geburt). „Süß" sind die H ä n d e , mit denen D a v i d die Harfe „zwingt" 560, 22 - und der „ s e y t e n k l a n g " Leo 5, 70; - „süß" ist N a m e , M u n d , S t i m m e u n d K u ß d e r G e l i e b t e n Kath. 2, 232 - Card. 4, 61 und 5, 184 und 4, 211, - „süß" kann ein T r a u m sein Card. 4, 170 - aber auch der Tod Pap. 3, 514 - ja selbst der S c h e i t e r h a u f e n Kath. 5, 182. - „Süß" ist G o t t e s M u n d 232, 1, 41 - seine H u l d 455, 3, 4 - C h r i s t u s , das „himmel-brot" 39, 26, 2 - 21, 1, 7 - und ein — freilich übersetztes — Lied bezeichnet das Kreuz als das „süße holz, das Christi leichen An so süßen nägeln hält" 463, 10, 5 f. - Daneben gibt es die K o m p o s i t a : der „ w u n d e r - s ü ß e s c h a l l " 559, 8 - die „ h i m m e l s ü ß e t r e u " 64, 58, 9 - und das alte Liebes-Oxymoron die „ b i t t e r - s ü ß e p e i n " 190, 57, 1 - 194, 64, 2; - das K i n d ist d e r M u t t e r e i n e „ b i t t e r - s ü ß e b ü r d e " 204, 1, 24 - und d e m V a t e r e i n e „ s e e l e n s ü ß e s o n n e " Carol. 2, 361 - und die V e r b a : G o t t vermag alles zu „ d u r c h s ü ß e n , was menschen saur eingeht" 38, 24, 8 - vgl. „Anietzt ists zeit, sein a n g s t , doch mäßig zu versüßen" Carol. 1, 93. -

Eine von der U n z u v e r l ä s s i g k e i t d e r R a t g e b e r handelnde Stelle im „Papinian" faßt die typischen, Neid, Verleumdung, Bosheit und Kummer umschreibenden Gegenstände dieses Sachgebietes zusammen:

„Sie speyn auf fürsten offt stanck, rasen, gifft und gallen..."
„Und bringen in den rath geklärtes honigseim,"
„Das sich in wermuth kehrt, wenn iemand sie entzündet."

Pap. 2, 64 ff.

Im Einzelnen ist „W e r m u t h" der mehr neutrale Ausdruck für U n g l ü c k und S c h m e r z . „Dieses wermuth-herbe creutz" 43, 31, 9 - „voll wermuth-herber quaal" 301, 5, 68, - während „G a l l e" die B o s h e i t mit einschließt. Freimütige Worte werden „Verkehrt und gantz vergällt" Pap. 1, 75 - vgl. Pap. 1, 163 und 5, 233. - Verleumder speien „gall und gifft" Pap. 2, 186

und 3, 557 f.; 630 f. und 4, 242 und 5, 233 - 267, 6, 41 f. -
Michael wird von seinen Richtern vorgeworfen, daß er „lauter
gall und gifft in tückschem hertzen kocht" Leo 2, 266. -

Aber auch die Bitterkeit des L e i d e s , das die Welt, das Gott
verhängt, erscheint als G a l l e . Gott tränkt die Herzen „mit
gallen" 29, 12, 9, - gibt den „gall' und wermuthkelch" zu trinken
84, 21, 7 - und die trügerische Welt ist der Mundschenk aller
Bitterkeit;

> „Da steht der taumel-kelch, den uns die welt einschenckt,
> Die uns mit aloes und myrrh' und gallen tränckt."
>   560, 43 f. - vgl. 218, 9, 31. -

Besondere Erwähnung verdienen die an das A b e n d m a h l
anknüpfenden Bilder dieses Bereiches. Hier ist Christus das
„süße himmel-brodt", labend die, „die durst und hunger gantz
verzehret" 21, 1, 7 f. - die „beste süßigkeit" und das „engel-
brodt" 39, 26, 2 - die „edle seelen-kost" 39, 26, 3 - die „zehrung,
die sich selbst für eure noth auffstellt" 40, 26, 13 - vgl. 572,
45 f. - die „wahre seelen-speis'" 67, 62, 12; - er wird die,
deren „hertzen . . . bisher mit gallen sind getränckt", denen er
„den creutz-kelch" hat „mit thränen eingeschenckt", „Mit reinem
wollust-wein in ewigkeit ergötzen" 29, 12, 9 f. -

Reichhaltiger als die nominalen sind diesmal die v e r b a l e n
F o r m e n : „Das in sich fressen" von Worten Card. 4, 105 -
und Leiden Carol. 3, 656, - das „Fressen" des Eingebrockten
Carol. 3, 178, - das „trincken" des Eingeschenkten Carol. 3, 38. -
Der Schmerz „zehrt" Herz und Seele auf, die Erde wird sich
einst öffnen und Felsen „einschlucken" Kath. 5, 28 - ja, sie wird
sich in ihrem „Schlund" selbst „verzehren" 119, 38, 7. - Die
Unwiderstehlichkeit der Zeit wird dadurch zum Bilde, daß sie
„marmor frißt" Carol. 2, 296 - 514, 74. -

> „Das vom blut fette schwerdt . . .
> Hat aller schweiß und fleiß und vorrath auffgezehret." 113, 27, 3, -

es „frißt", wie das Feuer 146, 29, 7, - die Menschen Kath. 3,
492. - Das Leben ist ein „pancket" 123, 43, 13, - von dem jeder
einmal scheiden muß, und die Welt wird als eine unersättliche
Schwelgerin dargestellt, die „ . . . truncken von dem glück anitzt

ihr fraßfest hält" 29, 12, 13. - Noch deutlicher knüpft an die Vorstellungen der Apokalypse eine andere Stelle an, in der die Welt Babel wird, „die sich voll von fleisch der frommen frißt" 561, 56. -

Der D u r s t erscheint als „heißer durst der e h r e n" Card. 1, 501, - als D u r s t n a c h B l u t u n d R a c h e Card. 4, 11 f.; - die Ewigkeit wendet sich im Eingang der „Katharina" an die, welche „bey den pfützen . . . an statt der quell" 1, 8 - sich erfrischen, und die Aussichtslosigkeit, die Feinde zu erbitten, prägt sich in die S e n t e n z aus:

„Der ist umsonst bemüht und bittet sonder frucht,
Der in dem höchsten durst bey flammen wasser sucht."
Carol. 5, 31 f. -

Christi Gnade — die „quelle", die aus seiner Seite entspringt 177, 32, 7 - erquickt die Frommen

„Als das rauschen von den bächen,
Die so mit durst und gebrechen
Im suden quält der sonnen schwere gluth." 247, 8, 42 f. -

Ein sich selber widersprechender Parallelismus wie „So wär ich gantz in angst ertruncken und verschmacht" 138, 15, 11 - gibt noch keinerlei Anlaß, auf eine durch Unaufmerksamkeit entstandene Katachrese zu schließen; ertrinken und verschmachten sind zwei Sprachbilder für „Umkommen", beide lassen sich für das Abstraktum „Angst" anwenden, — so werden sie zur Steigerung des Eindrucks nebeneinander gestellt, ohne daß der barocke Leser in Gefahr gerät, an dem realen Vollzug beider „Wortfarben" zu scheitern.

Vereinzelt sind die G e r u c h s m e t a p h e r n. Sie gehen ausnahmslos auf das A b s c h e u l i c h e, W i d e r w ä r t i g e, zumal in dem gern umkreisten Bereiche der V e r w e s u n g 347, 228 ff. - 579, 206 f. - Carol. 4, 159 f. - Stereotyp ist die Wendung: „Die erden stinckt uns an" Kath. 4, 427 - Card. 2, 45 - Carol. 4, 11 - 344, 121 f. - vgl. 66, 61, 1. -

D. Zweckvolles, Künstliches u. a.

Eine Reihe von untereinander zusammenhanglosen „Sachen",
zumeist k ü n s t l i c h e r , i n m e n s c h l i c h e r V e r w e n -
d u n g s t e h e n d e r Z w e c k g e g e n s t ä n d e , bildet die
letzte Materialgruppe.

1. Haus.

G. bevorzugt in einer auch innerhalb des Gesamtbarock auf-
fälligen Weise die bildliche Verwendung von „H a u s" und
„S c h l o ß". Dabei steht den etwa 100 Fällen in L kaum der
vierte Teil in T gegenüber. „H a u s", — das deutet auf eine
künstlich geschaffene, nicht „nur" gewachsene Einheit; es ist
gleichsam eine Analogie zu dem späteren Begriffe des Organismus. Das Haus als Manifestation zweckvoll-künstlichen, geist-
durchwalteten Schaffens, als vernünftiges Gebilde, in dem das
materielle Sein in den Dienst des ideellen gestellt wird, wurde zum
Gleichnis des seelenbeherrschten Körpers, des gottbeherbergenden
Himmels, der geschaffenen Erde.

Im Einzelnen überwiegt die Anwendung auf den H i m m e l
— etwa 40mal —, auf die W e l t oder die E r d e — etwa 22mal
— auf den m e n s c h l i c h e n K ö r p e r — etwa 16mal —; in
weiterem Abstande folgt die Anwendung auf den M e n s c h e n
überhaupt, der in sich, als in einem Wohnhause, Tugenden, Laster
und Schmerzen birgt — 7mal —. S a r g und G r a b sind das
letzte Wohnhaus — 7mal —. Ferner kommt „Haus" vor als versinnlichende Vorstellung der Ewigkeit (S c h l o ß d e r E w i g -
k e i t) — 7mal —, in Anlehnung an das biblische Bild für d a s
H e r z a l s W o h n u n g G o t t e s — 5mal —, einmal erscheint
auch der „h ö l l e n o f f n e s h a u s" 499, 21. - Der F ü r s t e n -
h o f wird einmal „wohnhauß schlimmer buben" Leo 1, 23 f. -
genannt, d i e G a n z h e i t e i n e s V o l k e s — „der Britten
heil und haus" Carol. 3, 60 - oder e i n e r F a m i l i e wird ebenso
konkretisiert. Pap. 5, 274. - Der widerstandsfähige P f e i l e r
wird Ausdruck eines f e s t e n G e m ü t e s 145, 28, 6 - Carol.
5, 47. -

V e r b a l findet sich im „Papinian" die zugespitzte Formulierung „auf eis bauen" 3, 114 - und die für die moderne

Neigung zum ganzheitlichen Bildvollzuge unmögliche Wendung er „baut auf deine brust sein höchstes ehren-mahl" Pap. 1, 30. - Neben dem zahlenmäßig weit überwiegenden „H a u s" gibt es V a r i a n t e n , zumal der epithetische Schmuck wechselt. Für die E w i g k e i t wird meist „S c h l o ß" gebraucht: 59, 52, 13 - 191, 59, 7 - 245, 7, 64 - 255, 12, 45 - 463, 10, 27, - nur 512, 14 heißt es „das hohe haus der langen ewigkeit". Der Himmel wird genannt: „schloß der herrligkeit" 89, 29, 1 - „himmels lusthaus" 103, 10, 14 - „schloß des großen throns" 161, 1, 5 - „der himmel burg" 412, 34 - „das gewünschte freuden-zelt" 516, 20 - „des schönen himmels bau" 517, 38 - „erbschloß höchster lust" Kath. 1, 77 - „das hell-besteinte schloß" 526, 63 - „das ew'ge freuden-haus" 469, 14, 30 - das „geziehrte schloß der höchsten wonne" Carol. 5, 440. -

2. Fanggeräte und Marterwerkzeuge.

Einer der umfangreichsten und am häufigsten verwandten Stoffbezirke ist die Gerätekammer, der die Metaphern für Verfolgung, Nachstellung, Unterdrückung, Verleumdung, Versuchung, Strafe und Pein entnommen werden, — für Vorstellungen also, die in der Dichtung G.s einen besonders breiten Raum einnehmen. Der hinter allen Einzelbedeutungen liegenden Einheit des Leidens und der Gefährdung entsprechend, beschreiben diese metaphorischen Bildungen stets e i n F e s s e l n u n d B i n d e n o d e r e i n V e r l e t z e n u n d P e i n i g e n. Demzufolge erscheint als sprachliche Illustration mannigfaltigster menschlicher Leiden die ganze Fülle der F a n g g e r ä t e , J a g d - u n d M a r t e r w e r k z e u g e. Jägergarn und -netz, Strick, Seil, Band, Fessel, Klotz und Joch; Schloß, Kerker, Blockhaus, Höhle, Bogen, Pfeil, Sense, Rute, Zahn, Klaue, Gift. Sie binden, beißen, nagen, foltern, ritzen, reißen und (um-, ver-, be-)stricken den Leidenden. Hinsichtlich der einzelnen Stoffgruppen ergibt sich das folgende Bild:

Das N e t z ist das F a n g g e r ä t der F e i n d e Leo 2, 225 und 490 - Kath. 1, 192 f. - besonders des S a t a n s , der stets die „jägernetz'" aufstellt 294, 3, 7 - 100, 4, 2 - vgl. „teuffels vogel-netz" 32, 16, 14 - „der höllen netz" 304, 6, 83 - „sünden-

netz" 52, 44, 11 - vgl. „seile" der sünde 41, 28, 4. - F r a u e n -
h a a r gleicht „festen l i e b e s - s e i l e n" 113, 26, 5 - vgl. Card.
3, 155 und 194 - ist aber auch „der u n z u c h t n e t z" 83, 20,
7 - wie überhaupt b u h l e r i s c h e F r a u e n Netze stellen
Card. 3, 170 und 5, 366 f. - Die L i e b e fesselt Mensch und
Tier mit „seilen" 131, 2, 8 - und „ketten" Card. 1, 252, Card.
3, 145 und 155 f. - 192, 61, 11 - Kath. 2, 51. - S c h m e r -
z e n v e r s t r i c k e n das Herz, ebenso wie der S c h l a f 222,
11, 1 f. - 121, 41, 6 - G o t t kann uns zur Strafe i n „d a s g a r n"
v e r s t r i c k e n 242, 6, 29 - aber er befreit Zion auch aus „dem
verknüpfften ketten-netze, dem kercker-stanck, dem angst-
gehetze" 245, 8, 4 f. -

Ganz ähnliche Verteilung finden K e t t e und K e r k e r:
Der T e u f e l haust im nächtigen K e r k e r d e r H ö l l e 174,
28, 2 - Kath. 1, 76 - und führt uns „am demantfesten bande"
56, 48, 5, - weil Eva uns „in harter ketten macht" 99, 4, 2 f. -
vgl. 465, 11, 7 - gelegt hat. Seither legen uns S a t a n 304, 6,
82 - 486, 28 - 492, 29 - 41, 29, 1 f. - 50, 41, 4 - 73, 3, 12 -
88, 28, 4 - 100, 4, 5 - S c h u l d Pap. 1, 314 - Z w e i f e l 342,
64 - 52, 44, 11 - 137, 13, 10 - vgl. 213, 6, 27 f. - S ü n d e und
W o l l u s t 305, 6, 84 f. - L e i d und N o t 468, 14, 12 - 222,
11, 1 f. - 136, 11, 6 - Z w i e t r a c h t Kath. 5, 260 f. - und der
T o d in Bande, Stricke und Fesseln (136, 11, 6 f.), aus denen
erst C h r i s t u s u n s b e f r e i t e 234, 2, 88 f. - 237, 3, 30 -
243, 7, 4 f. - 273, 6, 62 f. - 455, 3, 19 f. - 459, 6, 3 f. - 465,
11, 7 - 483, 39 - um, was uns fesselte, selber „in band und
ketten" zu legen 506, 26. - Aber solange wir noch nicht bei
Gott sind, schmachten wir weiter in Fesseln 246, 8, 37 f. - Dabei
tritt das Erlebnis von Sünde und Schuld, so häufig es auch an den
hergebrachten Formeln angeführt wird, neben dem der V e r -
g ä n g l i c h k e i t und T o d e s v e r f a l l e n h e i t des Lebens,
der Welt und vor allem des Leibes, ganz zurück, der K ö r p e r
ist wohl der S e e l e H a u s, aber zugleich ein K e r k e r, eine
H ö h l e und ein B l o c k h a u s 483, 39 - 279, 10, 8 - 243, 7,
4 f. - 136, 11, 5 - 516, 2 - 528, 1 - 557, 3 - Leo 1, 75 und
5, 304; 308 - Card. 4, 431 - besonders 559, 13 ff. - 241, 5, 90 ff.

Auch der E r d e n Haus, die „Burg der sterbligkeit" 234, 2,
81 - ist gleichzeitig ein K e r k e r Card. 4, 431 - und ein F o l -

t e r h a u s Kath. 1, 66 und 4, 501 - eine G r u f t und
S c h l a c h t b a n k und ein S t o c k 234, 2, 81 f. - eine enge
„m a r t e r - h ö l e" 460, 7, 4 - 243, 7, 47 f. - vgl. 253, 11, 48 -
ein „s t a l l d e r b e d r ä n g n i s" 24, 5, 4. -

Das G l ü c k und die L i e b e binden ebenfalls Leo 2, 625 f. -
134, 8, 14 - R a u m und B e r u f können wie mit K e t t e n fest-
halten, die nur ein Brief zu „entschließen" vermag 184, 46, 4 f. -
Am Ende wartet der harte „k e r c k e r des ergrimmten t o d e s"
Kath. 5, 359 - 221, 10, 22 - 219, 9, 64 - 305, 7, 12 - 491, 201 -
557, 4. -

Mit Fessel und Kerker verwandt ist das J o c h. Es erscheint
als Joch der L i e b e Kath. 4, 422 - „Das demand-feste joch der
grausen t y r a n n e y" Leo 5, 221 - der G e f a n g e n s c h a f t
Kath. 1, 397 - der P l a g e n Kath. 1, 397 - der L a s t e r Kath.
1, 813 f. - der S ü n d e n Card. 4, 299 - des T o d e s und der
Z e i t Kath. 1, 37 - sodann allgemein für B e d r ü c k u n g und
L e i d e n Leo 4, 171 - Kath. 1, 284; 397, 546, 598 und 3, 393
und 4, 313 - 261, 1, 78 - 459, 6, 3 - 462, 8, 9 - Pap. 2, 158. -
Von den etwa 20 Fällen steht die gute Hälfte allein in
„Katharina".

P f e i l und B o g e n sind die Waffen des T o d e s - 40,
28, 1 - 64, 58, 12 - 117, 33, 14 - 125, 47, 13 - 413, 35 - 478,
18, 97 - 479, 18, 136 f. - 480, 18, 164 - 486, 40 - Card. 5,
396 - u. a. und der L i e b e (Cupido) Kath. 4, 455, 471 - Card.
5, 384; 395 - 281, 9, 9 f., - aber auch des S a t a n s 483, 46 -
535, 56 - der V e r l e u m d e r - 535, 57 - des N e i d e s Carol.
2, 62 f. - der A n g s t Leo 4, 331 f. - der S e u c h e n Carol. 5,
529 f. - des G r i m m e s 214, 7, 13 - der g ö t t l i c h e n
S t r a f e 239, 5, 34 - des U n h e i l s im Allgemeinen 491, 2 -
560, 38, - doch auch ein „z a r t e r m u n d" ist e i n k ö c h e r
v o l l e r p f e i l e" 113, 26, 1. -

Die tückische Waffe des G i f t e s verbindet sich gern mit
V e r l e u m d u n g, N a c h r e d e, H i n t e r h a l t, I n t r i g e
und A r g w o h n Leo 2, 202 - wobei oft Z u n g e und M u n d
die eigentlichen Werkzeuge des Giftes werden Pap. 1, 127; 324;
337 und 4, 242. - Es ist ferner ein Bild der tödlichen Wirkung
der E m p ö r u n g Pap. 2, 135 - des H a s s e s Carol. 4, 213 -

Pap. 1, 592 - Leo 2, 266 - des V e r d a c h t s Leo 2, 202 - der
L i e b e Card. 1, 564 und 2, 43 - und 5, 78 - der Z w i e t r a c h t
Kath. 5, 437 - des N e i d e s Kath. 5, 282 - der E i t e l k e i t
Card. 1, 62 - der S c h u l d Pap. 4, 440 - 475, 8 11 - der S ü n d e
501, 3 - und wieder allgemein des U n h e i l s Pap. 1, 409 und
2, 135; 528; 567 und 4, 440. - In der Anwendung überwiegt T,
vor allem aber „Papinian", wo es unverhältnismäßig häufig
auftritt.

Das Charakteristische an der besonders häufigen Bedeutung
der H i n t e r h ä l t i g k e i t - vgl.: das „verdeckte gift aus-
blasen" 488, 81 - ist, daß ihr Schein anders ist als ihr Wesen,
wie auch das Gift vielfach äußerlich harmlosen Speisen bei-
gemengt ist. Dieser Verhalt wird gern durch eine metaphorische
Erweiterung des Bildes ausgedrückt, das Attribut des schönen
Scheins in ein mit dem „Gift" verbundenes allegorisches Konkretum umgesetzt. Es ergeben sich dann Verbindungen wie:
„überzuckert gifft" Leo 5, 328 - „Mit gold verdecktes gifft" Leo
5, 318 - „gebiesamt gifft Pap. 1, 409 - (vgl. den gleichen Vorgang etwa in der Wendung „beperltes creutz" Leo 5, 328 -), wobei es entscheidend wiederum nur auf den Gegensatz und die
eindeutige sinnlich-konkrete Vergegenständlichung auch des
schönen Scheins ankommt, nicht aber darauf, ob die beiden
„Realia" in einer organischen Beziehung zueinander stehen oder
sich in eine solche bringen lassen.

R u t e und G e i ß e l umschreiben m e n s c h l i c h e s U n -
g l ü c k zumeist als Folge g ö t t l i c h e r S t r a f e Carol. 5,
140 - 220, 10, 13 f. - 240, 5, 67 - 495, 27 - 134, 7, 9 - auch die
L i e b e 134, 8, 10 - und der S c h m e r z 250, 10, 52 f. - können
zur Geißel werden, und „n e i d ist sein' eigen ruth" 155, 55, 8. -

Dreimal wird die S e n s e zur Waffe des T o d e s und des
F r o s t e s 105, 13, 5 - 112, 25, 5 - 110, 22, 5. - Diese drei
Fälle in L gehören auch ihrer Entstehung nach nahe zusammen,
wie sich denn eine Fülle von Beispielen für zeitlich eng zu-
sammengehörende und zweifellos psychologisch zusammen-
hängende Stil- und Bildparallelen bei G. aufstellen ließen.

Alles Leben wird von „erhitzter s e u c h e n b e s e n 190,
56, 7 - ausgefegt, U n g l ü c k u n d N o t setzen ihre „k l a u e n"
dem Menschen in das Herz 215, 7, 20 - 564, 90. -

An v e r b a l e n Metaphern wären hier „n a g e n" und
„b e i ß e n" zu nennen. Das G e w i s s e n, das den Menschen
„foltert und reißt" Pap. 3, 668 f. - „nagt" an ihm 253, 11, 52 -
ebenso der E i f e r Card. 1, 451 - die A n g s t „zernagt" den ge-
klemmten geist 344, 135 - U n h e i l „nagt" Herz und Leber
Leo 1, 51 - und die „gehäuffte last" des Unglücks „nagt" die
Seele Kath. 1, 596. - Ebenso „beißt" alles Schmerzliche, Unheil-
volle, die W e h m u t 231, 1, 4 - 246, 8, 40 - 275, 7, 65 - die
S ü n d e 167, 13, 5 - vgl. „der höllen scharffer zahn" 64, 58, 7 -
die „herbe fluth der thränen" 207, 3, 24 - durchbeißt die wangen"
221, 10, 30 f. - Die Folgen sind Seelen- und Herzensrisse und
-bisse 312, 10, 1 und 2 - 521, 9 - Carol. 2, 517 und 4, 288 -
Pap. 3, 350. -

3. Krieg und Waffen.

Überraschend selten stehen all diesen irgendwie heimtücki-
schen und schmählichen Mitteln der Nachstellung die eigentlichen, dem k r i e g e r i s c h e n L e b e n und den s o l d a t i -
s c h e n W a f f e n entnommenen Bilder gegenüber. Wohl tref-
fen wir gelegentlich das Bild von der Not, die „mit entblößtem
schwerdt schon anlaufft zu bekriegen" Leo 1, 218 f. - aber das
ist eine seltene Ausnahme. Das ganze Heer menschlicher Leiden und Nöte - der „jammer waffen" 262, 1, 88 - erschien dem
Dichter nicht unter dem Bilde eines ehrlichen, kriegerischen
Kampfes, als ein Feind, gegen den es einen hochgemuten Widerstand gäbe, sondern als höllische, unterirdische Macht, deren
zerstörerischer Gewalt der Mensch preisgegeben ist, und die doch
nicht sein dürfte, die das Leben erniedrigt und zur bloßen Qual
macht.

Einzig das religiöse Leben legt die alten christlichen Gleichnisse der militia nahe: C h r i s t u s ist der „hertzog aller
zeit", der allein dem irdischen Kriege gebieten kann, „er reißt
die fahnen ab und bricht den grimmen streit" 170, 19, 5 f. - Anstatt auf Erden unter der „f a h n d e r e i t e l k e i t" 137, 12, 5 f. -
zu fechten, sollen wir zu seiner Fahne schwören 175, 30, 1 - sein
Tod war „erhitztes kriegens ruhm- und ehrenreiche schlacht"
463, 10, 7 f. - G o t t aber „lägert sich um uns" 261, 1, 74 - zum

Schutz, bis einst sein „letztes feldgeschrey verstärckt mit blitzen
und trompeten" 349, 296 f. - den jüngsten Tag heraufführt.

In einem Sonett auf eines Kindes Tod erscheint dem Dichter
der Verlust so besonders groß, weil die Unschuld des Kindes die
einzige Wehr im Kampf des Menschen gegen den zürnenden
Gott ist, dessen Schwert „seel und leib durchfährt, geist und
hertze gantz zuschnitten" 239, 5, 30 f. - hat.

> „... wie übel ists bestellt,
> Wenn diese brustwehr hin, und wenn der hauffe fällt,
> Der einig mächtig ist, den höchsten zu bekriegen" 150, 36, 9 f. -

Außer diesem ebenfalls seltenen Zusammenhang sind nur zerstreute E i n z e l b e i s p i e l e anzuführen, denen jede typische
Bedeutungsverbindung fehlt: Die Nacht „schwingt ihre fahn" 131,
3, 1 - Cardenios studentische Erfolge sind die „siegesfahnen",
die er erjagt Card. 1, 14 f. - seine Feder wurde „gleich der bloßen
klingen" geehrt Card. 1, 12 - der winterliche Fluß fährt in einen
„harnisch" 112, 25, 2 f. - die Liebe ist die Siegerin im Kriege
gegen die Frau 536, 1 f. - und sorgende Gedanken kämpfen gegen
den „in hart verpfälten schrancken" sich wehrenden Menschen
556, 76. - „Diß ist die lantze nicht, die mich verletzen mag"
Pap. 1, 218 - lautet eine Entgegnung im Wortgefecht, und ein
Schmähepigramm spricht davon, daß G. das Schwert als eine zu
edle Waffe ansieht, um sie mit Arglist zu verbinden:

> „Wofern verleumdung mag ein schwerd genennet werden,
> So ist kein fechter, Bav', so gut als du auf erden." 393, 21 f. -

4. Last, Stein.

Um so einheitlicher ist wieder der Bildkreis von L a s t ,
B ü r d e , G e w i c h t und konkretisiert: S t e i n. Er stellt den
nächstliegenden, gebrauchtesten und daher auch blassesten Ausdruck für allen irgenwie L ä s t i g e. Die abwechelnd direkte und
umschreibende, im Grunde synonymische Reihe „Die unruh, diese
last, die thränen, den verdruß" Kath. 4, 446 - vgl.

> „die bürde, die wir tragen,
> Dieses weh', ob dem uns graut,
> Dieses ach, das uns beschwert" 454, 2, 9 f., -

weist auf das wesentliche Bedeutungszentrum hin. Der jeweilige
Bedeutungsinhalt des Lästigen als a t t r i b u t i v e r G e n e t i v
dazugesetzt: „s ü n d e n - last und -bürde". 21, 1, 4 - 39, 25, 12 -
237, 3, 32 - „last der z e i t e n" 25, 6, 8 - vgl. 516, 12 - „der
p l a g e n l." 78, 12, 4 - 240, 5, 57 - „der rauen j a h r e l." 278,
9, 45 - Carol. 3, 569 - „der l a s t e r l." 299, 5, 10 - „k u m -
m e r l." Kath. 1, 406 - „des grausen k r i e g e s l." Kath. 3, 292 -
„der s c e p t e r l." Pap. 4, 118 - „der g l i e d e r l." Pap. 5, 490 -
„der rauhen j a m m e r l." Pap. 4, 370 - usf.

Ebenso oft kommt es a l l e i n s t e h e n d vor: „höchster trost
in grimmer l." 468, 14, 7 - „Wer rettet mich von dieser l." 500,
51 - vgl. 169, 18, 3 f. - Leo 1, 103 - 381 und 5, 419 f. - Kath.
3, 74 und 4, 11 - Pap. 2, 439 - 474. -

Vielfach e p i t h e t i s c h v e r s t ä r k t : „r a u h e l." 519,
24 - 558, 51 - Carol. 2, 256 - „u n g e h e u r e l." 554, 17 -
„h e r b e l." 98, 1, 10 - „s t r e n g e l." 340, 1, 5 - Kath. 1,
116 - „s c h w e r e l." 569, 49 - „g e h ä u f f t e l." Kath. 1,
596 - sogar: die „l e i c h t e l. der steuren" Carol. 3, 635. -

Nur in wenigen Fällen der Lyrik wird d a s m e t a p h o -
r i s c h e M o t i v d e r L a s t , die dann zum „Stein" konkretisiert ist, a u s g e f ü h r t :

> „Weil die bürd' auf meinem rücken,
> Weil mich dieser schwere stein
> Bis auf die erden niederbog
> Und in den abgrund mit sich zog." 225, 12, 43 f. -
>   vgl. ähnlich 276, 8, 31 ff. und 37 f. -

Vgl. „Doch diß beschwerte land Lag ihm noch auf der brust"
Carol. 5, 120 f. -

Schließlich ist hier noch auf die epithetische Verwendung von
„leicht" hinzuweisen, das bei G. bereits im Übergange vom metaphorischen zum begrifflich eingeebneten, direkten Sprachgebrauch
steht, und zwischen der Bedeutung von leicht f e r t i g — „dein
leichtes maul" Leo 1, 173 - 407, 266 - leicht s i n n i g, beweglich — „leichter buben schaum" Carol 2, 51 und 3, 471 - das
„leichte volck" Leo 2, 241 - und nichts bedeutend, verschwindend,
vergänglich — „leichtes nichts" Leo 3, 132 - der „leichte staub"
Leo 1, 132 - schwankt.

5. Asche, Kot, Schlamm.

Als äußerster Ausdruck für das sittlich Verwerfliche — (vgl. die Synonyma: „Was nicht erlaubt, das schätzen wir als koth, schmach und fluch.") — und das metaphysisch Nichtige und Vergängliche in L, für das dem Ansehen und der Macht nach Niedrige vorwiegend in T, — erscheinen „S c h l a m m" und „K o t".
K o m p o s i t a: „sünden-k." 21, 1, 3 - vgl. 39, 26, 7 f. - „laster-k." 75, 7, 8 - „jammer- und unglücksschlamm" 246, 8, 11 - 499, 3 - greuel-schl. 75, 7, 8. -
Für die N i c h t i g k e i t d e r W e l t u n d d e s M e n - s c h e n: „Ich, der ich asch und koth" 44, 33, 1 - „Der erden tand und koth" 181, 40, 8 - vgl. 523, 75 - „Ich aas, des lebendtod, ich scheusal aller welt" 58, 51, 2 - „Ich bins, der in dem koth der laster sich gewühlt" Card. 4, 295 f. - „Laß jenem stand und amt und gold den schönen kott" 179, 36, 13. - Das Extrem an Unwert und Unschönheit fördert wieder antithetische Figurenbildung: Wir sind „itzt blumen, morgen koth" 124, 45, 11. -

„Die, vor den alles beb't, die an die sternen reichen,
Die werden morgen koth und staub und aschen seyn." 137, 12, 10 f. -
„Oft fault der weise koth
In eines thoren grufft" 265, 2, 46 f. -

In T tritt an die Stelle des moralischen der h ö f i s c h e G e - h a l t: „vom k. in hof" bringen Leo 1, 145 - „aus dem k. erheben" Leo 2, 79 - „in den k. drücken" Leo 2, 416 - bzw. „stürtzen" Card. 1, 574 - „aus dem k. retten" Kath. 4, 408 f. - Nur einmal kommt das ethisch gerichtete Bild vom Schlamm in allegorischer Ausführlichkeit vor: Card. 2, 265 ff. -

6. Treten.

„Z e r t r e t e n" und „m i t F ü ß e n t r e t e n" ist die sinnliche Sprachgebärde für das O b s i e g e n, für die Überlegenheit, die Überwindung oder Vernichtung des Gegners. „Ich tret auff scepter und auf stab und steh auf vater und dem sohne" Kath. 1, 68 - vgl. Carol. 2, 56 - sagt die alles und alle überlebende Ewigkeit im großen Eingangsprolog zur „Katharina"; ähnlich heißt es von dem sterbensbereiten Carolus:

„Die seel ist schon bey gott, der leib nur in der welt.
Er tritt, was eitel ist, mit unverwandten füßen." Carol. 5, 96 f. -

Die epithetische Beziehung des Adverbiums auf das Nomen, die dem Bilde vor allem das uns heute Befremdende gibt, entspricht einem verbreiteten Stilgebrauch, in dem die Bevorzugung des Nomens und die Neigung, ihm alle mögliche Verstärkung attributiv und epithetisch zuzuwenden, sich kundtut (vgl. auch „mit harten füßen" 21, 1, 6 f. - und „mit stoltzen füßen" - Kath. 2, 75).

Mit der Anwendung dieses Sprachbildes verbindet sich keineswegs der Zwang, Subjekt und Objekt in die Versinnlichung hineinzubeziehen, also „im Bilde zu bleiben", — vielmehr, überall, wo die Bedeutung statthat, da tritt auch ihre Versinnlichung ein, ganz ungeachtet dessen, ob sich eine Subjekt und Objekt verbindende Gesamtanschauung ermöglichen läßt. Daher können A b s t r a k t a nicht nur O b j e k t — „tod und ewigkeit" Leo 1, 125 - „kunst und weisheit" 563, 57 f. - „die noth" Pap. 1, 431 f. - kann „in den staub" und „mit füßen" getreten werden —, sondern auch S u b j e k t dieser Sprachgebärde werden.

„Diß ist der tag, der mir die ewigkeit bescheret,
Der mir, was zeit noch leid zutreten kan, gewähret." Pap. 5, 67 f. -

Vgl.: „ . . . großer götter recht, das ihn noch wird zutreten" Pap. 4, 271. - Dabei wird auch hier wieder nicht ein bestimmter, einzelner Begriff, sondern eine Bedeutungsgruppe, die sich in einer Vielheit von Begriffen manifestiert, in dieser e i n e n Versinnlichung zusammengefaßt. Die geläufigsten sind: „v e r n i c h t e n" — „der . . . mich und sie . . . In staub zu treten meynt" Leo 2, 524 ff. - Pap. 3, 638 f. - „e r n i e d r i g e n" — „treten in den staub, den vorhin iederman Mit tieffem antlitz ehrt" Carol. 2, 308 f. - „u n t e r w e r f e n" — „Kan nur mein fuß zuvor auf deinem kopffe stehn" Leo 1, 70 - vgl. Leo 2, 28 - Kath. 1, 641 f. - „s c h m ä h e n" — „Tritt man mein hohes amt und ansehn mit den füßen" Kath. 1, 566 - „b e l e i d i g e n" — „Hät ihn Justinian getreten ie mit füßen" Leo 1, 432 - „ü b e r w i n - d e n", besonders im Gebet des Frommen zu Gott: „Wirff unter deine füße, was auf hertz und haupt mir trat" 235, 2, 105 f. - „Laß unter deinem fuß, was hier dich pflegt zu schmähen, Zutreten und zuknickt mein frölich lustbild seyn" 491, 208 f. -

Der Sprachvorgang stellt sich also, an diesem typischen Beispiel ausgeführt, folgendermaßen graphisch dar:

vernichten   beleidigen   quälen   unterdrücken   erniedrigen   unterwerfen
       schmähen

Bedeutungseinheit: Bedrängen,
wird zur
Bildeinheit: Treten

entzwei-| zer- |auf den Kopf| unter die |den Kopf|in Staub| unter den
  treten |treten| springen |Füße treten| zertreten | treten |Fuß knien.

Mehrfach verbindet sich die Vorstellung des Z e r t r e t e n s
mit der B l u m e , zumal da, wo Schönheit und Jugend des Ver-
nichteten diesen Vergleich mit dem Schicksal der Blume nahe-
legen:

> „... was noch ietzund blüht,
> Und was zutreten wird..." Leo 4, 65 f. -
> „Du blume deiner zeit wirst in der blüt abfallen."
> „Weit besser, denn zu welck zutreten seyn von allen." Pap. 4, 267 f. -
> „Wirst du in dem morgen-thau so entblättert und zutreten!"

Pap. 2, 361 - vgl. auch Carol. 2, 3 f., die Beziehung auf das Lilienwappen.

7. Weg, Reise.

W e g , B a h n und R e i s e sind in erster Linie die uralten
und überzeitlichen Verbildlichungen r e l i g i ö s e r u n d m o -
r a l i s c h e r Lebensrichtungen.

Das M e n s c h e n l e b e n ist eine „r e i s e" 209, 4, 41 - bei
der es darauf ankommt, „auf rechter bahn zu wallen" 501, 24 -
Leo 1, 308 f. und 2, 321 f. - vgl. Card. 1, 61 - bzw. sie nicht zu
verlieren 266, 3, 10. - Bassian sucht den Mord an Geta damit zu
entschuldigen, daß die Not oft Fürsten zwinge, „was aus der
bahn" Pap. 3, 419 - zu gehen. Im „irrgang dieser welt" 294, 3,

3 - der „so viel krummer gäng und wenig rechter hat" Pap. 5,
229 f. - ist das Zurechtfinden schwer:

> „Nicht einer zeigt die wege,
> Die müden füße sind verletzet...
> Auf dem gespitzter stein- und dörner vollen wege"
> 266, 3, 5 f. -

Gott selbst führt uns oft

> „... in wüstes feld durch ungebähnte wege
> Und führt auf rechte weg aus hecken vollem stege" 173, 25, 9 f. -
> vgl. Kath. 1, 470. -

Der „pfad der tugend" Card. 1, 34 - vgl. Card. 4, 294 - „gottes
ehren-bahn" 176, 30, 4 - aber führt zu Gott, der „zweck und
ende" 504, 22 - der Reise ist. Das i r d i s c h e R e i s e e n d e ist
der T o d 209, 4, 41 - der uns „aus der zeit reisen" Card. 2, 40 f. -
läßt. So beginnt der Geist der gefolterten sterbenden Katharina
„Durch die vom scharffen grimm neu auffgemachte thor" des
Leibeskerkers zu „reisen" Kath. 5, 94 f. - und „durch so viel
grimme risse" „eine bahn" Kath. 5, 181 f. - vgl. Leo 1, 308 f. -
aus dem Angsthaus der Welt zu suchen.

Der „rechte weg" und sein Gegensatz, das Sichverlaufen
Kath. 1, 787 - Carol. 3, 603; 662 - verblaßt schließlich zur Umschreibung des einfachen „r i c h t i g" und „f a l s c h", und
„Weg" wird, wie noch heute, ein anderer Ausdruck für „M i t -
t e l" Card. 1, 342 - Carol. 5, 358. - Nur zweimal wird das
I r r e g e h e n, — i m G e b i r g e u n d b e i N a c h t, — gleichnishaft ausgesponnen. In einem Monolog Bassians heißt es:

> „... Wer einmal schon berg-ab ins lauffen kommen,
> Wird wider will und macht vom rennen hingenommen,
> Bis daß er über hals in tieffe thäler stürtzt
> Und in morast und sumpff des lebens ziel verkürtzt."
> Pap. III, 19 f. - vgl. Card. 1, 42 ff. -

8. Gebrauchsgegenstände.

Zu einem in sich unzusammenhängenden, in seiner Einheit
ganz vom Material her bestimmten Bereich seien alle zum Zwecke
sinnvollen Gebrauchs hergestellten G e r ä t e vereinigt, aus denen,
von jeher bedeutsam, Spiegel und Wage, daneben noch der
Zaum eine bemerkenswerte Rolle spielen.

Noch in der schon das ganze Mittelalter beherrschenden Tradition steht die Verwendung des S p i e g e l s als Synonym für Ebenbild, Gleichnis, Darstellung, — vgl.: „Spiegel der gedult und bild der hoffnung . . ." 116, 32, 10 - vgl. 537, 41 f. und 575, 53 f. - F r a u e n werden oft zum „Spiegel" bestimmter Tugenden, z. B. der „gedult" 116, 32, 10 - 105, 13, 3 - „keuscher zucht" 570, 89 - „höchster zucht" 397, 89 - „reiner zucht" 183, 44, 2. - „Ich spiegle mich an dir" 513, 51 - ruft G. in einem Trauergedicht für einen verstorbenen Freund dessen Witwe zu: sein innerer Zustand wird ihm im Bild des Leidgeprüften nach allen analogen Seiten hin gegenständlich.

Die W a g e bezeichnet das R i c h t e n , vgl.: „Und ewigkeit uns auf die wage stellt" 169, 16, 8 - wie der höchste Richter „das geringste wort auf schnelle wage legt" Card. 5, 228 - vgl. Leo 2, 481 f. - 535, 51 - oder das G l e i c h w e r t i g s e i n : „Sie leg auf gleiche schaal die mütterliche brunst Und eh-verliebte treu!" 535, 47 f. - „Ist eure wage schwer, Der Reußen ist nicht leicht" Kath. 5, 340 f. - vgl. 265, 2, 55 f. -

Der Z a u m ist das Bildzeichen des B ä n d i g e n s und Z ä h m e n s : „Zäumt euren tollen grimm! zäumt eure bösen lüste!" Kath. 1, 828, f. - Pap. 1, 138 - „ungezäumte buben" Carol. 2, 173 - vgl. Carol. 3, 188 - „Lernt, die ihr lebt, den zaum in eure lippen legen" Leo 1, 541 - vgl. Card. 2, 282 f. - Die schon mehrfach aufgewiesene Beschränkung des barocken Bilddenkens auf den abgeschlossenen Einzelbegriff zeigt ein Satz wie „Der degen zäume den, der sich nicht zäumen kan" Carol. 3, 188. -

Nur wenige zerstreute Einzelfälle gehören noch in diesen Bereich: das „l e b e n s - b u c h" 390, 293 - 265, 2, 59 - vgl. 266, 2, 69 - die „t o d t e n - u h r" 349, 278 f. - der Himmel legt das „g e s t i r n t e k l e i d" 98, 1, 6 f. - die Seele des „schwachen l e i b e s k l e i d" 104, 11, 6 - Card. 1, 529 f. - an. Das „t o c k e n - w e r k" d e r Z e r e m o n i e n Pap. 4, 350 - der „b l a s e b a l c k" d e r Z u n g e 577, 123 - (Spottgedicht!), die ferner einem „h a m m e r" gleicht, der „baut und bricht" Leo 1, 549. - Die A u g e n nennt schon G. „f e n s t e r" d e r S i n n e n 265, 2, 33. - Gleich einer „s c h e r b e n sonder saft" ist der C r u z i f i x u s 328, 17, 39 - vgl. 346, 195. - „D e r h i m m - l i s c h e h r e n - w a g e n" 527, 100 - ist ein s c h n e l l e r

T o d. Der W i n t e r wird „ein lebend s i e c h e n - h a u s" genannt Card. 3, 246. - G o t t senkt den A n k e r in die L e i d e n s - t i e f e n 186, 49, 9 - und der R i c h t e r sein B l e i m a ß in die Tiefe des S c h u l d z u s a m m e n h a n g e s Leo 2, 206 f. - Die verschwindend g e r i n g e m e t a p h o r i s c h e A n - w e n d u n g d e r G e b r a u c h s g e g e n s t ä n d e erklärt sich daraus, daß ihre Alltäglichkeit sie für die Poesie weniger geeignet machte. Neben diesem repräsentativen fehlt ihnen auch der traditionelle Wert, den die meisten anderen Bildbereiche besitzen.

9. Edelmetalle und Edelsteine.

Die L ä u t e r u n g d e s M e n s c h e n d u r c h T r ü b s a l und die d e s G o l d e s d u r c h F e u e r ist ein neues Beispiel gültiger allegorisch-typischer Zuordnungen:

„Gold wird durch glut, ein held durch angst und ach bewehrt"

Leo 4, 357 -

„Was kan nicht der trübsal feuer, das dich, wo du gold, bewehret, Und das, wenn du hartes eisen, deine pest, den rost, verzehret!"

414, 83 f. - vgl. 106, 15, 6 - 126, 50, 5 - 383, 140 - 385, 177 - 492, 33 f. - Leo 5, 201. -

So geläufig ist dieses allegorische Verhältnis, daß ohne jede Gefahr einmal ein Glied ausgelassen werden kann, weil der Leser, das Bekannte sofort erkennend, es sich selber ergänzt. „Läutere diß gold in liebe" 28, 10, 12. -[5]) Einmal parallelisiert G. den paradoxen geistigen Vorgang, daß eine Schuld der Weg zu größerer Reinheit werden kann, durch den ebenso widerspruchsvollen: „so härtet man metall Durch schmeltzen" Kath. 3, 384 f. - In dieselbe Richtung der Zuordnung von Charakterwandlung und metallischem Schmelzprozeß gehört auch noch die einmalige Wendung für den Gedanken, daß nur ein starker Charakter sich durchsetzt:

„Die zarte perle wird durch scharffen wein verzehret."
„Ein reiner demant bleibt..." Pap. 4, 288 f. -

Das Materialfeld der E d e l s t e i n e steht vor allem in fester, über Humanismus und Renaissance bis in das Mittelalter und

---

[5]) P a l m zählt 9!

die Antike zurück und wiederum bis in das 19. Jahrhundert
nach vorwärts reichender Zuordnung zur Darstellung des
schönen menschlichen, insbesondere weiblichen Körpers. Was
aber früher und später nur e i n Dekorationselement neben anderen
in der Beschreibung körperlicher Schönheit war, das wird im
17. Jahrhundert zur ausschließlichen Kategorie der Verbildlichung.
Diese Kategorie ist die o p t i s c h - m a l e r i s c h e. Sie läßt
neben den edlen Steinen, diesem Material zu höchsten Kunst-
formen, nur noch die Blumen und den Schnee, — als reine
Farbeneindrücke, — zu. G. begnügt sich fast immer damit, den
anatomischen Einzelteilen je eine Farbvergegenständlichung zu-
zuordnen. „Corallen-mund" 555, 54 - „der leffzen ihr corallen-
schein" 347, 218 - vgl. Card. 3, 239 - „des halses" und „der nasen
helffenbein" Card. 5, 409 - Kath. 2, 95 - 117, 33, 7 f. - „Die lippe
von rubin" Kath. 5, 215 - „die güldnen haar" 116, 33, 1 - 555,
48 - 513, 20 - Kath. 5, 216 - Card. 3, 193 - immer sind die Haare
„gülden"! „Der wangen purpur" Pap. 2, 350 - „die marmor brust"
237, 4, 10 - die „marmor-weiße stirn" 527, 93 - „Der stirnen
alabast" Kath. 5, 41. - Das Blut schließlich erscheint natürlich
als „purpur" Carol. 2, 194 - Card. 1, 573 - oder es klebt als
„corallen-äst" Pap. 2, 436 f. - Leo 5, 36 - an den Gliedern des
Erschlagenen.

Im übrigen sind „g o l d e n", „s i l b e r n", „e h e r n"
F a r b s t i m m u n g e n   d e r   N a t u r : „gülden" ist des Morgens, des Tages, der Sonne, der Sterne Licht Leo 2, 584 - Carol.
3, 80 und 5, 11 - Pap. 1, 390 und 3, 600 - 386, 191, - „gülden"
die „strahlen des licht-besternten schwans" 559, 5 f. - und der
ganze „bau des himmels" 161, 8. - Diamanten gleich spielen
die Sterne 118, 36, 3 - und „silber-zart" ist das Licht, das
Phoebe am Todesabend des Carolus „mit nassen wangen lescht"
Carol. 3, 817 f. - „Ehern" ist der sengende Himmel, die verderbliche Wolke, die dürre, verschlossene Erde 165, 9, 6 - 453,
1, 1 f. - 494, 5 f. - die selbst des morgendlichen „perlen-thaus"
164, 7, 6 - entbehrt.

Nur ganz selten wird G o l d und S i l b e r nur nach seinem
W e r t als Metapher für die m o r a l i s c h e   S c h ö n h e i t
verwandt: „Ihr keuschestes gemüth, das reinem silber gleicht"
194, 65, 5. - Aber eine andere Eigenschaft von Diamanten und

Metallen kommt in vielfacher metaphorischer Verwendung vor;
ihre Härte, ihre Unzerbrechlichkeit und Dauerhaftigkeit. In
diesen Fällen ist zumeist die Bedeutung der Metapher angehängt,
das Epitheton also zum Doppelwort gemacht: „die eisen-harte
noth" Card. 2, 175 - vgl. Pap. 1, 54 - „der marmor harte muth"
Leo 1, 198 - „Das demand-feste joch der grausen tyranney" Leo
5, 221 - vgl. Kath. 1, 116 - vgl. 406, 256 - Pap. 2, 334 f. -
„Den ewig-stete furcht, den sein verletzt gewissen
Noch härter als mich selbst in diamante schließen" Leo 3, 347 f. -

Ohne beigefügte Erläuterung: „die ehrne not" Kath. 1, 100 -
„ob ihn diamant gleich bünde . . ." 136, 11, 14 - „die zeit, die
marmor frißt Und ertz in nichts verkehrt" Carol. 2, 296 f. - Auf
das Seelische, die Härte des Herzens, übertragen: „hertzen von
metall" Kath. 5, 116 - „Trägt Abbas marmel in dem hertzen?"
Kath. 5, 355 - vgl. 560, 30 f. - 158, 50, 11 -[6]) „Wie ists, wird
unser hertz In harten stahl verkehrt?" Leo 5, 177 f. - ruft Theodosia bei der Nachricht von Leos Ermordung aus.

Schließlich sind Gold, Purpur, Scharlach, Elfenbein und Per-
len die konkreten Insignien der Majestät, der Dynasten und des
Hofes und treten als solche synekdochisch für den Gesamtbegriff
ein. Leo beklagt sich über Michaels Behauptung:
„Daß wir durch seine gunst gold auf den haren tragen
Und purpur um den Leib..." Leo II, 528 f. -

Dieselbe Funktion an anderer Stelle „diß besteinte kleid" Leo
2, 52 - oder „helffenbein, . . . purpur . . . scharlat" Leo 1, 389 f. -
Kath. 1, 331 f.

10. Schauplatz, Spiel.

Wie das S i n n - B i l d Vollendung und Ideal der die Dinge
aus ihrem natürlichen Sein zur Versichtbarung einer Bedeutung
zusammenfügenden Kunsttendenz wird, so zeigt sich das
gleiche distanzierend-formend-durchgeistende Bestreben in dem
konsequenten Ernst, mit dem das Leben durchzeremonialisiert,
mit dem die gelebte Wirklichkeit zur bedeutenden Gebärde um-
geformt, das persönliche Tun und Erleben zur repräsentativen

---

[6]) Palm zählt 6!

Erscheinung eines Allgemeinen überformt wird, — kurz, darin, wie in den Augen und unter den Händen des barocken Menschen das Leben mit allen seinen Äußerungen zum S c h a u - S p i e l und zum S c h a u - P l a t z wird. Wenn so an sich gleichgültige Vorgänge persönlicher und privater Art, wenn bestimmte Ereignisse, bestimmte Ausschnitte der Wirklichkeit zur augenfälligen und beispielhaften Versichtbarung eines übergreifenden Sinnes hinaufgesteigert werden, dann werden sie zum Schauplatz und zum Spiel, zum großen Bühnenvorgang, in dem ein Allgemeines, Typisches, Bedeutend-Ungewöhnliches Gestalt annimmt.

Die szenarische Eingangsbemerkung zum allegorischen Vorspiel der „Katharina" lautet: „Der schauplatz liegt voller leichen, bilder, cronen, scepter, schwerter usw. Ueber dem schauplatz öffnet sich der himmel, unter dem schauplatz die hölle. Die ewigkeit kommt von dem himmel und bleibet auff dem schauplatz stehen." Hier ist der barocke Schauplatz in seiner wahren Gestalt: Alles nur Persönliche, Private, Belanglos-Individuelle ist geschwunden. Alles ist bedeutend, sinnvoll, öffentlich, durchwaltet und beherrscht von den „realia", die höher sind als alle persönliche und sachliche irdische Einzelwirklichkeit.

Von hier aus wird für den Dichter und den Weisen das g a n z e i r d i s c h e D a s e i n z u m „S c h a u p l a t z" der gewaltigen Mächte des Schmerzes und der Vergänglichkeit, — dem der S c h a u p l a t z d e r S e l i g k e i t im Jenseits gegenübersteht, wie es von Carolus, der sich zur Hinrichtung anschickt, heißt:

„Den schauplatz muß mein fürst zum letztenmal beschreiten,
Den schauplatz herber angst und rauher bitterkeiten,
Den schauplatz grimmer pein, auf dem ein ieder findt,
Daß alle majestät sey schatten, rauch und wind.
Der schauplatz ist zwar kurtz, doch wird in wenig zeiten
Auf kurtzer bahn mein printz das ferne reich beschreiten,
Den schau-platz höchster lust..." Carol. 5, 429 ff. -[7])

Das Leben wird zum großen Bühnenspiel, und der Mensch befreit sich aus der Sinnlosigkeit des Leidens, indem er sich distanziert, indem er sich durch das Zaubermittel künstlicher Form-

---

[7]) P a l m zählt zweimal 430!

gebung gleichsam in den verdunkelten Zuschauerraum versetzt
und sein persönliches Leiden als Teilerscheinung eines großen,
unabänderlichen Schauspiels triumphierender ideeller Mächte
erlebt. Dieses distanzierende Begreifen des Lebens als einer
menschlichen Komödie, in der die furchtbaren Gewalten, Not,
Schmerz und Tod mit dem Menschen streiten, in der das Einzel-
schicksal nur Teil eines übergreifenden Gesamtvorganges ist, erhebt den Leidenden über sein Geschick, läßt ihn den „schauplatz
herber schmertzen" 243, 7, 2 - vgl. 225, 12, 53 - mit geringerer
Anfechtung durchschreiten, zumal Gott den Menschen beisteht,
„wenn sie nun in den schauplatz ringen" 261, 1, 54, - bis sie
„von dieser schauburg" 446, 143, - dem „Schauplatz der sterbligkeit" Kath. 1, 81 - abtreten.

Auch e i n z e l n e E r e i g n i s s e können die Würde eines
Schauplatzes erhalten: G o l g a t h a ist der „grause schauplatz
herber pein" 324, 16, 7, - K a t h a r i n a s B r a n d a l t a r der
„schauplatz ihrer pein" Kath. 5, 445, - ja, der M e n s c h , dessen
Leben in besonderer Weise eine Darstellung höherer Gewalten
ist, wird selber zum Schauplatz: „Ich schau-platz grauser plagen" 36, 21, 1 - ruft der Dichter einmal aus, und an anderer
Stelle heißt es, der Mensch sei ein „schauplatz herber angst"
103, 11, 3. - „Blicke diesen schauplatz an, drauf man nichts
denn unglück höret" 186, 49, 4, - sagt G. in dem Sonett an
den „erlauchten unglückseligen".

Was auf dem Schauplatz vor sich geht, ist ein S p i e l. Das
Spiel ist wohl bedeutsam und folgenreich, aber gleichzeitig enthält es etwas Unwirkliches und Vorübergehendes. In diesem
Sinne ist das Leben eine „phantasie der zeit" 318, 19, 12 - und
der „leichte" Mensch „das spiel der zeit" 102, 8, 10 - 378,
8, 17. - Die Nichtigkeit und Wesenlosigkeit des Lebens, dieser
Komödie, in der der Mensch eine aktive Rolle spielen muß, wird
vollends augenfällig vor dem großen, immer gegenwärtigen Ho-
rizont des allbeherrschenden Todes und der alle erwartenden
Ewigkeit. Von ihr aus wird das Leben und aller scheinbare
Ernst seiner bunten, vielgestaltigen Verwirklichungen zum Spiel
in einer zutiefst irrealen, illusionistischen Bedeutung.

„Der mensch, das spiel der zeit, spielt, weil er allhier lebt
Im schau-platz dieser welt . . .
Spielt denn diß ernste Spiel, weil es die zeit noch leidet . . ." 122, 43, 1 f.

Der M e n s c h ist O b j e k t d i e s e s S p i e l e s, aber durch
sein eigenes Tun und Wollen a u c h w i e d e r S u b j e k t:
„Wir rechnen monat aus und spielen mit dem jahr…" 120,
39, 9. - So wird das „jammer-spiel der zeit" 523, 82, - das
Leben, erträglich, weil es den Menschen nur zum Durchspielen
einer bitteren, aber vorübergehenden Rolle zwingt. Damit entsteht
die D i s t a n z, nicht nur vom Kummer, sondern auch von der
Größe und Schönheit des Lebens, ist doch

> „alles was man mit gebeugten knien ehrt,
> Nur fantasie und spiel…" 443, 52 f. - vgl.
> „dieses spiel der zeit, die ros' in eurer hand" 110, 22, 2. -

Und diese losgelöste, nur mit starken Vorbehalten als
„stoisch" zu bezeichnende Distanz vom Leben, auch von dem
eigenen, von Freude und Schmerz, auch dem eigenen, diese vergegenständlichende, verstehende und deutend-verallgemeinernde
Kontemplation, die das Dasein begreift als ein Stück des großen,
objektiven, metaphysischen Prozesses, — das ist die Haltung des
Weisen und des Frommen, der sich innerlich befreit von „hof
und macht Und der beperlten scepter pracht" Pap. I, 373 f. -

> „Und was die reich empört und throne stürtzen kan,
> Das sieht er unverzagt gleich einem schauspiel an." Pap. 1, 425 f. -
> „Was mag gewünschter seyn, als wie von einer höh
> Das spiel der himmel schaun!" Carol. 3, 576 f. -

Aus diesen Wurzeln aufsteigend, verbreitert und nivelliert
sich auch hier der metaphorische Gebrauch, aber ohne den oben
analysierten mehrseitigen Stimmungshintergrund von „Schauplatz" und „Spiel" ganz einzubüßen. Alle w i c h t i g e r e n
A n l ä s s e können nun zum F r e u d e n - u n d viel häufiger
zum T r a u e r s p i e l werden. In dem Lied „auf eines guten
Freundes hochzeit" heißt es, daß „die weite stadt" „der liebe
schauplatz" wird und

> „Der himmel spielt es vor, der diese braut der welt
> Zum schönsten wunder-spiel auf schönsten schauplatz stellt."
> 551, 13 f. und 552, 33 f. -

H i m m l i s c h e 569, 37 f. - und i r d i s c h e S t r a f e Pap.
2, 402; 525 und 3, 665 - m e n s c h l i c h e V e r b r e c h e n

wie die Ermordung Getas Pap. 2, 268 f.; 480, - die Folterung
Katharinas Kath. 5, 29, - die Ermordung Leos Leo 5, 67; 210;
296 - und die Hinrichtung Carolus' Carol. 1, 11; 324 und 2, 115;
143 und 3, 141; 290 und 5, 204; 250; 216 - werden zum Trauer-
und Jammerspiel; auch der über Olympias Absage verzweifelte
Cardenio hat sich „erkühnet zu einem trauer spiel" Card. 1, 371. -
Schließlich kann der Begriff einfach zum erhöhten Synonym für
U n g l ü c k werden: „Wer nah diß unheil sieht, wer fern diß
traurspiel hört ..." Carol. 3, 427. - Ferner tritt „schauspiel"
als gesteigerte Form für „A n b l i c k", „B e i s p i e l" ein. Von
Papinian heißt es:

> „... da Rom dich selig schätzte
> Und sich ob deiner ehr und schauspiel höchst ergetzte" Pap. 5, 488 f.

oder:

> „Man soll der großen welt ein neues schau-spiel weisen,
> Wie hart verletzte gunst ..." (sich rächt) Leo II, 92 f.

und

> „... daß kein schauspiel sey so schön im rund der erden,
> Als wenn, was mit der gluth gespielt, muß asche werden." Leo II, 443 f.

Analog erscheint „s p i e l" dann vielfach synonym mit U n -
t e r n e h m u n g , E r e i g n i s , V e r s u c h, wobei wohl mehr
der Stimmungsgehalt des K a r t e n s p i e l s mit seinem Zufalls-
und Wagnischarakter als das Bühnenspiel hineinspricht: „längst
gewünschtes spiel" Leo 1, 38 - Carol. 3, 756 und 5, 33 - Pap.
3, 501 - „so hör ich an, wie diß spiel aus will gehn" Leo 1,
250 - vgl. Card. 1, 352 und 5, 205. - Auch folgende Wendungen
gehören hierher: „das spiel verkehren" Leo 1, 163 und 4, 6 -
Kath. 3, 244 - „aufs spiel setzen" Carol. 3, 315 f. - der Zunge
„spiel" werden Card. 3, 221 - sich ins Ansehen „spielen"
Carol. 3, 111. -
Zahlreich sind die doppelwortartigen Zusammensetzungen mit
Spiel, — neben den schon erwähnten: „vorspiel" Kath. 4, 77 -
Carol. 3, 523 und 5, 16; 82 - „gauckel-sp." Pap. 2, 110 - „traur-
stück" Pap. 4, 166 - „blut-sp." Carol. 3, 755 - „zauber-sp."
Card. 2, 285 - „mord sp." Kath. 5, 192 - „frevel-sp."
Kath. 5, 64. -

Damit ist der sachlich erschöpfende Überblick über alle wesentlichen Materialbereiche des dichterischen Bildes bei G. und
über die Art ihrer Anwendung abgeschlossen. In rund 30 Bildfelder ließ sich aller irgendwie belangvolle metaphorische Bild-
stoff aufteilen. Als Gesamtergebnis der vorliegenden Feststellungen bleibt vor allem wichtig, daß diese Rückführung einer
scheinbar unübersehbaren, den poetischen Stil vor allem hervor-
bringenden Metaphorik auf eine verhältnismäßig kleine Zahl fast
immer klar einzukreisender Stoff-Felder überhaupt möglich ist,
daß der scheinbar üppige Reichtum sich genauerem Zusehen als
ein streng begrenztes und nach Verwendung und Bedeutung fest-
gelegtes System möglicher und gültiger Sachbereiche enthüllt.

Drittes Kapitel.

Bedeutungsgruppen.

Nach der vorangegangenen, vom Bild-Material ausgehenden Übersicht und Ordnung des metaphorischen Gesamtbestandes bei G. soll im Folgenden der umgekehrte Weg eingeschlagen werden: Nicht das Bildfeld, sondern die B e d e u t u n g soll das Ordnungsprinzip darstellen. Und die Frage lautet nun: in welcher metaphorischen Gestalt erscheinen bestimmte für die Dichtung G.s zentrale Bedeutungen wie das Leben, der Mensch, die Zeit, der Tod usf. Wieder ist die Fragestellung in dieser Form nur innerhalb der wesentlich allegorischen Dichtung möglich. Denn in der beseelend-symbolisierenden Poesie läßt sich das Entscheidende des dichterischen Bildes überhaupt nicht unter einen gemeinsamen begrifflichen Nenner bringen, macht die einmalige lyrische Getöntheit der Seele, die abstrakt gar nicht zu fassende individuelle Schwingung des Gefühls, jede Katalogisierung, wie vom Material, so auch vom Bedeutungsfelde her unmöglich. Das barocke Bild aber läßt die Subjektivität grundsätzlich aus und zielt auf die S a c h e , indem es eine dinglich-sensuelle Wirklichkeit einer bestimmten Bedeutungsrealität allegorisch-illustrierend zuordnet. Daher entspricht die Frage nach der Art, in der gewisse, im Mittelpunkt des dichterischen Interesses stehende Bedeutungsgruppen metaphorisch illustriert werden, dem Wesensgesetz der barocken Metapher und ist geeignet, sichtbar zu machen, wie jene Wirklichkeiten, deren μετα-φέρειν dem Dichter besonders wichtig war, empfunden, erlebt und gewertet wurden. Nur die wichtigsten seien im Folgenden herausgegriffen: Welt und Leben, Zeit und Vergänglichkeit, der Mensch, der Körper, Not und Tod, die Affekte, die Sünde, die Natur. Die Frage nach der Bildwerdung der fundamentalen Erfahrungen des menschlichen Lebens zwingt die Darstellung in diesem Abschnitt mehrfach, die rein stilistischen Ergebnisse durch geistesgeschichtliche Erwägungen und Einordnungen zu ergänzen.

A. Welt und Leben.

G. hat in dem Gedicht an seinen Bruder, das zu dem Persönlichsten gehört, was er geschrieben hat, schön ausgesprochen, was ihm seine dichterische Gabe gewährt und was sie ihm versagt:

> „.... Ich wil den klage-thon
> Mit seufftzern stimmen an; ich wil die seiten rühren
> Und augen-klar die angst der herben welt ausführen.
> Mehr schlägt mir Phöbus ab." 561, 60 f. -

Diese Grundmelodie klingt in immer neuen Abwandlungen durch alle seine Gesänge. Und sie vermag, zusammen mit dem Thema der Vergänglichkeit, der Sprache die gewaltigsten Klänge, die farbenreichsten Gemälde, das Äußerste an Pathos und Dynamik zu entlocken. Sie spornt die dichterische Phantasie, die metaphernhungrig die Mannigfaltigkeit der seienden Dinge durchfährt, zu immer neuen Anstrengungen im Aufhäufen von „Sachen" an, die zur Illustration jenes primären Gefühles der Qual und des Grauens, das die W e l t einflößt, beitragen können:

Die W e l t, die „rohe tolle" 29, 12, 12 -, „blinde" 44, 32, 9 - 89, 30, 1 -, „kummerreiche" Kath. 1, 1 -, „alte kalte" 99, 2, 1 -, „faule" 67, 62, 13 -, „müde" 409, 319 -, Pap. 4, 250 -, „eitel-leere" 236, 3, 34 -, „dunckle" 463, 10, 26 -, „wüste" 40, 26, 12 -, „itzt vermummte" 65, 60, 9 - ist ein „angsthaus" Kath. 5, 180 -, „foltersaal" Kath. 4, 501 -, „thränensaal" 30, 13, 7 -, „raube-schloß" 37, 22, 2 -, „zollhaus" 88, 28, 1 -, „schauplatz der sterblichkeit" Kath. 1, 81 -, „kercker des verderbens" Kath. 1, 76 -, „thränental" 25, 6, 9 -, „blockhaus da verlangen Und angst und schwere noth mit strengen fesseln drückt" 136, 11, 5 -, „jammerthal" und „höll" Kath. 4, 394 -, „wüstes" und „trübes thal" 23, 4, 3 - 48, 38, 11 -, „folterhaus, da man mit strang und phal Und tode schertzt" Kath. I 66f. -, „irrgang" 294, 3, 3 -, voller „kummer gäng" Pap. 5, 229 f. -, eine „trübe nacht des zagens" Carol. 5, 437 -, „marter-höle" 460, 7, 4 -, „bittre thränen-see" 244, 31 -, „rennbahn" 131, 3, 8 - 135, 10, 1. Die Erde „stinckt" den Menschen an Card. 2, 45.

Ikonische Apostrophierungen türmen Bild auf Bild:

„O burg der sterbligkeit!
O kercker voll von leid!
O erden! leichen-volle grufft!
O schlachtbank! stock und see!
O abgrund-tieffes weh! ...“ 234, 2, 81 f. -,

oder:

„Ade! verfluchtes thränen-thaal,
Du schauplatz herber schmertzen!
Du unglücks-haus, du jammer-saal,
Du folter reiner hertzen!
Ade! mein kercker bricht entzwey....“ 243, 7, 1 f. -.

Wenn d a s W a n k e n d e und H i n f ä l l i g e d e s
L e b e n s geschildert wird, kommt ein Moment der B e -
w e g u n g in das Bild, das es scheinbar lebendiger und
„dichterischer“ macht:

„.... Was sterblich schwebet schlecht
Auf lauter ebb' und fluth...“ Pap. 5, 54 f. -
„Ade, verfluchte welt! du see voll rauher stürme!“ 126, 49, 12 -,
„Wir werden hingerissen
Auf dieses lebens schmertzenvollen see,
Da eitel weh!“ 211, 5, 34 f. -
„Gott lob! der rauhe sturm führt durch die wüste see
Der rasend-tollen welt, wo immer neues weh
Und leid auf angst sich häufft, wo auf das harte knallen
Der Donner alle wind in flack und seile fallen...“ 524, 1 f. -
„Mein leben ist nur noth,
Ein schatten, rauch und wind, ein tausendfacher tod.“ 38, 24, 12. -
„Diß leben fleucht davon wie ein geschwätz und schertzen.“
103, 11, 5. -
„Dieß lebenlose leben
Fällt, als ein traum entweicht,
Wann sich die nacht begeben
Und nun der mond erbleicht.“ 274, 7, 20, - vgl. 412, 31, - 417, 143 -
Leo 2, 629 f. -.

Das Mittel der P e r s o n i f i z i e r u n g wird für das
Leben nur in wenigen Fällen, und da in deutlicher Anlehnung
an die Apokalypse, angewandt, — wenn z. B. nicht mehr nur
vom „pancket des lebens“ 123, 43, 13 -, gesprochen wird, sondern
das Leben selber ein betrügerischer Gastgeber ist, der aus dem
„taumel-kelch“ 560, 43 - einschenkt, - oder gar

„des teuffels braut . . . .
Die truncken von dem Glück anitzt ihr fraßfest hält"
                29, 12, 12 f. -.

Eine einmalige eindrucksvolle Wendung von dem Leben,
„das sich vor sich entsetzt" Pap. 3, 14 f. -, darf nicht isoliert
werden. Sie ist ebensowenig ein Fall von Beseelung wie
die barocke Personifizierung im Allgemeinen. Sie ist eine
Steigerungsfigur, die ganz innerhalb des sprachlichen Bereiches
bleibt, ohne verwandelnd die Sache zu beleben. Die Wirkung
ist grundsätzlich ähnlich wie bei dem Oxymoron, bei dem das
Attribut sein Beziehungswort oder das Subjekt sein Prädikat
aufhebt: „Diß leben ist der tod" 236, 3, 6 -, das „todte
leben" 38, 24, 4 -, die Welt ein „prächtig auffgeschmücktes
nichts" 36, 20, 10 -, ein „überzuckert gifft" und „beperltes creutz"
Leo 5, 328 -, ein „mit gold verdecktes gifft! gelinde barbarey!"
Leo 5, 318.

Verschwindend gering sind die Fälle, in denen S c h ö n h e i t
u n d G l a n z d e s L e b e n s u n d d e r W e l t das Bild bestimmen. In der Jugend lacht „die süße Welt" den Menschen
an. Vor allem aber erscheinen verklärende Bilder der Welt im
Zusammenhang mit dem r e l i g i ö s e n S c h ö p f u n g s g e -
d a n k e n , der in G.s Religiosität freilich eine charakteristisch
geringe Rolle spielt. Durch Christus ist „das weite schloß der
wunder-schönen welt Gegründet" 50, 40, 2 f. -; sie ist „Gottes
lust-haus" 534, 14 -. Allerdings verliert sich der Dichter bei
dessen Preis lieber in die Schönheit der Sterne und ihrer wunder-
baren Gravitationsgesetzlichkeit, als daß er die göttliche Zweck-
mäßigkeit des irdischen Daseins preist:
„Daß du den bau gemacht, den bau der schönen welt,
Und so viel tausend heer unendlich hoher lichter
Und cörper, die die krafft gleich fallender gewichter
An dem gesetzten ort durch deinen schluß erhält . . ." 172, 24, 1 f. -

B. Zeit und Vergänglichkeit.

Die Z e i t ist die G e i ß e l d e s T o d e s und stärker als
die Sünde oder die moralische Unzulänglichkeit des Menschen,
der G r u n d d e f e k t d e s L e b e n s .
„Mein bebend hertze kracht,
Indem es überlegt, wie zeit und welt verschießen." 181, 39, 7 f. -

Und der Aufblick zu Gott läßt „umsonst auf mich die macht der
zeitten wütten" 410, 330 -, die „alles pochen kan" 393, 10 -.
„Nichts ist, das zeit und tod nicht an das joch gebracht" 120,
39, 12, vgl. Leo 1, 90.

Wie die Zeitlichkeit — und zwar natürlich immer als gerichtete, das Ende herbeiführende Z e i t den Grundcharakter des
Diesseits ausmacht, so wird die E w i g k e i t zum höchsten Ausdruck des aller phantastischen, kirchlich-realistischen Ausstattung
schon weithin entkleideten, zur bloßen Hoffnung und zum Verlangen eines „ganz Anderen" gewordenen Jenseits. Vgl. etwa:

> „Weg du schatten-kurtze zeit
> Mich küßt ietzt die ewigkeit." 279, 10, 5. -

Schon der Sinn der ersten Tragödie, des „L e o A r m e n i u s",
liegt nicht in irgendwelchen Konflikten, in Schuld und Sühne
oder einer spezifischen Tragik des Helden, sondern in der
absoluten Hinfälligkeit und Schicksalsverfallenheit, die durch
moralische und rationale Erwägungen noch in keiner Weise abgeschwächt ist. Insofern ist der „Leo Armenius" sinnlos und
ideenlos wie etwa Kleists „Familie Schroffenstein". Erst die
späteren Tragödien G.s nehmen in der Wendung zum Märtyrer-
tum das Religiöse und Moralische in sich auf und schaffen sich
dadurch Gelegenheit, den Vorgang auf die physische Qual hin-
zulenken, ihn hier gewaltig zu steigern — und ihn doch einem
versöhnenden höheren Sinn unterzuordnen.

Der „Leo Armenius" ist d i e e r s t e r e i n e S c h i c k s a l s -
t r a g ö d i e , in der das Schicksal die Züge trägt, die es für
G. grauenvoll und unentrinnbar machten: das unwiderrufliche,
sinnlose Hinsinken des Menschen, sei er schuldig oder nicht,
wenn seine Zeit abgelaufen ist, — und das nicht minder sinnlose
Heraufkommen des Nächsten, über dem schon das gleiche Verhängnis schwebt.

Das Sonett, das G. an das doppelte lateinische Motto:

> „Sicut uri nata ligna, nata messis demeti,
> Sic ab alta lege fati ferre nos mortalia"

und:

> „Ad cruces et ad flagella numen, alvus projicit,
> Ecce praeit imperator, quid decebit militem?"

anknüpft, beginnt:

„Das holtz, das für dir grün't, wird zu der gluth erkohren;
Die krumme sichel wird auf reiffe saat gewetzt;
Die press' ist vor die traub'; ein löwe wird gehetzt;
Der vogel hat im fluge offt seinen flug verlohren.
Man wird mit dem beding' auf diese Welt gebohren,
Zu tragen, was der schluß des himmels auffgesetzt." 134, 7, 1 f. –

Ähnlich zieht der Reihen der Höflinge im Ausgang des zweiten
Aktes des „Leo" das Fazit des Ganzen:

„O du wechsel aller dinge!
Immerwährend' eitelkeit!
Laufft denn in der zeiten ringe
Nichts mit fester sicherheit?
Gilt denn nichts als fall und stehen,
Nichts denn cron und hencker-strang?
Ist denn zwischen tieff und höhen
Kaum ein sonnen untergang?" 617 ff. –
„Auch ein augenblick verrücket
Eurer und der feinde thron,
Und ein enges nun, das schmücket
Die ihr haßt, mit eurer cron." 617 ff. – vgl. 667 ff. –

So kann fast alles die Macht der „dunkelreichen" Leo 3,
255 –, „verfluchten" 516, 12 –, „geschwinden" 275, 7, 51 –,
„greisen" Pap. 4, 70 –, „hochbegreißten" 248, 9, 22 –, „bereifften"
Pap. 3, 233 – Zeit sinnenfällig machen; vor allem aber die Dinge,
die in sich eine ruhelose, unaufhaltsame Bewegung, ein schnelles
Vergehen darstellen: Wind und Sturm, Bach und Strom, Schnee
und Kerze, geschnittenes Gras, verblassende Röte der Rosen, ver-
blühende Blumen, verlöschender Funke, Traum, Nebel, Rauch,
Schatten und Schaum.

Gleich dem trügerischen Schleier der Maja macht die Zeit
das Dasein zum Traum, zum besinnungslosen Sturz in die un-
gewisse Tiefe eines Abgrundes:

„Man stürtzt als von der höh'
In die vertieffte klufft; man sieht nicht, was man siehet,
In dem so jehen fall, wie man sich träumend mühet
Um ein, ich weiß nicht was, und wenn der schlaff verschwind
Kaum ein gedächtnis mehr des schatten-bildes find!" Carol. 2, 300 ff.

Das Leben erhält etwas Unwirkliches und Gespenstisches dadurch, daß riesenhaft der Schatten des Endes, der Schatten von
Sarg, Grab und Gruft über alles scheinbar sinnvolle Tun, über

jede Hoffnung, jede Mühe, jeden Zweck fällt. Das Ende ist der perspektivische Punkt dieses Lebensgefühles; von ihm aus wird jedes freudig zurückgelegte Jahr, jeder erfolgreiche Tag, jedes erstrebte Ziel zu dem unheimlichen Schauspiel eines emsigen, selbstvergessenen Drängens zum Abgrund, zum Sturz in die Tiefe des Erlöschens, des Verlustes der Existenz.

„Was sind die langen jahr,
Als staffeln zu der angst, die das gekränckte leben
Nach so viel rauher qual dem abgrund übergeben." Pap. 5, 38. -
„Diß alter, das vergeht, in dem es blüht." Kath. 1, 13. -
„.... Die Welt,
Die, weil sie wächst, zerfällt." 233, 2, 51 f. -

Leo:

„Wir steigen, als ein mensch, dem man den halß abspricht,
Auf den gespitzten pfahl, der seinen leib durchsticht.
Wir steigen als ein rauch, der in der lufft verschwindet;
Wir steigen nach dem fall, und wer die höhe findet,
Findt, was ihn stürtzen kann."

Trabanten:

„Die weißheit lehrt der tod."
Leo 2, 573 f. -

Aus diesem mit fast urchristlicher Stärke erlebten und dennoch schon ganz säkularisierten Gefühl, sich gleichsam mit allen Lebenden auf einem Schiff zu befinden, das unaufhaltsam auf den reißenden Fluten der Zeit dem Ende zutreibt, aus dieser Todesweisheit:

„Der schnellen tage traum,
Der leichten jahre schaum
Zerschlägt sich an der schwartzen bahr." 233, 2, 45 f. -

und:

„Die leichte hand voll jahr,
Die uns des himmels licht auf dieser erden schencket,
Rennt nach der schwartzen bahr...." Kath. 2, 357 f. -

fließt die tiefe Wertlosigkeit aller höchsten Güter der Menschheit, der Wissenschaft und der Schönheit. Hier zeigt es sich, in wie starkem Maße die Erschütterung G.s durch die Vergänglichkeit bereits Ausdruck eines neuen Selbstbewußtseins ist, welches das konkrete Individuum, den wirklichen Menschen unwillkürlich zum Maß der Dinge macht, — den Menschen, der in sein Schicksal auch das der zuvor in unantastbarer Unveränderlichkeit ge-

glaubten „Realia" verflocht. Nicht nur Marmor und Erz und
die jugendroten Wangen — 254, 12, 16 - Carol. 2, 296 — fallen
der Zeit zum Opfer, auch

> „die wissenschafft ist wahn, die schönheit leichter schnee...."
>   150, 37, 6. -
> „Es hilfft kein weises wissen,
> Wir werden hingerissen
> Ohn einen unterscheid." 218, 9, 19. -
> „Ein unverhofftes nu
> Reißt alle weißheit hin." 265, 2, 32. -
> „Was nutzt mein thun und schreiben,
> Das die geschwinde zeit
> Wird als den rauch zutreiben?" 275, 7, 50. -

Daß der M e n s c h vergeht ohne Unterschied, das ist das
Unfaßliche und Entscheidende, das alle Bereiche auch des
geistigen und künstlerischen Seins entwertet. Hier wird es
wieder deutlich, in welch' einer inneren Spannung die objektivistische Überformtheit des Denkens und Dichtens bereits zu
den entscheidenden seelischen Grundkräften des Barock steht, —
in einer Gespanntheit, die, wie es von der G. entgegengesetzten
Seite her auch H o f m a n n s w a l d a u zeigt, an ihren gesteigertsten Stellen in einen vollendeten Relativismus umzuschlagen droht, dem das Individuum alles, seine Lust und sein
Weh oberstes Gesetz ist.

Aus dem G. mit Hofmannswaldau — und nicht nur mit ihm!
— verbindenden Gefühl:

> „Itzt sind wir hoch und groß, und morgen schon vergraben;
> Itzt blumen, morgen koth...." 124, 45, 10 -

folgt auch für beide die leidenschaftliche Hinwendung zum Jetzt,
zum Heute, zum Augenblick:

> „Auff hertz! wach' und bedencke,
> Daß dieser zeit geschencke
> Den augenblick nur dein." 219, 9, 73 f. -
> „Der augenblick ist mein -"

— an dieser Stelle würde sich Hofmannswaldau, ob auch erst
in der Phantasie, zum äußersten irdischen Auskosten dieses
Augenblicks durch den bedenkenlosen Genuß des Höchsten, was
er ihm gewährt: der sinnlichen Liebe — wenden. G. aber
fährt fort:

„.... und nehm' ich den in acht,
So ist der mein, der jahr und ewigkeit gemacht."
389, 263. - vgl. Card. 3, 261 f. -

Der eine weiht sich mit fast religiöser, mit ekstatischer Inbrunst
dem Augenblick, um ihn durch den Genuß der höchsten Lust
zur Ewigkeit zu weiten und dann willig unterzugehen. Der andere
schwingt sich aus der verzehrenden Leidenschaft zur Absolutheit
des Geistes, mit Hilfe des Augenblicks aus dem tödlichen Strudel
der Zeit und wirft sich einer himmlischen Ewigkeit entgegen,
die doch ohne Namen, ohne Vorstellung bleibt.

Dieses unausgesetzte schweigende Ringen der Ewigkeit
heischenden Seele mit dem unsichtbaren, alles vergiftenden
Dämon Zeit läßt G. Töne finden, die in ihrer das Tiefste der
Seele zu schmerzvoller Bewußtheit bringenden einfachen Kunst
an die Romantik erinnern:

„Ist eine lust ein schertzen
Das nicht ein heimlich schmertzen
Mit hertzens-angst vergällt?" 218, 9, 31. -

(Vgl. etwa Eichendorffs
„Die Lust hat eignes Grauen
Und alles hat den Tod....")

Mit diesem Bedeutungsfeld und seiner bildlichen Gestaltung
rühren wir an das zentrale Erlebnis des Menschen und des
Dichters G., an jene monotone Klage, die, immer aufs Neue und
mit immer gleicher Gequältheit ausgestoßen, einsam und schrecklich seine gesamte Dichtung durchhallt. Gegenüber aller Alters-
klage des mittelalterlichen Menschen um die dahingeschwundenen
Jahre, gegenüber aller zur Verwendung für die kirchliche Buß-
und Erweckungstechnik grell bemalten Vergänglichkeitstopik
früherer Jahrhunderte ist hier etwas qualitativ Neues. Das Zeitalter beginnt unaufhaltsam, dem Gefüge der mittelalterlichen
Metaphysik, der fraglosen Gehaltenheit durch einen objektiven,
überirdisch-irdischen Seinszusammenhang zu entwachsen.[1] Noch
ist es vom Kreuzgewölbe des Jahrhunderte alten kirchlichen
Baues geeint und überdacht. Tatsächlich aber ist schon unendlich
viel, was früher fraglose Form war, zur Formel geworden, was

---

[1] Vgl. hierzu die glänzende Darstellung G r o e t h u y s e n s, Die
Entstehung der bürgerlichen Welt- und Lebensanschauung in Frankreich.
I. Halle 1927.

früher gewisse Substanz war, zum Adiaphoron. Tatsächlich
bricht allenthalben durch das brüchig werdende Gehäus eine neue,
unbewältigte Unendlichkeit ein, der sich der Einzelne preisgegeben sieht, die Unendlichkeit der äußeren Welt und die der
inneren Welt, die des Menschen. Zu den Wenigen, die im 17. Jahrhundert die ganze Last und Werdequal ihrer Epoche auf sich ver-
einigten, gehört G. Er ragt einsam aus seiner Zeit heraus, weil er
in ihr wie kaum ein anderer zum Einzelnen wurde, und weil er
wie niemand um ihn in der Tiefe seines Welterlebnisses der unaufhaltsamen Zeit als einer schrecklichen, alles durchdringenden,
alles vernichtenden Wirklichkeit begegnete. In G. begann die
Zeit wie der Mensch zu sich selber zu kommen. Sie hatte sich
aus ihrer Gebundenheit an den dogmatischen Apparat befreit.
Sie hörte auf, in der Bezogenheit und Einordnung in das jenseitige System von Himmel und Hölle ihre sinnvolle Bedeutung
und ihre Bändigung zu haben. Sie verselbständigte sich, wurde
absolut, und die zentrale Bedeutung, die sie für das Erleben
G.s erhielt, weist zugleich darauf hin, daß hier eine tiefe Wandlung des Menschen, seiner inneren Struktur und seiner religiösen
Haltung vor sich geht. Denn so wenig die Echtheit der leidenschaftlichen Religiosität G.s angezweifelt werden kann, so wenig
ist zu verkennen, daß er, meist noch ohne sich dessen bewußt zu
werden, die alten religiösen Formen und Kategorien nur noch
uneigentlich verwandte, daß er innerlich auch durch den konfessionellen Streit unberührt hindurchging und am ersten noch
der schlesischen Mystik verwandte Züge trug.[1a]) Diese immer
ringende, um den Sinn des Daseins und die Gewißheit des Ewigen
verzweifelt kämpfende Religiosität gehört ihrem Wesen nach schon
in die Neuzeit. Daß an Stelle der Sünde die Z e i t zum tiefsten
Fluche des Daseins werden konnte, weist auf die Wandlung des
allgemein menschlichen und also auch des religiösen Bewußtseins
hin. Denn nur wo der Wert des Lebens und des Menschen in einer
neuen, grenzenlos gesteigerten Weise erlebt wurde, konnte das
intensive Bewußtsein der Hinfälligkeit und Vergänglichkeit so
elementar alle anderen Gefühle beherrschen und verdrängen. Es ist
nicht mehr die reformatorische Frage des Sünders: wie bestehe ich

---

[1a]) Hierauf hat zum erstenmal K. V i ë t o r in den „Problemen der
deutschen Barockliteratur" eindringlich hingewiesen.

vor Gott, wie werde ich gerechtfertigt? — es ist das metaphysische Grauen und die leidenschaftlich nach den in ihrem dogmatischen Wert gleichgültig werdenden Tröstungen der Religion greifende Verzweiflung des Menschen, der das unendlich begehrte, unendlich wertvolle irdische Dasein dem schnellen und unaufhaltsamen Tode verfallen sieht. Die mittelalterliche Verneinung des Lebensrausches entstammte dem Bewußtsein eines gewissen, ewigen Seins. Es ließ die Frommen sich leichten Herzens, unter aufrichtigem Hohn und Schelten von der gegen die Freuden des Himmels verblassenden Erde abwenden. Nun aber, da die Wirklichkeit der Welt und des Menschen die fraglose Realität eines jenseitigen Seins immer stärker verdrängte, beginnt die Zeit und der Tod zum letzten und eigentlichen Feinde des nach Ewigkeit verlangenden Lebens zu werden. Der Glaube verliert die Sicherheit, mit der er zuvor die Wirklichkeit der Welt und des Menschen übersprang. Er verliert die gegenständliche Gewißheit des Ewigen und wird zum Ahnen und Hoffen, das die Seele mühsam und heroisch festzuhalten sucht. Der Pessimismus G.s ist autonom geworden. Er entspringt nicht mehr primär der kirchlichen Verkündigung und dem religiösen Nichtigkeitsgefühl, sondern er erwächst aus der lähmenden Enttäuschung über Leben und Welt, die nicht halten, was sie der leidenschaftlich das Höchste begehrenden Seele versprachen. Am Tode droht aller Sinn des Lebens in Sinnlosigkeit umzuschlagen, am Tode entzündet sich der Ruf nach einer jenseitigen Rechtfertigung des Lebens. Im Mittelalter dagegen war der Tod erwünschtes Mittel der Himmel und Hölle zur Wahl stellenden Kirche für Bußruf und Erweckung gewesen. Eine deutliche innere Verbindung aber läuft vom Todeserlebnis G.s zu dem ersten Ausdruck immanenten Weltschmerzes, zu J o h a n n v o n S a a z. Wohl fängt sich bei G. diese schon ganz aus „diesseitigen" Quellen entspringende melancholische Schwermut noch immer in den Grundformen der christlichen Verkündigung. Noch wird sie durch den Jenseitsglauben der Bibel kompensiert. Aber beides, das neue Daseinserlebnis und der alte kirchliche Glaube, ist in eine dialektische Bewegung geraten. Sie macht den inneren Vorgang, der hinter dem Leben und der Dichtung G.s steht, überaus kompliziert und schließt jede einseitige, glatte Deutung, jede Herstellung einer einfachen Lebensformel für ihn aus. Jenes einsame und vorwärtsweisende „Urerlebnis", das ihn seinen Zeitgenossen gegenüber isoliert und vor allen anderen zum Dichter macht, trägt, wo es zur geformten Erscheinung wird, fast überall noch die beherrschenden Züge des mittelalterlichen Realismus und Objektivismus und des unangetasteten biblischen Dogmas.

Die geistigen Hintergründe gerade der „Vergänglichkeits-topik" G.s, die M a n h e i m e r [2]) zu Unrecht in unmittelbare Verwandtschaft mit der Jahrhunderte alten kirchlichen Tradition rückt, konnten hier nur andeutend umschrieben werden. Ihre Erwähnung war notwendig, weil es sich hier um eine der wenigen Stellen handelt, an denen das persönliche Erlebnis des Dichters trotz aller objektivistischen und nivellierenden Einordnung in die stilistische Konvention bis in die Gestaltung seines Werkes hinein greifbar wird.

Dieses zuweilen mit fast physischer Erschütterung erlebte Todgeweihtsein alles Irdischen, diese Betrachtung alles Seienden sub specie mortis legt über die bunte Mannigfaltigkeit des Lebens überall den grauen Schleier der vanitas.

Aber nicht die müde Hoffnungslosigkeit des Koheleth ist die Wurzel, sondern dies taedium vitae, — das als eine Zeitkrankheit, als „saturnischer Humor" vielfach verbreitet ist, — stammt aus unendlicher Kraft und Positivität, der das leidenschaftlich umfangene Leben nicht Genüge tut. Hier wie nirgend in der deutschen Geistesgeschichte, diesem großen Säkularisierungs-prozeß des Bewußtseins, findet sich etwas, was man als säkularisierte Eschatologie bezeichnen könnte.

Man wird diese Grundstimmung keinesfalls nur auf die persönlichen Erfahrungen des Dichters in seinem kummerreichen Leben, nicht nur auf die Schrecken des großen Krieges zurückführen dürfen. Die Unheilbarkeit der Welt, wie sie damals von einer Reihe hervorragender Geister erlebt wurde, wie sie, in anderer Weise, auch Hamlet verkörpert, hat tiefere Gründe als bestimmte aufweisbare Ereignisse. Es ist charakteristisch, daß G. durchaus nicht in erster Linie die negativen Seiten des Lebens zusammenstellt; er sammelte nicht, wie später Schopenhauer,

---

[2]) A. a. O. S. XVI.

Beweisfälle für seinen Pessimismus, sondern gerade das wirklich Große, das Bewunderte, Geliebte, Erstrebte wurde ihm zum Anlaß, sich schaudernd von der Gebrechlichkeit der Welt abzuwenden.

Hier ist der Ort, an dem die tragische Genialität G.s zu suchen ist, von der sein Leben stärker ergriffen war, als es seine Dichtung zu sagen vermag. Denn diese ist beherrscht von einer alles objektivisierenden, ästhetischen Gesetzlichkeit, der G. auf den Höhepunkten seines Daseinserlebens schon entwuchs, und die doch noch einen wesentlichen Teil seiner eigenen Geistigkeit ausmachte. Sein Blick blieb noch dinglich auf die gegenständliche Welt gerichtet und verwandelte das Urerlebnis der Vergänglichkeit in einen Begriff, eine gültige Wahrheit und Lehre, der er die alludierenden „Sachen" zuordnete. Auf das Ganze gesehen tritt auch hier in der Dichtung das Persönliche als gleichgültig und anonym zurück; das Erlebnis wird versachlicht, und der kontemplative Geist des Dichters findet die dem Barock höchste erreichbare sinnbildliche Verkörperung der tiefsinnigen Wahrheit in einzelnen, allegorisch-emblematischen Gegenständen: der Höhle, dem Totenkopf, dem Stein, den Gebeinen, die an sich Träger von metaphorischen Bedeutungen sind.

„Hier, fern von dem pallast, weit von des pöbels lüsten,
Betracht ich, wie der mensch in eitelkeit vergeh',
Wie auf nicht festem grund all unser hoffen steh,
Wie die vor abend schmähn, die vor dem tag uns grüßten.
Die höl', der rauhe wald, der todtenkopf, der stein,
Den auch die Zeit auffrißt, die abgezehrten bein
Entwerffen in dem muth unzehliche gedancken." 133, 6, 5 f. –

C. Tod.

So war G. die Wirklichkeit des T o d e s gewisser und näher als die des Lebens. Er besaß geradezu ein eigenes Organ für den Tod, den er in sich selber wachsen und reifen fühlte:

„.... doch bin ich gantz durchdrungen
Von dem, was sterben heißt. Selbst bin ich meine bahr,
Auch selbst mein eigen grab." 59, 53, 8 f. –

Aber noch fängt das für das Bewußtsein des Dichters grundsätzlich unerschütterte Gefüge des biblischen Dogmas die am

Tode sich nährende Verzweiflung auf und verhindert durch die
jenseitige Antwort, daß das Sterben zur metaphysischen Frage
in sich selber wird. Dennoch zeigt sich der innere Prozeß gegenüber dem Mittelalter wieder weit vorgeschritten. Der Tod erhält nicht mehr seinen Schrecken von der größeren Gefahr des
„zweiten Todes" her, er wird nicht mehr ausschließlich als die
doppeltürige Pforte von den jenseitigen Ufern des Himmels und
der Hölle her erleuchtet, — er ist in sich selber zur zentralen,
alles überragenden Wirklichkeit geworden, zur Katastrophe des
Lebens. Und das stufenreiche, vielgestaltige Gebäude der konfessionellen, kirchlichen Lehre ist zu der einen, schon ganz über-
konfessionellen Grundüberzeugung einer unbeschreiblichen und
unbegreiflichen, aber dennoch durch Christus vollbrachten Errettung aus dieser beständigen Krankheit zum Tode geworden.
Der Dualismus von Geist und Körper, von Seele und Leib, der
zu den Bestandteilen des mittelalterlichen Geisteserbes gehörte,
erleichterte die Vereinigung wollüstiger und fassungsloser Versenkung in die Katastrophe des irdischen Lebens und des mit
seltsamer Ungebrochenheit bewahrten Glaubens an die Errettung und Ewigkeit des „Geistes".

> „Dennoch kan die letzte macht,
> Die uns sterben heißet
> Und ins grabes lange nacht
> Von der erden reißet,
> Dennoch kan sie über dich,
> Mensch! nicht gantz gebitten,
> Weil der geist von ihrem stich
> Wird umsonst bestritten.

— — — — — — —

> Aber unser bestes theil
> Weiß nichts von verwesen;
> Es bleibt in den schmertzen heil,
> Sterben heißt's genesen." Card. 4, 385 ff. und 417 ff. -

So konzentriert sich das metaphysische Grauen vor der Vernichtung der Existenz, das schon heimlich gegenwärtig ist und
das Gefühl bedrängt, auf die Zerstörung des Physischen, die mit
allen Mitteln einer vor keinem Effekt zurückschreckenden sensuellen Mal- und Eindruckskunst verbildlicht wird.

Dennoch: der Widerspruch von freudiger Ewigkeitsgewiß-
heit, in welcher der Tod der „süße lebens-bot" 244, 7, 8 f. - ist,

und namenlosem Erschrecken vor dem „was sterben heißt",
vor dieser „pest der großen welt" 248, 9, 13 - ist zu tief. Er
übersteigt auch das von unserem subjektiven Bedürfnis nach
Einheit und Ganzheit weit entfernte Vermögen des Barock zum
objektivistischen, disjunktiven Denken. Das Grauen ist tiefer
und blutvoller, es überwiegt den Trost der Unantastbarkeit des
Geistes. Es konzentriert sich wohl auf das Physische, aber niemals würde selbst die Auflösung des Leibeslebens mit einem
solchen Aufwand pathetischer Erschütterung, mit einer solchen,
die Sprache zu den äußersten Gebärden zwingenden Versenkung
geschildert werden, wenn nicht im Untergrunde ein neues Selbst-
bewußtsein erwacht wäre, das mit dieser Zweiteilung nicht mehr
fertig wurde, ein Todeserlebnis sich ankündigte, das vom Dogma
nicht mehr bewältigt wurde. Dem entspricht es, daß der Tod nicht
mehr nur als bitteres Ende des bis dahin schönen oder doch er-
träglichen Daseins erlebt wurde, sondern daß die Tatsache des
Todes wie ein Ferment der Zersetzung jeden Augenblick des
Mensch-Seins durchdrang und entwertete.

„... Es ist ein mensch geboren
Und als ein mensch dem tod in der geburt erkoren,
Geboren in die welt ...

— — — — — — — — — — — — — —

Erkoren von dem tod, als mich die welt empfangen,
Erkoren von dem tod, der stets mir nachgegangen,
Noch an der mutter brust." Pap. 5, 239 ff. -

Wo der so erlebte Tod bejaht wird, da geschieht es nur aus
der Enttäuschung, durch das Zerbrechen des übergroßen, leidenschaftlichen Willens zum Dasein, der — notgedrungen — seine
Forderung nach wahrem Leben in Glauben umwandelt und über
die Sterne hebt, — ein taedium vitae, ein amor aeternitatis, von
einem neuen, unbedingten amor vitae gespeist! Schon G. lebt
nicht mehr, wie das mittelalterliche Christentum oder die Jenseits-
lieder des Gesangbuches, aus einer real und wesenhaft gewissen
jenseitigen himmlischen Welt heraus, deren unendliche Positivität das Nein der Welt durch das Pathos einer jubelnden Ewig-
keitsgewißheit fast zu einem Triumphlied macht. Das Jenseits
hat gegenüber dem Mittelalter an Farbe, an Kontur, an Bestimmtheit verloren, zuweilen zieht es sich nur noch in den abstrakten, am Gegenteil der Zeit gebildeten Begriff der Ewigkeit

zusammen. Es ist im Begriff zum P o s t u l a t des wesentlich
bereits aus dem Diesseits lebenden, schon mehr idealistisch als
christlich gerichteten Ich zu werden. Und gerade die Art, wie G.
die Ewigkeit nur noch als einen Mangel der Zeit beschreibt und
postuliert, zeigt, daß er kaum noch fähig ist, die wirkliche Ab-
wendung vom Diesseits zu vollziehen. Denn die absolute Gewißheit des „Drüben", jenes δός μοι ποῦ στῶ aller positiven Welt-
verneinung, wird immer problematischer.

Vollends im Trauerspiel wird der Tod immer mehr zum
eigentlichen Grund und zur Mitte des Geschehens. Nicht durch
sich selbst wird die an sich treue und starke Liebe Cardenios zu
Olympia oder die in der Unbedingtheit ihres Selbsteinsatzes
heroische Liebe der Celinde widerlegt und entwertet; nicht um
der Substanz der in Cardenios oder Celindes Leidenschaft sich
kundtuenden moralischen Haltung willen wird diese Liebe ver-
worfen, sondern um ihres Akzidenz: der Vergänglichkeit willen.
Die zur augenblicklichen und vorbereitungslosen Bekehrung der
beiden Helden aufgebotenen Gespenster- und Leichenmirakel
zeigen in nicht zu mißdeutender Antithese das jähe und unaufhaltsame Ende so unbedingter und leidenschaftlich-selbstver-
gessener Hingabe an die Liebe: die Verzweiflung und die Verwesung. Und weil selbst die Liebe — wie Ruhm, Wissen usf.
den auf ewige Selbstgewinnung gerichteten Geist an Vergängliches sich verlieren läßt, weil sie den auf Freiheit und Selbst-
bewahrung gerichteten unbedingten Anspruch des Menschen-
geistes enttäuscht und an Verwesendes verrät — darum warnt G.
vor ihr und fordert zu jener „Liebe als liebte man nicht", zu
der Anstrengung entsagender ἀπάθεια auf, die aus dem Blick
auf den immer gegenwärtigen Tod erwächst.

Im Märtyrer- und Tyrannendrama wird der Tod zur eigentlichen und einzigen Bewährung der auf der virtus beruhenden
constantia. Denn die handelnden und leidenden Personen selbst
entbehren jedes individuellen Selbstzwecks, jedes Eigeninter-
esses: sie sind nur die ganz und gar allegorischen und trans-
parenten Medien, durch die hindurch sich die gültigen, objektiven moralischen Realitäten der Treue, der Beständigkeit, der
Bosheit, des Wankelmuts manifestieren. Diese möglichst reine
und möglichst ideale Entfaltung der moralischen Grundkräfte

verbietet auch jede Art von innerseelischem K o n f l i k t, wie
wir ihn innerhalb der neueren Tragödie für unerläßlich halten.
Ein solcher innerer Konflikt würde zunächst das Interesse in
unzulässiger Weise auf die — als Individuum höchst gleichgültige — Person des Helden verlagern. Psychologie und Motivation würden nötig werden, die das Trauerspiel ja gerade geflissentlich, wie die innere, die „seelische" Zeit überhaupt, aus-
zuschalten bestrebt ist. Und ferner: auch der leiseste innere
Konflikt, das leiseste Schwanken des Herzens würde ja gerade
die Idealität und Reinheit gefährden, in der der Held die constantia und die libertas, die aus der Bindung an die virtus entsteht, zu repräsentieren hat. Denn der Konflikt würde ja beweisen, daß der Held mit einem Teil seines Wesens zum Abfall
neigt und dem — für G. immer absolut klaren und eindeutigen —
Guten widerstrebt. Angesichts dieser Inexplizitheit des Seelischen und der individuellen Innerlichkeit, die eine notwendige
Folge des ästhetischen Willens des Trauerspiels ist, ergibt es
sich, daß der Konflikt allein von „außen" kommen kann. Er
muß in einer Steigerung äußeren Leidens, dem Verlust hoher
Stellungen, der Preisgabe von Angehörigen und vor allem im
physischen Tode bestehen. Die Gleichzeitigkeit qualvoller physischer Zerstörung und absoluter Unerschütterlichkeit des Geistes
wird je länger desto stärker zum sprachlichen und gehaltlichen
Höhepunkt des Schauspiels und wird ohne jede Rücksicht
darauf, ob man die gemarterte Physis und die unantastbar freie
Psyche noch zu einem Individuum zu verbinden vermag, in letzte
Extreme gesteigert. Welchen Wert muß für G. das Leben
gehabt haben, da er sich zutiefst allein um des Todes willen von
ihm abwandte! Und welche Erschütterung muß ihm der Tod
bereitet haben, über den er nur durch immer neuen gewaltsamen
Aufschwung der „freien" Seele hinwegkam, einen Aufschwung,
der um so anstrengender und schmerzhafter war, als sich die
Realität der christlich-dogmatischen jenseitigen Welt bereits so
stark zu einem idealistischen Glauben an die menschliche Freiheit
und die Ewigkeit von Vernunft und Tugend verflüchtigt hatte. —
E p i t h e t i s c h ist der Tod, „blaß" 48, 38, 9 - 108, 18, 7 -
119, 38, 10 - 223, 11, 27 - 536, 65 - Carol. 4, 13 und 5, 44 -
„schwartz" 102, 9, 3 - „bleich" 216, 8, 4 - Leo 2, 110 - „trübe"

387, 223 - „kalt"456, 3, 34 - „streng" 578, 167 - „rauh" Leo 2, 569 -
„graus"Leo 5, 306 - „frech"Kath. 5, 20 - „ergrimmt"Kath. 5, 359 -
in seltenen Fällen „süß" Kath. 5, 119 - „gewünscht" Leo 5, 181 -
„frey" 136, 11, 7 -. Ausgerüstet ist der Tod mit dem alten Inventar: Pfeil und Bogen, Sense und Fackel, dazu
mit Jägernetz und -garn. „Hat euch die scharffe sens
des todes abgehauen" 105, 13, 5 - 110, 22, 5 - „Spanne, tod!
bogen, wirff leichen auf leichen!" 480, 18, 164 - vgl. 63, 58, 3 -
479, 18, 136 - vgl. 40, 28 1 - 64, 58, 12 - 117, 33, 14 - 125,
47, 13 - 143, 24, 7 - 478, 18, 97 - 486, 39 f. - Kath. 4, 422, 451 f. -
Die gemeinsame Bewaffnung des Todes und der Liebe
führt mehrfach zu Gegenüberstellungen; vgl. z. B.
Kath. 4, 451 ff. - 413, 35 f. - Vgl. weiter
> „Spannt der tod schon seinen bogen,
> Steckt er trauer-fackeln an" 280, 11, 7 -
> „Da, als ich gantz verstrickt
> Im jägergarn des todes...." 221, 10, 22 f. -
> „.... wann der tod das kalte fleisch bestrickt." 491, 201 -
> vgl. 219, 9, 64. -

Der Tod ist ferner die Klippe, an der das Lebensschiff
scheitert - Card. 4, 334 f. -, der „jammer-port" Leo 1, 342 - und
zugleich der „port", nach dem „sich alle sehnen" Kath. 5, 238 -
vgl. Leo 5, 182 - 52, 43, 10 -, der „kahn", der zum andern
Ufer trägt, 136, 10, 8 -, der „harte kercker" Kath. 5, 359 -, das
„finstere thal" 387, 223 -, der alles dahinraffende „sturm" 219,
9, 54 -, der alles verschlingende „rachen" 578, 166 f. - Leo 3, 295
und 5, 92. - Und nur dem stoisch und tugendhaft den Tod auf
sich Nehmenden wird er
> „zu einem hellen licht,
> Das als ein schimmernd stern wird durch die nachwelt stralen...."
> Pap. 5, 246 - vgl. Pap. 5, 334. -

Eindringlicher als sonst wird hier die Personifikation,
weil sie den Tod als den Angreifenden, Mordenden, sich Nahenden, Rufenden usf. immer in einer bestimmten Gebärde, einer
augenblicklichen Bewegung zeigt. Die Vermenschlichung ist nicht
leere stilistische Technik, sondern indem sie auf eine uralte mythi-
sierende Gestalt trifft, erfüllt sich jede personifizierende Geste
augenblicklich mit ungebrochenem dämonischem Leben. Dies

Ergebnis, das uns die im Folgenden angeführten Bilder zum Teil unheimlich nah und lebendig erscheinen läßt, ist jedoch vom barocken Gesamtstil aus, der hier grundsätzlich nicht anders verfährt als dort, wo seine Personifikationen uns fremd und leblos vorkommen, ein Zufall, der aus der erörterten Sonderstellung des Todes — und der Notwendigkeit, ihn „in actu" vorzuführen — zu verstehen ist.

Ein Gewittererlebnis auf freiem Felde wird dem Dichter zum Bilde des Kampfes mit dem ihn rings umstellenden Tode:

„Als mitten in dem feld mich, herr! der todt ergriff,
Der hinter mir in sturm, vor mir in flammen lieff,
Vor mir die bahn verfällt und über mir die hütten
In leichte splitter stieß." 174, 27, 9 f. -

„Der todt schwärmt über mir" 519, 27 - „Mir schaut der schwartze tod zu beyden augen aus." 102, 9, 3 - „der zu nahe tod um mund und lippen schwebt." 484, 64 - „So wie dir itzt der tod die cron vom haupt abstößet" 513, 52 -

„Die hände, die so viel getrieben,
Sind durch des todes hand verletzt." 209, 4, 39 -
„Der tod streckt schon die hände
Nach dem verdammten kopff." Kath. 5, 434 -
„.... diese, welchen schon der todt zu bette rufft." 554, 13 -
„Erquicke, was der tod mit harten füßen tritt." 21, 1, 6 f. -

Der Eindruck wird noch verstärkt, wenn die Aktivität in den Menschen gelegt wird, der den Tod an sich zieht:

„Als sein zustückter arm den grausen tod umfieng." Leo 5, 306 -
„Du ringst nach deinem tod, der vor der thüren wacht." Leo 5, 394 f. -
Als Hippolyte „den zwar schnellen tod doch ohn entsetzen küste."
396, 74. -

Mit welcher Kunst ist hier ein Maximum von seelischer Bedeutung in ein Maximum von sinnlicher Gebärde verwandelt! Das in sich schon erschütternde Bild des sterbenden Mädchens wird durch die Vorstellung, daß sie, deren Lippen der Liebe und dem Leben bestimmt sein sollten, den Tod — küßt, gesteigert. Und die beiden Attribute geben eine weitere Steigerung: der Tod überfällt sie jäh, und sie vermag es auch dann noch, ihn ohne das Entsetzen zu empfangen, das jeder Mensch und die Jugend in besonderem Maße dem Tode, vollends dem plötzlich herein-

brechenden Tode entgegenbringt. Das alles gibt der einen Zeile
eine die Sprache und die Form fast zersprengende Inhalts-
geladenheit, die dennoch in der restlos ausgenützten unpersönlichen Architektur des Alexandriners ihrer leidenschaftlichen
Subjektivität entkleidet und dem objektivistischen Sprach- und
Denkstil eingeordnet wird. Es bedarf der größten Vorsicht
gegenüber der Verlockung, hier dämonisierende dichterische Beseelung herauszudeuten. Das Bild bleibt auch hier uneigentlich
und unganzheitlich, allein in der rein sprachlichen Sphäre; es
bleibt stilistische Einzelfigur, sensualistische Gebärde mit jeweils durchschaubarer und übersetzbarer Bedeutung, es wird
nicht in sich selber ernst genommen und verwirklicht.[3])

Der A k t d e s S t e r b e n s selber erscheint als gewaltsame,
ganz n a t u r a l i s t i s c h v e r s i n n b i l d l i c h t e S c h e i -
d u n g v o n L e i b u n d S e e l e - „Leo, der die seel auf dem
altar ausbricht." 94, 36, 10 - „Ehr als das sieche fleisch
die müde seel ausgeußt." 64, 58, 13 - und als die menschliche Schönheit und Größe zerstörende A u f l ö s u n g d e s
F l e i s c h e s :

„Das geliebte fleisch verfällt,
Wie bey heißer sonnen
Sich ein bild von wachs verstellt,
Bis es gantz zerronnen." Card. 4, 397 -
„Was sind wir arme doch! So bald man an den klippen
Des todes scheitern muß, verschwindet die gestalt;
Die vorhin frische haut wird vor dem alter alt
Und stanck und staub und nichts." Card. 4, 334 f. -
„Nun wird die schönheit rauch; nun muss die tugend weichen;
Nun ist dein adel dunst; die stärcke wird bewegt;
Hier fällt auf eine bahr, der hut und crone trägt;
Hier feilt die große kunst; kein Tagus schützt die reichen."
                                                    155, 46, 3 ff. -

Farbe und Geruch der Verwesung werden von G. mit der höchsten Virtuosität sprachlicher „imitatio" abgebildet. Seine Gruft-
und Leichengemälde zusammen mit bestimmten erotischen Versen
Hofmannswaldaus[4]) und einzelnen lyrischen Naturdichtungen

---

3) Das hier nur angedeutete Problem wird unten ausführlich behandelt.
4) Vgl. R. I b e l, a. a. O.

der Nürnberger geben einen Eindruck davon, bis zu welchem Grade die Sprache bereits entwickelt und geschmeidigt war, indem sie ein Äußerstes an sensuellem Reiz fast mühelos erzielte.

D. Not, Leid und Sünde.

Die unheilbare Krankheit alles Irdischen: die Vergänglichkeit — entfaltet sich an der Oberfläche des täglichen Lebens zu der ganzen Mannigfaltigkeit i n n e r e r u n d ä u ß e r e r B e - d r ä n g n i s : Kummer, Not und Unglück, Angst, Schmerz und Pein, Leid, Trauer und Sorge.

Die N a t u r mit ihren elementaren Schrecken und Gefahren stellt das wichtigste metaphorische Arsenal zur Illustration dieses Bedeutungsbereichs: Donner und Blitz, Wolken und Sturm, Nacht und Finsternis, Strom, Flut, Meer und Schlamm, Hitze und Kälte, Abgrund und Pest, Dornen und Stein gewähren dem Dichter die Möglichkeit freiester Variationen, da ja das technische Erfordernis der poetischen Sprache nur darin besteht, daß überhaupt eine sensuelle Illustration des Begriffes vorgenommen wird. Stehen mehrere Alludiermittel zur Verfügung, so sind diese in sich gleichberechtigt und gleich möglich.

„Der donnerkeil der schmertzen" 231, 1, 7 - „donnernde" Beschwerden 233, 2, 67 - Gott
> „waffnet offt die regen,
> Die über sie ergehn,
> Mit schweren donnerschlägen
> Und bleibt von ferne stehn." 260, 1, 46 f. -

„.... der gehäufften plagen schmertz,
> Die mit grimmen donner tob't...." 55, 47, 7 f. -

„Wo ihr die donnerkeile,
> Die stürme rauen glücks als felsen in der see
> Ohn eine furcht besiegt." Leo 4, 332 f. -

„jammer feur" 250, 10, 51 - „trübsal feuer" 414, 83 - „glut der angst" Kath. 4, 406 - „strom der angst" 252, 11, 37 - „sturm der angst" Kath. 1, 366 - vgl. Kath. 2, 258 - „der sorgen sturm" 211, 5, 34 - der Verfolgung „heiße glut - tolle flut" 494, 100 f. - „die wolck entsetzung-voller pein" 273, 6, 57 - „unglücks-schlam" 499, 3 - „verteufft in unglücks-wellen" Pap. 5, 368 - „welch abgrund, welches meer der

schmertzen schluckt uns ein." Leo 5, 422 f. - vgl. 225, 12, 43 ff.
(Vgl. ferner die Schiffsgleichnisse!) „Schaue, wie mich itzt
umhüllet hat die nacht der traurigkeit" 24, 5, 3 f. - 145, 28, 2 f. -
vgl. 122, 42, 10 - „Die finsternis der pein" Kath. 1, 176; 760 -
„. . . . . . ihn mit finsternüß und schwarzen schmertzen decke"
206, 2, 22. -

Zu den „natürlichen" G e f a h r e n treten die „ k ü n s t -
l i c h e n ", von Menschen herrührenden, als weitere Möglichkeit der Materialisierung dieses Begriffsfeldes: Geißel, Pfeil
und Waffen, Wermuth, Gift und Galle, Tränen, Wunden, Pest;
Joch, Last, Stein und Eisen.

„O grimme seelen-wunde" 29, 12, 4 - „Die hertzen, die
bisher mit gallen sind getränckt" 29, 12, 9 - „Dieses wermuth-
herbe creutz" 43, 31, 9 - „Die wehmuth, die dich drücket. Die
geißel, die dich schmeißt und beißt . ." 220, 13 f. - vgl. 250,
10, 50 f. -

> „Auf meine seel! auf! reiß mit macht entzwey
> Das feste netz, mit dem dich grimme schmertzen
> Und harte noth und angst, die pest der hertzen
> Bisher verstrickt!" 222, 11, 1 f. -

Die „gruft" und „last der plagen" 240, 5, 40 und 57 - vgl. Kath.
1, 366 f.; 406 - Pap. 4, 370 f. - „marter-joch" 234, 2, 87 - vgl.
Kath. 1, 397 - „. . . die unversehnen pfeile der schwartzen
angst . . ." Leo 4, 331 f. - „jammerwaffen" 262, 1, 88 - „. . . nun
die grimme noth Uns mit entblößtem schwerdt schon anlaufft
zu bekriegen." Leo 1, 218 f. -

Schließlich: „kercker des verderbens" Kath. 1, 76 - „thränensaal" 30, 13, 7 - „stall der bedrängnis" 24, 5, 4 - „jammer-
höle" 253, 11, 48. -

Entsprechend dem Reichtum metaphorischer Ausdrucksmög-
lichkeiten ist hier auch die v e r b a l e M e t a p h e r verhältnismäßig mannigfaltig, freilich nicht so sehr im selbständigen Gebrauch als im Zusammenhang mit dem dazugehörigen nominalen Abstraktum.

Der Schmerz „fängt" den Leidenden 223, 11, 29 - und
„steckt ihn an" 166, 10, 4 - die Not „verzehrt" Haus und
Kirche, „sengt" Städte weg, „kehrt" Länder um 518, 5 f. - der
Kummer „nagt" Herz und Leber Leo 1, 50 f. - das Leid

„erstickt" und „ertränckt" das Leben 246, 8, 17 - Kath. 2, 360 -
und läßt den Menschen „verschmachten" 186, 49, 11 - und
„ertrincken" 138, 15, 11 -. Die Angst, „die unaufhörlich blüht"
271, 6, 4 - Kath. 4, 364 - „beeyst" das Blut Carol. I, 236 -
und „umstrickt" die Seele Pap. 4, 204. -

E p i t h e t i s c h erscheint „heiß" und „erhitzt" in Verbindung mit Pein, Qual und Leid Kath. 1, 231; 561 -; ferner
die „ehrne noth" Kath. 1, 100 , die „eisen-feste noth" Pap.
1, 54 - die „eisen-harte noth" Card. 2, 175 - die „schwartze
angst" Leo 4, 332 und 5, 182; 346 - die „herbe angst" Carol. 5,
430 - die „schwartzen schmertzen" 206, 2, 22 - die „ergrimmte
angst" Kath. 1, 759 - die „grimme noth" Leo 1, 218 - der
„rauhe schmertz" 223, 11, 29 - vgl. Pap. 4, 370 - die „donnernden beschwerden" 233, 2, 67. -

Das innere Übergewicht der metaphysischen Bedrängnis durch
Leben, Zeit und Tod gegenüber der christlich-protestantischen
Unterordnung dieser Probleme unter das zentrale Dogma von
Sünde und Rechtfertigung tritt auch in der Art zutage, wie die
S ü n d e metaphorisch-dichterisch behandelt wird. Wo sie eine
wichtige Rolle spielt, wie in den religiösen Gedichten, die sich
an den biblischen und dogmatischen Gedankengang eng anlehnen
und ihn oft nur umschreiben, da beschränkt sich der Dich-
ter fast durchweg auf das unerläßliche Mindestmaß poetischen
Schmuckes: in Genetivverbindung oder als Doppelwort wird der
Begriff mit dem jeweils die gemeinte Eigenschaft versinnlichenden Gegenstand verknüpft. Im Gegensatz zur Darstellung des
Lebens, der Vergänglichkeit und des Todes ist dieses metaphorische Pflichtmaß nur in ganz seltenen Fällen überschritten
und ikonisch oder allegorisch erweitert. Die metaphorischen
„Sachen" selber halten sich völlig innerhalb des konventionellen
Gebrauchs. Das ganze Bedeutungsfeld bringt nicht entfernt das
Pathos, die Dynamik, die große Gebärde hervor, die des Dich-
ters Reden über Vergänglichkeit und Tod begleitet.

L a s t ,   J o c h ,   S e i l ,   K e t t e   u n d   N e t z demonstrieren
die bindende, K r a n k h e i t , S e u c h e , G i f t die ansteckende,
F i n s t e r n i s ,   N a c h t ,   F l e c k e n ,   K o t die befleckende,
F l u t   u n d   G l u t die übermächtige, vernichtende Gewalt der
Sünde.

N o m i n a l: „sünden - ketten" 45, 34, 4 - „sünden - netz"
52, 44, 11 - „sündenjoch" Card. 4, 299 - „zweiffel-strick"
52, 44, 11 - vgl. 41, 28, 4 - sünden-„seuche" Card. 5, 280 -
„schwartze nacht der sünden" 99, 3, 12 - vgl. 28, 10, 4 - 31,
15, 2, - 78, 11, 7 - 189, 55, 4 - „sünden-flecken" 270, 5, 25 -
384, 157 - „gifft der schuld" 475, 18, 11 - 501, 3 f. - „sünden-
koth" 21, 1, 3 - 39, 26, 7 - Card. 4, 295 - „sünden glut" 563,
65 - 501, 8. - Einmal: die „nattern" der Sünde Card. 2, 273 f. -
„der tollen laster fluth" 165, 9, 3. -
    E p i t h e t i s c h: die „teuffel-schwartzen schanden" 78, 12,
3 - „mit vieler schuld beschwärtzt" Carol. 3, 623 - vgl. Pap.
3, 667 - „in sünden kranck" 455, 3, 12. -
    V e r b a l: „sünd ists, die mich beißt" 167, 13, 5 - „schuld,
die uns befleckt" Kath. 4, 434 - „ . . . die starcken seile, Mit den
die sünde band." 41, 28, 4 f. -

E. Wesen und Schicksal des Menschen.

Nach zwei Seiten hin treibt W e s e n   u n d   S c h i c k s a l
d e s   M e n s c h e n zu metaphorischer Intensivierung und Versinnlichung. Nicht das individuelle Einzelich des Dichters sucht
sich hier in Bildern und Gesichten zu offenbaren. Selbst die Ich-
lyrik G.s zielt nicht auf persönliche Verhalte, sondern auf allgemeine, typische, und in den späteren Redaktionen bemüht sich
der Dichter, diese „privatisierende" Form nach Möglichkeit zu
korrigieren und durch unanstößig-allgemeine Wendungen zu ersetzen.
    Dennoch: der letzte Grund der Enttäuschung des Dich-
ters über die Gebrechlichkeit der Welt, seiner verzweiflungs-
vollen Erschütterung durch das Gefühl der Menschen und
Dinge dahinraffenden Zeit lag nicht in jenen immer wieder
berufenen objektiven Tatsachen der Vergänglichkeit und Un-
vollkommenheit der äußeren Welt. Er entsprang im Menschen selbst. Inmitten des objektivistischen Gefüges stellte
die Subjektivität den unendlichen Anspruch an die Welt
und bezog ihre Ordnungen auf sich selber, statt sich ihnen
anonym ein- und unterzuordnen. Und dabei erlebte das Individuum den schrecklichen Zusammenstoß der sich unbedingt und
ewig fühlenden Seele mit der Welt, die vom sinnvollen, per visi-

bilia ad invisibilia aufsteigenden Schöpfungsgradualismus zum sinnlosen „autonomen" Chaos zu werden drohte. Denn in dem Augenblick, wo das Ich sich emanzipierte, sich aus der objektivistischen Ordnung löste und zu seiner eigenen Tiefe erwachte, wurde auch die Welt selbständig, und der Einzelne mußte allein den Zusammenstoß mit ihr ertragen. Der Himmel und die göttliche Welt wurden in einem absoluten Sinne zum „Jenseits"; die objektivistischen religiösen Bindungen und Tröstungen begannen zu versagen und ließen das innerste Begehren des Individuums ohne Erfüllung. Die Verzweiflung, die sich trotz aller Bändigung durch die starken, noch immer lebendigen Kräfte des mittelalterlichen Geistes immer wieder vom Grunde des dichterischen Schaffens G.s abhebt, ist nicht so sehr eine Verzweiflung an der Welt oder an Gott als eine Verzweiflung am Menschen, noch besser: an sich selber. Aber dies Seelengefühl spricht sich aus in der klassizistisch-objektiven Formen- und Denkwelt der Renaissance, die von der Dynamik des barocken Durchbruchs wohl gesteigert, gefesselt, aufgetürmt und verzerrt, aber nie eigentlich überwunden und zerbrochen wird. Die subjektive Verzweiflung des einsamen schlesischen Dichters erscheint poetisch als eine jedermann gleich zugängliche objektive Feststellung über den Menschen und die Welt als „Gegenstände". Um sich zu rechtfertigen und als gültiger Lehrsatz dichterisch-öffentlich auftreten zu können, wandte sich die Verzweiflung G.s über sich selbst nach außen und erschöpfte sich darin, die traditionellen Wendungen von der religiösen Unzulänglichkeit des Menschen gegenüber Gott und von der physischen Gebrechlichkeit des Menschen gegenüber Not, Leid und Tod aufzunehmen. Während aber das erste Thema: der Mensch ein Nichts gegenüber Gott — keinen größeren Raum einnimmt, sich im Wesentlichen auf die biblischen Sonette beschränkt und sich mit einer äußersten Steigerung der konventionellen Formeln begnügt, offenbart wieder das ruhelose Interesse, mit dem der Dichter das irdische Schicksal des Menschen umkreist, mit dem er Bild auf Bild Mauern gleich auftürmt und von zarter Wehmut zu nihilistischem Zynismus hinüberwechselt, — offenbart diese unablässige, mächtige Anstrengung und Erregung des Dichters, daß hier der Kern seines Erlebens, die unterirdische Quelle sich verbirgt, die ihn zum Dichten treibt, auch wenn die Dichtung da-

mals ihrer Theorie nach nichts sein wollte als ein jedermann
zugängliches Kunsthandwerk, dessen früher erörterte geistige
Grundlagen die soeben für G. umschriebenen schlechterdings aus-
schlossen.

Der Abstand von Gott ist unermeßlich. Das Niedrigste
reicht kaum aus, die Qualität des Menschen auszudrücken, —
die Gottheit aber entschwindet dem unmittelbar-gewissen Gefühl in eine abstrakte Jenseitigkeit, welche die Wirklichkeit des
Lebens und der Welt entgöttert und zerstückt zurück läßt.

„Ich aas, das lebend-tot, ich scheusal aller welt" 58, 51, 2 -
„Ich, der ich asch und koth" 44, 33, 1. -

> „Ich . . .
> . . . der rasend eh und ie
> In lastern sich gewältzt, als ein unsinnig vieh" 56, 48, 1 f. -
> „Ob zwar ich schnöder hund . . .
> Hast du den hunden doch offt kinder-brodt beschert" 36, 21, 9 f. -

„ . . . uns, die mehr viehisch als ein vieh" Leo 4, 390 - „Schein
in diese todten-hölen" (an den heiligen Geist) 466, 13, 10. -

Im Trauerspiel kehren ähnliche Hyperbeln als Schmähung
des Gegners wieder: „ . . . das ungeheure thier" Leo 4, 309 -
„Die brandstätt toller brunst . . . Der greuel der natur" . . . Leo
2, 288 f. -

Unzählig sind die Fälle, in denen das Wesen des Menschen,
nicht in seinem Verhältnis zu Gott, sondern in seiner Beziehung
zum Schicksal, das über ihm steht, umschrieben wird. Dies sein
Verhängnis aber ist, wie bereits dargestellt, wesentlich seine
V e r f a l l e n h e i t   a n   d i e   Z e i t : „Das spiel der Zeit, der
leichte mensch" 102, 8, 10 - vgl. 122, 43, 1. -

> „Was sind wir menschen doch! ein wohnhaus grimmer schmertzen,
> Ein ball des falschen glücks, ein irrlicht dieser zeit,
> Ein schauplatz herber angst, besetzt mit scharffem leid,
> Ein bald verschmeltzter schnee und abgebrannte kertzen."
>   103, 11, 1 f. -
> „ . . . was kan ich anders hören,
> Als daß ich gleich dem klang,
> So ietzt die lufft durchstreicht und ietzt auch gantz verschwindet,
> Eil auf den untergang.
> Gleich einer wiesenblum, die man nicht wieder findet,
> Gleich einem leichten tau,
> Gleich einem wintertag und grünem sommer-grase,
> Gleich blüthen auf der au." 264, 2, 20 f. -

„Itzt blumen, morgen koth; wir sind ein wind, ein schaum,
Ein nebel und ein bach, ein reiff, ein thau, ein schatten,
Itzt was und morgen nichts." 124, 45, 11 f. -

Ball, Irrlicht, Schnee und Kerze, Klang, Blume, Tau, Winter-
tag, Sommergras und Wiesenblüte oder Hund, Vieh, Asche, Kot
— eine Häufung von „Sachen", in beliebiger Reihenfolge auf-
tretend, an beliebiger Stelle abbrechend, — so spiegelt sich in der
dichterischen Sprache des Barock der Mensch. Nirgends ist die
Untauglichkeit der von der Renaissance übernommenen metaphorischen Stilmittel für die symbolische Darstellung eines Organischen, Seelenhaften, Lebendigen greifbarer als hier. Für
diese objektivistische Stilform gibt es den Menschen als Individuum, als subjektive Mitte des seelischen und des geistigen
Kosmos noch nicht. Als wesentlich und wirklich gilt ihr nur
der B e g r i f f. Dementsprechend ist es niemals der Mensch als
solcher, der mit Asche, Klang, Wintertag usf. verglichen wird,
sondern es ist jeweils eine bestimmte, sachliche, ihn besonders
charakterisierende, aber von ihm auch ganz unabhängige und
ablösbare E i g e n s c h a f t: die moralische und physische Nichtigkeit, die Unwürdigkeit vor Gott, die Vergänglichkeit. Man
könnte die gleichen Bilder auch auf ein Volk, auf die Welt, auf
die Jugend, auf das Leben anwenden, auf alles, was an jenen
objektiven Eigenschaften teilhat.

Während sich der Gedanke der Nichtswürdigkeit und Vergänglichkeit ohne weiteres in ein illustratives Konkretum umsetzen läßt, ist das etwa bei „Schmerz", „Plage", „sinnliches
Begehren" nicht in diesem Maße der Fall. Daher wird die Versachlichung im Bildvorgang noch deutlicher, wenn der Dichter
versucht, auch diese Abstrakta durch ein bildliches Konkretum
poetisch gangbar zu machen. Dann wird der Mensch zur „Brandstätte", zum „Wohnhaus", zum „Schauplatz", — Bezeichnungen,
die in ihrer allgemeinen Blässe nicht auf den Menschen, sondern allein auf den Begriff, der gerade dargestellt wird, hinzielen.

Das Phänomen der Vergänglichkeit aber, seit den Jahrhunderten des Mittelalters schon mit den gleichen und ähnlichen
Bildern besungen, die uns bei G. begegnen, wird dennoch von
dem Dichter ganz neu erlebt, weil er es nicht mehr abstrakt, als
schmerzvolle, aber zweckhafte Stufe im Bau der höheren, ewigen,

göttlichen Ordnung zu nehmen vermag, weil er selber für sich
Ewigkeit fordert und weil er sich selber ohnmächtig dahin-
sinken fühlt. Hieraus entspringt eine Verzweiflung, die mit der
nörgelnden Bußpredigt, der tristen Altersweisheit und dem kollektiven Schwärmertum des späten Mittelalters nichts mehr
gemein hat. Sie fühlt sich gedrängt, das Unbegreifliche, daß der
M e n s c h in das Nichts sinkt, daß i c h dem Sterben entgegen-
gehe, dichterisch auszusprechen, — als einen Schrei subjektivster
Empörung und menschlichster Klage. Aber G. vermag nur
immer aufs Neue zu sagen, daß der Mensch s t i r b t , daß auch
ich v e r g e h e . Das Subjekt tritt in dem Augenblick, da er sein
Gefühl der gültigen poetischen und dichterischen Formenwelt
anvertraut, in den Hintergrund; die Sprache bemächtigt sich
wie von selbst auch des Inhalts und setzt nun den Begriff, das
Allgemeine, das Objektive, die Eigenschaft und den sachlichen
Verhalt als dichterisches Bedeutungszentrum ein. Und ob er
auch nun in immer neuem Ansturm durch quantitative Steigerungen und Häufungen, durch atemlose Gehetztheit, durch eine
bis an die Grenze des Möglichen gehende Belastung der Zentner-
worte, durch kühne Zerstörung des rhythmischen und lautlich-
gehaltlichen Gleichgewichts der Verse usf. diese neue leidenschaftliche Erregung künstlich zum Ausdruck zu bringen sucht,
— der Sprung in ein qualitativ neues Sprachgefühl, in eine wesenhaft andere Funktion des dichterischen Bildes gelingt nicht. Die
Summe von Sinn-Bildern für die Vergänglichkeit bleibt ein
völlig inadäquater Ausdruck für jenes Gefühl, das G. zwar
keineswegs ganz und ausschließlich beherrscht, das aber gewiß das
mächtigste Motiv seines Lebens und seiner Dichtung war.

G. vergleicht den Menschen einmal einem Reiter, der von
seinem Pferde, das er nicht zu beherrschen vermag, blindlings
dahingerissen wird:

>„Wie ein erhitztes roß durch ungewohnte sprünge
>Den ritter mit sich reißt und führt, nicht wie er will,
>So zeucht der himmel uns von dem auf jenes ziel." -
>   Card. 1, 230 f. -

Auch die das Leben des Menschen bestimmenden, schicksal-
haften Mächte vermag dieser vergegenständlichende Stil poetisch
zu bewältigen. W o i m m e r a b e r d e r M e n s c h i m d i c h -

t e r i s c h e n   B i l d e   a u f t r i t t ,   d a   g e s c h i e h t   e s   i n
v e r s a c h l i c h t e r   A u f t e i l u n g   i n   E i g e n s c h a f t e n
u n d   A t t r i b u t e   b z w .   i n   d i e   o b j e k t i v e n   M ä c h t e ,
d i e   i h n   r e g i e r e n .

Schon O p i t z verwendet das gleiche Bildmaterial zur Verdeutlichung der Nichtigkeit des Menschen. So heißt es bei ihm z. B.:

> „O du schnöde würmer-speise /
> O du staub und koht der zeit /
> O du taw der eitelkeit"

oder:

> „Der arme mensch ist nur ein traum der zeiten /
> Ein leichter rauch / ein bild der eitelkeiten /
> Sein gantzer lauff und tagemaß besteht
> Nach schattens art / der bald vorüber geht."

Aber dieser Negation entspricht bei Opitz eine starke Position: Der Mensch, „die kleine welt" kann „nichts edlers finden ... Als sich den menschen selbst", er ist „das höchste meister stück aus allen erdenwerken", Gottes „rechtes ebenbild Mit aller herrligkeit vollkomen und erfüllt", ein „Teil der göttligkeit".[5] G. dagegen meidet den beliebten, auf die Analogie des Mikro- und Makrokosmos zielenden Ausdruck „kleine welt", dem Opitz eine umfängliche allegorische Interpretation widmet.[6] Nur „das große Bizantz" nennt er einmal „die kleine welt" Leo 3, 41. - Selten bricht auch bei G. das Gefühl für die Größe des Menschen durch bis in das dichterische Wort. Der Anblick der künstlichen Erd- und Himmelskugel läßt ihn in einigen Epigrammen sein Erstaunen über das Vermögen des Geistes

---

[5] Vgl. Andreas T s c h e r n i n g, Kurzer Entwurff oder Abrieß einer deutschen Schatzkammer / von schönen und zierlichen Poëtischen redens-arten / umbschreibungen usf. Lübeck 1659, S. 263 f. vgl. auch G. v. P e s c h w i t z, Jüngsterbauter Hoch-teutscher Parnaß / das ist Anmutige Formeln / Sinnreiche poetische Beschreibungen usf. Hamburgk 1663, S. 515.

[6] Der bei Nic. v. C u e s und P a r a c e l s u s zuerst auftauchende Ausdruck gewinnt gegen Ende des 16. und zu Anfang des 17. Jahrhunderts rasch ungemeine Verbreitung. Für die Mystiker führt H. S c h r a d e, Abraham von Frankenberg, Diss. Heidelberg 1923, S. 107 ff., Beispiele an. In den L e i c h - A b d a n k u n g e n wird er einmal von G. angewandt.

aussprechen, nie Geschautes mit Sicherheit zu bestimmen:
„Soll diß nicht himmlich seyn, was selber himmel macht" 415,
99 f. - (vergl. auch das folgende Epigramm). Zumeist bleibt aber
der Wert des Menschen, der ja die heimliche Voraussetzung all
seiner Verzweiflung ist, tief in ihm verschlossen.

„Das wunder der natur, das überweise thier" Leo 1, 509 - so
beginnt der erste Reigen in seinem ersten Trauerspiel. Hier
wird einmal versucht, für den Menschen selber die bildhafte Umschreibung zu geben, und es bleibt dafür sachlich nur das bei
allen Dichtern des Barock wiederkehrende „Tier" übrig, das nun
mit hyperbolischer Epithetik ausgestattet wird. Die Tendenz
dieser bildhaften Umschreibung ist wieder nicht das Konkreti-
sierend-Anschauliche, sondern das Verallgemeinernde. Statt des
Menschen wird gleichsam die übergreifende oder die nächstver-
wandte Gattung genommen und der Mensch dann durch die
Leistung des Epithetons davon abgehoben und in der Richtung
bestimmt, deren Betonung der Zusammenhang erwünscht macht,
— das „ungeheure", „edle", „überweise" usf. Tier.

F. Der menschliche Körper.

Sehr viel häufiger als der Mensch wird der gegenständliche
K ö r p e r als Ganzes oder in seinen Teilen — zur Entfaltung
der Schönheit, zur Versinnlichung seelischer Bewegungen, als
Fessel des Geistes und als Beispiel menschlicher Hinfälligkeit —
zum Träger metaphorischer Benennung. Wie der Stil der Renaissance und des Barock in wesentlichen Zügen noch zu den
vorangegangenen Jahrhunderten gehört, zeigt sich wieder deutlich darin, wie die m e n s c h l i c h e   S c h ö n h e i t geschildert
und gerühmt wird. Schwerlich hat dem tatsächlichen Erleben
der F r a u e n s c h ö n h e i t[7]) im 17. Jahrhundert, wie auch
im 13., das für alle Schönheit konstitutive Moment der Einheit und Ganzheit, der G e s t a l t, in der und von der her alles
Einzelne erst schön wird, gefehlt. Zur Konzeption dieser Einheit und Ganzheit der Gestalt aber ist unerläßlich die Subjektivi-

---

[7]) Vgl. hierzu S. 100 f.

tät des anschauenden Ich. Daher läßt sich die Schönheit niemals
so vergegenständlichen, daß sie beweisbar wird. Die Anonymität
des Subjekts im Mittelalter und ihre Entsprechung, der voll-
endete Objektivismus des Denkens und der Sprache, die durch
das Bewußtsein vorgenommene Verwandlung aller, auch der „subjektiven", Verhalte in gegenständliches Sein, hatte jenen Ent-
subjektivierungsprozeß zur Folge, dessen sprachlich-dichterisches
Ergebnis wie die mittelalterliche, so auch noch die barocke der
Renaissance verhaftete Schilderung menschlicher Schönheit ist.
Die Entfernung der Subjektivität im sprachlichen Vergegenständ-
lichungsprozeß führt notwendig dazu, daß auch die Einheit und
Ganzheit der Gestalt verschwindet. Der schöne Körper zerfällt
in seine einzelnen Teile; aus dem Organismus wird eine Summe,
und die einzelnen Summanden bedürfen, isoliert wie sie nun
sind, jeweils einer eigenen metaphorischen Illustration. Noch der
barocke dichterische Preis der Frauenschönheit lebt von dieser
Zerstückelung der Gestalt in eine gegenständliche Summe; er
geht Teil auf Teil durch, ohne doch, selbst wenn er keinen vergißt, zum G a n z e n der Gestalt zu gelangen. Das individuelle
Gefühl aber ist dadurch vollends ausgeschaltet, daß die Art der
einzelnen Teile bis in die metaphorische Umschreibung hinein
dem Geschmack des Einzelnen entrückt und durch ein öffent-
liches Stilgesetz festgelegt wird. Stirn, Hals und Brust sind
weiß wie Schnee, Marmor, Alabaster, Elfenbein und Lilien. Die
Wangen sind weiß und rot wie Schnee und Rosen, die Lippen
rot wie Purpur, Rubin, Koralle und Rose. Die Augen sind Sterne
und versengende Fackeln. Der Dichter hat nur noch zu wählen,
an welchen Teilen er die Schönheit seiner Dame sichtbar machen
will und welche der jeweils in zwei- bis fünffacher Möglichkeit
bereitstehenden „malenden" Bilder er dafür verwenden will.
D a ß die Dame schön ist, kann nur durch die Schönheit ihrer
„Teile" verdeutlicht werden, aber auch diese sind schön nicht
durch sich selber, sondern dadurch, daß sie sich in Übereinstimmung mit den von der Gesellschaft als „schön" anerkannten Eigenschaften erweisen. Diese beschränken sich denn
auch auf die Körperteile, die eine solche Typisierung des Schön-
heitsideals am ersten gestatten: die roten Lippen, die weiße Stirn,
die weiße Brust und ähnlich, und sie bestehen nie in F o r m -,

sondern immer in F a r b eindrücken. Deshalb fehlt fast jede
Möglichkeit für eine aus den Bildern etwa zu entwickelnde konkrete Anschauung.

Nichts zeigt deutlicher, wie entfernt die barocke Dichtkunst
trotz allem naturalistischen Schein von jedem Realismus ist, als
die Art, wie sie die Wirklichkeit des Weibes auflöst in eine
Skala, eine Summe von Farbeindrücken. Und wenn auch die
Kostbarkeit von Elfenbein, Gold, Purpur, Korallen, Marmor er-
höhend und wertsteigernd bei dem Vergleich mitschwingt, — entscheidend bleibt d e r   r e i n e   F a r b e i n d r u c k, wie die
folgende Wendung zeigt:

„Welch alabaster kan der stirnen schnee erreichen?" Kath.
2, 93. — Diese bei G., in dessen Dichtung die detaillierten
Schilderungen der Frauenschönheit ohnehin eine geringe Rolle
spielen, noch verhältnismäßig seltene, dann aber rasch zu Ansehen kommende Stilfigur erreicht ihre steigernde Wirkung dadurch, daß sie, in beliebiger Ordnung, zwei verschiedene Versinnlichungen der gleichen Farbe gegeneinander stellt und den
Schein erweckt, als seien sie an Intensität unvereinbar. Es wird
nicht Wert darauf gelegt, daß man von Katharinas Stirn oder
Nase eine konkrete, anschauliche Vorstellung erhält, — im Gegenteil: die dichterische Sprache soll das Individuelle und Konkrete
alsbald in ein höheres Allgemeines auflösen. Wie das Gewitter
etwa den B e g r i f f des Unheils gleichzeitig konkret und unendlich abstrakt macht, so wird der konkrete Gegenstand selber
vermittels eines scheinbar noch konkreteren Bildes sofort in das
Allgemeine übersetzt. Diesen E n t g e g e n s t ä n d l i c h u n g s -
p r o z e ß, der das genaue K o r r e l a t f ü r d i e s c h e i n b a r e
V e r g e g e n s t ä n d l i c h u n g a l l e s B e g r i f f l i c h e n ist,
bei dem Kulminationspunkt des Konkreten und Individuellen,
bei dem menschlichen Körper, durchzuführen, schien nichts ge-
eigneter als die Welt der Farben. Edelsteine, Blumen, Schnee,
Purpur usf. sind die pseudokonkretisierenden, in Wirklichkeit
idealisierenden Mittel, mit denen der „Gegenstand", welcher der
Aufhebung in das höhere Reich des Allgemeinen den stärksten
Widerstand entgegensetzt: die menschliche Gestalt, — ent-
mächtigt und ihres spezifischen Soseins beraubt wird. Die Schilderung des Körpers aber muß sich demgemäß auf die Teile be-

schränken, bei denen die Farbwirkung von Bedeutung ist. Selbst
so allgemeine Momente wie die, ob die Dame groß oder klein,
üppig oder schlank ist, ja, bezeichnenderweise auch die Farbe
ihrer Augen, die sofort ein individuelles Charakteristikum ein-
führen würde, bleiben unerörtert. Es gibt nichts im strengen
Sinne Unanschaulicheres als die wild begehrten und leidenschaftlich glühenden Frauen der barocken Dichtung, die immer wieder
aus den gleichen isolierten Teilen zusammengesetzt sind, welche
ihrerseits sofort in die immer gleichen Farbvorstellungen hin-
übergeführt werden.

Die dichterische Sprache aber, der durch diese innere Gesetzlichkeit bereits die Flügel aufs Äußerste beschnitten sind, kann
ihre Selbständigkeit nur noch in dem fest umgrenzten Bereich
der Farbvergegenständlichungen beweisen. Die höchst uneigentliche Welt der farbverkörpernden Dinge, welche die individuelle
Konkretheit der Gestalt in das Allgemeine des reinen Kolorits
hinüberführen, ist der dichterischen Freiheit und Erfindung offen
geblieben. Der Dichter muß also versuchen, durch rücksichtslose
Ausnutzung der wenigen zur Verfügung stehenden Gegenstände
ein Maximum an sensuellem Reiz, an Kolorit zu erreichen.
Daraus entwickelt sich dann die hochbarocke Farb-
metaphorik besonders Lohensteins und Hofmannswaldaus,
bei dem sich die ganze innere Dynamik im Raume dieser Farben-
dinge, die immer mehr zu bloßen Koloritbegriffen verblassen,
austobt. Hier aus den begrenzten Mitteln durch Kontrastierung,
Auftürmung, Ballung, Personifizierung, Antithese, durch kühne
Konstruktionen und Erschöpfung der letzten sprachlichen Möglichkeiten das Äußerste an sensuellen Eindrücken hervorzurufen,
war die Absicht des spätbarocken Stils. Hier verlor sich die
Gestaltung, — für die der darstellerische Ausgangspunkt, der
menschliche Körper, ebenso wie das Darstellungsmittel, die Edelsteine, jeglichen Eigenwert und Selbstzweck eingebüßt hatten —
mit dem allgemeinen Ziel der Farbeindrücke vor Augen, unter
dem Schein verwirrender Auflösung in die Dinglichkeit, tatsächlich in den abstrakten Bereich gegenstandsentleerter Sprach-
und Wortphantasien.

Dabei ist die Entwicklung noch weit über das Generalisierend-
Typische des Mittelalters hinaus zur völligen Abstraktion, zur

Herstellung eines Zeichensystems geschritten,[8]) dessen hoch-
gesteigerte malerische Sinnlichkeit doch keine Möglichkeit hat,
sich an einer Anschauung zu verwirklichen. Tatsächlich bedeutet
jenes konventionelle „Ausmalen" der besungenen Frau nicht mehr
und nicht weniger als die Umschreibung des schlichten Satzes:
sie war schön — im imaginären und künstlerisch-konventionellen
Raum des poetisch-sprachlichen Scheins. Der Komparativ und
Superlativ des Prädikates „schön" aber ist poetisch nur darstell-
bar durch eine Steigerung der üblichen Farbwirkungen in das
Außerordentliche; das bedeutete stilistisch: in die einfache
Gleichung von Körperteil und Farbträger („der nasen helffenbein") mußte eine dialektische, mit Antithetik und Negation
arbeitende Bewegung treten. Es mußte zweifelhaft erscheinen,
ob das Vergleichsmittel nicht zu unwürdig war, die Eigenschaft
des Vergleichsgegenstandes auszudrücken, es mußten mehrere
Vergleichsträger herangezogen werden, die miteinander um ihr
Recht wetteiferten, oder aber die Steigerung wurde dadurch
erreicht, daß die herbeigeholte „Sache", welche die bestimmte
Farbe konkretisierte, alsbald für gänzlich unbrauchbar erklärt
wurde, die tatsächliche Schönheit und Reinheit des betreffenden
Körperteiles widerzuspiegeln.

„ . . . Die nasen, die keinem helffenbein vorhin zu gleichen
war" 117, 33, 7 f. -

„Welch alabaster kan der stirnen schnee erreichen?"
„Die zarte lilie muß den edlen wangen weichen." Kath. 2, 93 f. -

Natürlich kann die Reihenfolge von „Alabaster" und „Schnee"
auch ohne Schaden umgestellt werden. Es handelt sich eben
um eine reine Stilgebärde, um eine sprachliche Form, deren geschlossener, uneigentlich-künstlerischer Charakter die Vorstellung
gar nicht bis zum Sachgehalt der Worte, bis zum Wirklich-
Nehmen der ganzen ästhetischen Figur dringen läßt. Wo Glut
und Leidenschaft barocken Empfindens über die starre Abstraktheit jener renaissancehaften poetischen Konvention hinaus-
drängen, da finden sie wieder nur diesen Weg der Übersteigerung
und Verzerrung der gegebenen Form, der gegebenen sprachlich-

---

[8]) Vgl. hierzu wieder die ausgezeichneten Nachweise von Pyritz,
a. a. O.

stilistischen Mittel. In den verhältnismäßig sehr zurücktretenden
Schilderungen der Frauenschönheit bei G. sind die Elemente zu
dieser recht eigentlich „barocken" Entwicklung bereits gegeben,
die dann von L o h e n s t e i n und H o f m a n n s w a l d a u bis
zum Äußersten angestrengt werden, ohne daß sie doch eine
qualitativ neue sprachliche Ebene erreichen.

Sehr viel unmittelbarer als die den farbigen Edelsteinen entnommene Metaphernreihe wirken die — viel selteneren — Fälle,
in denen die Farben von der N a t u r, meist der Sonne, ge-
liehen werden.

> „... (ihr gesicht) das gleich der sonnen lichte,
> Wenn es nun untergeht, weit angenehmer schien." Kath. 5, 38 f. -
> „... ihr gesicht, der wunder-helle schein
> Erleuchtet diß gemüth." 194, 64, 6 f. -
> „... der entfärbten wangen lieblich abendröthe." Ebenda 13. -

Der barocke Dichter greift zu diesen Bildern aber nicht, weil sie
in ihrer größeren Lebendigkeit sich für das Beseelend-Lebendige
des dichterischen Symbols besser eignen, sondern — die gegenständlich distanzierende Haltung wird nicht minder aufrecht
erhalten wie bei den „anorganischen" Bildern — weil sie Gelegenheit zu allegorischen Gedankenverbindungen geben: Morgen-
licht und Abendsonne verbinden mit der „Farbe" den Gedanken
der Jugend bzw. des herannahenden Todes.

Eine ganz neue Bildreihe erscheint, wenn die gleichen
Körperteile nicht mehr nur in ihrer Schönheit, sondern zugleich
und hauptsächlich in ihrer m o r a l i s c h e n   G e f ä h r l i c h -
k e i t geschildert werden. Dann wird jedes Glied mit einer
„Sache" verbunden, die in sich gegenständlicher Ausdruck einer
Gefahr ist und die zugleich in eine unmittelbar sensuelle oder
allegorische Verbindung mit dem betreffenden Gliede gebracht
werden kann. Das Haar z. B. wird zum „unzucht netz"
83, 20, 7 - zum „strick, der mich gefaßt" Card. 3, 155. -

> „Was ist der zarte mund? Ein köcher voller pfeile,
> Durch die ein weiches hertz bis in den tod verletzt.
> Recht wird der augen glantz irrlichtern gleich geschätzt,
> Die manchen geist verführt in nicht zu langer weile.
> Die wunder-schönen haar sind feste liebes-seile.
> Wer durch der sternen glantz nicht wird in euch verhetzt,
> Wer sich der lilien der wangen widersetzt,
> Muß doch gewertig seyn, daß ihn die brust ereile." 113, 26, 1 ff. -

Hier handelt es sich gleichsam nicht mehr um die Schilderung
der „reinen", sondern der „praktischen" Frauenschönheit; daher
kommt alles auf das Funktionelle, auf die Wirkung an. Der Aufbau wird jedoch dadurch nicht anders als im reinen Preisgedicht.
Die kunstvolle Stauung des Gefühls in den beiden vorletzten
Zeilen, die dann zu der pointenhaft heraustretenden Steigerung
der letzten führen, bleibt wieder ganz artistisch. Auf das Was
kommt es im Grunde nicht an, nur auf das Wie. So lautete
die ursprüngliche, aus moralischen Bedenken dann umgeformte
Fassung der beiden letzten Zeilen:

> „... lilien der brüste ...

und:

> „... hand ereile."

Der geringen Bedeutung, die G. dem Erotischen in seinen
Gedichten einräumte, entspricht seine Neigung, hier ganz inner-
halb des Konventionellen zu bleiben. Selbst in den Eugenie-
Liedern lebt kaum ein Klang von so eigener Dynamik und innerer
Hingerissenheit wie etwa in jenem Preis- und Schmählied auf
das menschliche Vermögen der S p r a c h e , — die poetisch sofort
zur „Z u n g e" konkretisiert wird, — mit dem der erste Akt des
„Leo" schließt. Hier spiegelt sich etwas davon, wie auch G. das
berauschende Wunder der Sprache, das alle großen Dichter der
Epoche stets von neuem erfüllte, nicht weniger stark empfand:

> „Das wunder der natur, das überweise thier,
> Hat nichts, das seiner zungen sey zu gleichen.
> Ein wildes vieh entdeckt mit stummen zeichen
> Des innern hertzens sinn; durch reden herrschen wir."
> Leo I, 509 ff. -

Und nun schreitet der Dichter den Umkreis der Schöpfung, der
Elemente, ab — alles Seiende, alles Erdachte und Erschaffene,
alles göttliche und menschliche Recht ruht auf der benennenden
Sprache: „Des menschen leben selbst beruht auf seiner zungen."
Vgl. auch aus der „Letzten rede eines gelehrten aus seinem
grabe" den Vers:

> „Die zunge, die hertz, geist und leben
> Gleich als ein donnerstrahl durchriß,
> Die über sternen kont' erheben,
> Die in den abgrund niederstiß,
> Die wilde können vor bewegen,
> Fault ietzt und kan sich selbst nicht regen."   209, I, 31 f. -

Diesem göttlichen Wesen der Sprache stellt die Antistrophe un-
abgeschwächt das teuflische entgegen:

„Doch nichts ist, das so scharff, als eine zunge sey!
Nichts, das so tieff uns arme stürtzen könne..." Leo 1, 525 f. -

Alles Unheil, alles Verbrechen, aller Frevel an Gott und den
Menschen hängt mit der Sprache zusammen: „Des menschen tod
beruht auf iedes menschen zungen" ebd. 540. Selten tritt die
Tiefe und Unversöhnlichkeit des Widerspruchs, der G.s Gefühl zur Welt, zum Leben, zu allen Dingen beherrscht, so rein
hervor wie in dieser negativen und zugleich positiven Ein-
schätzung der Sprache, — denn äußerlich überwiegt in seiner
Dichtung das Verneinende ganz, ob es auch nur verstanden
werden kann aus der Enttäuschung eines leidenschaftlichen Willens zum Ja.

Die 3. „Zusatz"-Strophe hat keineswegs die Aufgabe, eine
„höhere" Synthese zu finden, eine Vereinigung des scheinbar Un-
vereinbaren. Der Dichter verharrt widerstandslos in der Tiefe
des alle Dinge und zumal die höchsten erschütternden Widerspruchs. Er kennt keine Aussöhnung, es sei denn in dem nicht
mehr vorstellbaren, nur noch zu glaubenden Jenseits. So ist die
Zusatzstrophe nur bemüht, das Rätselhafte dieses Gegensatzes
begreiflicher und wahrscheinlicher zu machen, indem sie eine
Fülle von Dingen gleichnishaft herbeizieht, die ebenfalls in sinnlich faßbarer Weise diese doppelten, scheinbar sich ausschließenden negativ-positiven Funktionen ausüben:

„Die zung ist dieses schwerdt,
So schützet und verletzt;
Die flamme, so verzehrt
Und eben wohl ergetzt,
Ein hammer, welcher baut und bricht,
Ein rosenzweig, der reucht und sticht,
Ein strom, der träncket und erträncket,
Die artzney, welch erquickt und kräncket,
Die bahn, auf der es offt gefehlet und gelungen.
Dein leben, mensch! und todt hält stets auf deiner zungen!'
ebd. 545 ff. -

Hier mündet das Ganze in die typisch barocke Metaphorik aus.
Verglichen wird nicht die Z u n g e als solche mit Flamme, Hammer, Arznei usf., sondern für die unvereinbare Doppelseitigkeit

des menschlichen Wesens werden Beispiele gesucht, bei denen der
Nachdruck nicht auf der Sache selbst, sondern auf ihrer Funktion, nicht auf dem Subjekt, sondern auf den relativ ange-
schlossenen verba liegt. Diese Bilder wollen nicht die Vertiefung
jenes dualistischen Gefühls in das Unendliche etwa einer trost-
und hoffnungslosen Stimmung; sie gehen überhaupt nicht auf
eine Stimmung aus, sondern auf die Wiederholung jener dem
menschlichen Sprechen eigenen Doppelwirkung in der D i n g -
w e l t. Der Blick ist völlig auf die objektive Analogie der
Sache gerichtet; die beseelend-dichterische Identifikation steht
außerhalb des literarischen Wollens. Für unser Gefühl leidet die
Tiefe jenes Widerspruchs im höchsten menschlichen Besitz durch
die Zerstreuung in das Dingliche, durch die Verharmlosung, die
ihr Vergleich mit Rosenzweig und Arznei bedeutet. G. aber erblickt in dieser Widerspiegelung der antithetischen Möglichkeit
in vielen Dingen, die der Dichter findet und durch die Sprache
greifbar und verwandt werden läßt, eine Bestätigung seiner Erkenntnis, die sich so als weit über den Einzelfall der Zunge
hinausreichend erweist. Und gleichzeitig kommt dadurch in die
starre Welt der für sich beharrenden Einzeldinge jene Bewegung,
die sie selber in ihrem Sein zwar unangerührt läßt, die aber dadurch, daß die Dinge durch eine Bedeutung, durch eine geistige
Analogie verbunden werden, an der Herstellung einer neuen,
höheren Einheit der seinszerfallenen Welt arbeitet.

Weit charakteristischer als die Hervorkehrung der erotischen
Schönheit des menschlichen Leibes und ihrer Gefahr ist für G.
der metaphorische Ausdruck für den tiefen D u a l i s m u s v o n
L e i b u n d S e e l e, der ihm noch ganz selbstverständlich ist.
Der L e i b ist ihm noch etwas Äußeres und Fremdes, etwas, an
das er gebunden ist, jedoch nur vorübergehend, von dem er sich
daher bereits jetzt zu distanzieren vermag. Er ist ihm — wie
es etwa in den Paulusbriefen der Fall ist — Behausung, Hütte,
Wohnung, Zelt der Seele, vergängliches und ablegbares Kleid,
Nachen, der die Seele über die Flut des Erdenlebens trägt, und
den sie, an Land gekommen, gern zurückläßt. Vgl.: „diß mein
schwaches haus, Der leib" 102, 9, 7 f. - „des schwachen leibes
kleid" 104, 11, 6 - „meiner glieder zelt" 168, 16, 5 - der „leib,
der seelen haus" 190, 51, 5 - 244, 7, 15. -

„Spannt nun die segel ab! fällt ancker! ich steig aus
Und laß an diesem port dis mein beweglich haus,
Der schwachen glieder kahn." 525, 9 f. - vgl. 63, 58, 3 f. -
131, 3, 5. -

Dieser Dualismus erlaubte es G., von der scheinbar noch unangetasteten Selbstgewißheit des Geistes her, den L e i b a l s
T r ä g e r a l l e s Ü b e l s, als Fessel und Kette, Kerker und
Hemmung, als Last und Verbannungsort aufzufassen und auf
ihn recht eigentlich alle lebens- und weltverneinenden Prädikate
zu häufen, wodurch sich der Dichter als G e i s t gerade von ihm
distanzierte.

„Glaubts, daß der schwere leib der seelen kercker sey!"
528, 1 - vgl. Leo 5, 304 -
„Wacht doch die freche seel und trotzt der glieder band,
Mit welchem sie die zeit und sterbligkeit bestricket" 557, 3 f. -
„Mich schleust der kercker ein. Diß fleisch, die haut und beine
Sind fessel, strick' und stock; es sind die harten steine,
In die die seel vermaurt..." 559, 13 f. -
„Die freye seel ergrimmt und bricht der schwachen glieder
Verrathen wohn-haus ein" Pap. 3, 570 f. -
„der glieder last" Pap. 5, 490 -
„Wofern die weise seel kan aus dem kercker dringen,
In den sie fleisch und noth und zeit und arbeit zwingen."
Leo 1, 75. -

Erstaunlich ist hierbei immer wieder, bis zu welchem Grade
im Lebensgefühl des Dichters die christliche Motivation des
Pessimismus gegen Körper, Natur und Leben aus der S ü n d e
bereits zurückgetreten ist. Es ist ein ganz u n c h r i s t l i c h e s,
von der Unbedingtheit des Geistes sich nährendes und eher auf
P l a t o als auf P a u l u s zurückzuführendes Lebensgefühl, das
hier den Körper verneint, weil es sich als ein wesentlich Anderes,
als überlegener Geist fühlt, der in die physischen Katastrophen
wohl schmerzlich verwickelt ist, nicht aber durch sie in seiner
eigenen, ewigen Existenz bedroht wird. Als Beispiel diene eine
jener sehr seltenen Stellen, in denen dieses großartige, schon durch
und durch idealistische Menschenideal, das sonst fast ausschließlich negativ, im Reflex der Enttäuschung sich wiederspiegelt.
positiv durchbricht:

„Der hohe geist, [!] der in der sterbligkeit
Unsterblich herrscht, der seines fleisches kleid
Als eine last (so bald die stunde schlägt,
Die scheiden heißt) gantz unerschreckt ablegt,
Der hohe geist würd alles, was die welt,
Wie lufft und see in ihren schrancken hält,
Was künfftig noch und was vorlängst geschehn,
Mit lachen nur und mißpreis übersehn ...“

Dem Vogel trotzend würde er sich zur Sonne emporschwingen
und:

„Der hohe geist würd über alles gehn
Und bey dem thron der höchsten weisheit stehn,
Wenn beyde flügel ihm nicht fest gehemmt
Und Füß und leib mit schwerer last beklemmt...“

Card. 1, 529 ff. -

Es ist in der letzten Zeit mehrfach darauf hingewiesen
worden, daß in der S c h i l l e r schen Tragödie und in seiner
Lyrik gereinigte und veredelte Stilformen des Barock eine bedeutende Rolle spielen. Hier hingegen wird deutlich, in welchem
Maße das idealistische Lebensgefühl und der idealistische Glaube
über Leibniz hinaus schon bei G. wirksam sind. Es zeigt sich
hier die Gewißheit, daß nur das widerstrebende Sein des Irdischen,
der Materie, der sinnlichen Leidenschaften die Freiheit des
Geistes hindert.[9] Denn dieser Geist selber ist der „höchsten
weisheit“ verwandt. Diese aber ist nichts anderes als ein Vor-
klang, der — freilich noch in unermeßlicher Höhe und Ferne
thronenden — idealistischen Vernunft. Damit enthüllt sich die dem
christlichen Dogma innerlich schon weit entwachsene Position
des Dichters, aus der seine Negation erst ihre Leidenschaft, ihr
Pathos, gewinnt. Dabei ist G. noch keineswegs Spiritualist; er
ist noch ebenso durchdrungen davon, daß die Unsterblichkeit
jedem Einzelnen eignet, wie davon, daß sie nur als eine neue,
höhere, von aller Schwäche gereinigte Leiblichkeit denkbar ist.

---

[9] Vgl. dazu 136, 11, 10 f.:

„Du bist, eh’ als du bist, und weil du bist, gebunden;
Du bindest dich selb-selbst in furcht und sorgen ein.
Doch wer mit schnellem geist kan durch die wolcken rennen,
Und stricke, die verlust und hoffnung würckt, zutrennen,
Kan, ob ihn diamant gleich bünde, freye seyn.“

In diesem Sinne heißt es von der toten Katharina:

> „Sie ist mit schönerm fleisch umgeben,
> Der zarten glieder edles leben
> Trotzt alle schönheit, die die große welt In ihren schranken hält
> Sie prangt in kleidern, darfür schnee kein schnee."
> Kath. 5, 395 ff. - Vgl.

> „... dein immer frische glieder
> Erwachsen aus der grufft als edle palmen wieder." 572, 23 f. -

Der eigentliche und unüberwindliche Defekt der irdischen Leiblichkeit ist für G. nicht ihr religiöser oder moralischer Unwert, nicht die sittliche Schwäche des Fleisches, sondern — seine Vergänglichkeit. Seine Augen haben das unselige Vermögen, jene geringe Spanne vom Anfang aller Dinge bis zu ihrem Ende sogleich zu durchmessen. Er kommt nicht in Gefahr, der irdischen Schönheit zum Opfer zu fallen, weil jeder schöne Leib ihm Olympias Worte an Cardenio zuruft:

> „... Was ihm der sarg wird zeigen,
> In den man mich verschloß, das schätz er vor mein eigen.
> Das ander war entlehnt." Card. 5, 417 f. -

und wenn er ein jugendfrisches Antlitz sieht, so wendet er sich schaudernd ab, denn daneben wird er die Zeit gewahr, wie sie sich anschickt,

> „... die schönen wangen
> Mit kaltem bleiche seyn..." Carol. 2, 296 f. -

zu „bestreichen". Nicht die Schönheit, sondern der Verfall des Körpers gibt dem Dichter seine stärksten, empfundensten Töne, läßt ihn am ehesten verweilen, — denn von allem, was es auf Erden gibt, erscheint ihm das Vergehen allein als beständig. So lockt es ihn, das schwache Werk des Lebens neben das siegreiche des Todes zu stellen.

Die Gebeine der ausgegrabenen Philosette:

> „O häßlich anblick! ach, wo sind die güldnen haar?
> Wo ist der stirnen schnee? Wo ist der glantz der wangen?
> Der wangen, die mit blut und lilien umfangen?
> Der rosen-rothe mund? Wo ist der zähne schaar?
> Wo sind die sternen hin? Wo ist der augen-paar,
> Mit den die liebe spielt? Itzt flechten schwartze schlangen
> Sich um das weite maul..." 116, 33, 1 ff. -

Die schrecklich zerstörte Katharina:

> „Die stirnen sonder fleisch! die eingeschrümpfften wangen!
> Die nicht mehr schönen zähn! Die lippe von rubin,
> Des güldnen haares pracht, der augen glantz ist hin!"
>
> Kath. 5, 214 ff. -

Der Kranke:

> „Die glieder sind verdorr't wie ein durchbranndter graus,
> Mir schaut der schwartze tod zu beyden augen aus." 102, 9, 2 f. -

Die Verhungernden:

> „Schau, wie die lebenden gerippe
> Mit tieffen augen dir nachsehn,
> Wie sie mit gantz verschrumpter lippe
> Fast athem-loß dich, herr, anflehn…" 495, 31 f. -

Der Refrain jedes Menschenlebens, der G. von der Geburt an immer in den Ohren klingt:

> „Was läßt uns doch die bahr,
> Als ein verstelltes aas, das blauer schimmel decket,
> Das eine braune fäul ansteckt und gantz beflecket," Card. 5, 312. -

zwingt ihn, sich in den Dualismus von Körper und Geist zu retten und von der Distanz des Geistes her unablässig und immer virtuoser Farben, Düfte und Linien zu grauenhaft-sinnlichen Verwesungsorgien zu mischen. Er vermag die Augen von diesem ihn so gewaltig anziehenden und abstoßenden makabren Schauspiel nicht zu wenden; gebannt und mit zitterndem Grauen verfolgt er immer aufs neue die Zerstörung des sichtbaren Lebens. Und deshalb gerät die überlegene Stärke seines stoischen Schilderns immer wieder in Gefahr, vor der allbeherrschenden Wirklichkeit umzusinken und in wollüstiger Verzweiflung sich an die dionysischen Schauder der Verwesung zu verlieren. —

G. Natur.

Den Abschluß dieses Überblickes bilde die Frage, wie die
N a t u r ,[10]) — nun nicht mehr als der unerschöpfliche Bereich
metaphorischen Materials, sondern selber als Subjekt und Träger dichterisch-bildlicher Darstellung, — im Werke G.s erscheint. Die Bedeutung der Natur für die barocke Dichtung ist
vielschichtig und nicht leicht zu erkennen, wenn man die Auffassung, daß es sich wesentlich um eine intellektualistisch-ratio-
nalistisch-technische Verwendung der Natur zu artistisch-poe-
tischen Dekorationen und zur schrankenlosen Verherrlichung, Er-
götzung und Bedienung des Menschen handle, als nicht aus-
reichend empfindet.

Bei G. ist die dichterische Feier der Natur niemals Selbstzweck. Der Lyriker versenkt sich nicht in die Stimmung eines
Morgens, einer Nacht oder einer Landschaft, um in ihr für sich
selber Trost und unendliches Genügen zu finden. Vielmehr bleibt
die Natur ihm stets ein bewußt gehandhabtes Stilmittel, das ganz
bestimmten ästhetischen Zwecken dienstbar gemacht wird.

Verhältnismäßig selten — nur in rund 15 Fällen — erscheint
das Meer allein in metaphorischer Verwendung. Das ist charakteristisch. Die unendliche, sehnsuchtsvolle und furchtbare Schönheit des Meeres bleibt ganz außer Betracht. Der Anblick des
Meeres erzeugt noch keinerlei lyrische Stimmung; er ist außer-
ästhetisch. Nur als eine den Menschen bedrohende und vernichtende Macht, als elementare, zerstörende Gewalt wie auch das
Feuer, wird der Seesturm erlebt. Es kommt noch zu keinem
ästhetischen Bezug zwischen Mensch und Gegenstand, der den
rein stofflichen Bezug außer Kraft setzt, das Ich in wunschloser
Betrachtung vom Gegenstand ablöst und sich in das Geheimnis
seiner Erscheinung verlieren läßt. Die natürlich-zweckhafte
Korrelation zwischen Mensch und Ding, die Frage: nützt oder

---

[10]) Vgl. hierzu H. A b m e y e r , Der Frühling in der deutschen
Lyrik des 17. Jahrhunderts. Diss. Greifswald 1912. G. B i e d e r , Natur
und Landschaft in der deutschen Barocklyrik. Diss. Zürich 1927, und besonders W. F l e m m i n g , Der Wandel des deutschen Naturgefühls
vom 17. zum 18. Jahrhundert. Buchr. der Dt. Vierteljahrschr. Bd. 18.
Halle 1931.

schadet es dem Menschen, ist es ihm widrig oder angenehm —
wird nirgend ausgeschaltet; sie verhindert es, daß die interesse-
lose Lust an der Erscheinung auch zweckwidriger Dinge gestaltet wird. Wohl kommt in der Schilderung eines Brandes,
eines Gewitters, eines Seesturms ein ästhetisches Vergnügen, eine
mit Grauen gemischte Bewunderung des grandiosen Schauspiels
zum Ausdruck, aber sie wird nie zum lyrischen Selbstzweck, sie
bleibt immer nur Ornament, Begleitmusik, während die zweck-
volle Beziehung des „Gegenstandes" auf den Menschen immer
der eigentliche Inhalt der Darstellung ist. Nur in der Form, in
der entfesselten Sprache vermag sich etwas wie Freude an dem
heroischen Pathos des Vorgangs auszudrücken. In dieser Un-
fähigkeit, die stoffliche Relation zur Natur ästhetisch zu ent-
spannen, tritt etwas von der ungebrochenen anthropozentrischen
Selbstsicherheit zutage, die eine der wichtigsten Komponenten
im Lebensgefühl des Jahrhunderts ist und auf die der Verlauf
der Untersuchung immer wieder zurückkommen wird.

Mehrfach verwendet G. die Schilderung einer Naturstim-
mung — besonders des anbrechenden Morgens und der hereinbrechenden Nacht —, um ihr den Gemütszustand seines Helden
in schroffem Kontrast gegenüberzustellen. Mit heiteren, schäfer-
lichen Farben malt er, Pinselstrich neben Pinselstrich, der natürlichen Entwicklung folgend, das Erwachen des Tages:

> „Die braune nacht vergeht, Diane wil erbleichen,
> Der wagen kehrt sich um, der sternen heer' entweichen,
> Der himmel steht gefärbt, die morgenröthe lacht,
> Das große licht der welt, die edle sonn erwacht,
> Die angenehme lufft spielt durch die grünen wälder,
> Der perlen thau erquickt die ausgedörrten felder,
> Die welt steht als erneut." Kath. 1, 169 ff. –

— ein nach erprobtem, klassischem Rezept zusammengestelltes
Mosaik, eine gedrängte Summe epithetisch wohlverzierter Detail-
schilderungen, die schließlich abgebrochen werden, obwohl sie
noch seitenlang fortgesetzt werden könnten. Die einzelnen Bruch-
stücke des Naturgeschehens werden, eingewickelt in die gewählten prächtigen Wörter, nebeneinander gelegt, wobei der zeitliche
Fortschritt des Geschehens eine, freilich nur sehr äußerliche,
Einheit darstellt. Dies ganze Gemälde aber befindet sich
nicht in einem lyrischen Gedicht, sondern in einem drama-

tischen Dialog Salomes mit Procopius in der „Katharina". Und sein stilistischer Zweck liegt nicht in ihm selber; es soll vielmehr das Dunkel der ausweglosen Verzweiflung Katharinas und der Ihrigen diesem heiter lächelnden Morgen gegenüber nur um so sichtbarer machen. Mit erhobener Stimme fährt dann Salome übergangslos mitten in der Verszeile von der erneuerten Welt fort:

> „...wir aber, wir allein
> Vergehen in der angst. Die finsternis der pein,
> Des kerckers grause noth..." usf. (Ebenda.)

Ähnlich ist es in dem „Morgensonett", dem ersten von den vier Tageszeitgedichten, mit denen das vierte Buch der Sonette einsetzt. Die gleichen Attribute des Morgens erscheinen wieder in etwas anderer Einkleidung, alsbald aber wendet sich der Blick von der zwar poetisch ausgeführten, aber mit keinerlei eigenen Stimmung ausgestatteten Naturtatsache zum eigentlichen Anliegen, dem morgenlichen Aufblick zu Gott. Und jene Momente des aufgehenden Tages erscheinen jetzt zum Teil — das ist der einzige Zusammenhang zwischen der ersten und zweiten Hälfte des Sonetts — in allegorisch-geistlicher Übertragung: Gott möge als erleuchtende Sonne Seelen-Nacht und Schmerzen-Finsternis vertreiben. Hier ist die Verwendung der Natur nicht gerechtfertigt als stilistisches, stimmungsmäßiges Kontrastmittel gegen den Seelenzustand des Menschen, sondern die Natur wird zum allegorischen Hinweis und zum Zeichen. Ihr wird eine geistliche Bedeutung imputiert, die sie ihres eigenen Wesens gänzlich beraubt, sie aber würdig der poetischen Verwendung macht. In gleicher Weise endet das folgende Sonett an den Mittag mit einer religiös-moralischen Sentenz, die der geschilderten äußeren Situation erst ihren höheren poetischen Wert, ihren „sensus mysticus" auf Grund allegorischer Interpretation verleiht.

Im Drama dagegen fehlt die kontemplative Ruhe, die zur Entwicklung des Allegorischen gehört. Hier bleibt die Natur überwiegend ein antithetisches Stilmittel. Aber gleichzeitig kommt es dabei deutlich zu dem Versuch, die in dem Naturvorgang liegenden Stimmungsmöglichkeiten ästhetisch auszunützen. Die Situation, als Cardenio sich nächtens aufmacht, unmittelbar bevor der rettende Geist Olympiens ihm begegnet, schildert G. folgendermaßen:

> „Diane bringt hervor ihr abgenommen licht
> Und schielt den erdkreis an mit halbem angesicht.
> Man hört von weitem nur der wackern hunde heulen
> Und einsames geschrey der ungeparten eulen.
> Die fenster stehn entseelt von ihrer kertzen schein,
> Der schlaff spricht allen zu und wiegt die augen ein,
> Nur meine rache nicht!..." Card. 4, 15 ff. –

Jeder Zug, der das Nachtgemälde vervollständigt, erhöht das Unheimliche der Stimmung, die unmittelbar auf das Hervortreten der gespenstigen Olympie hinführt. Hier werden die zerstreuten Teile der Natur wirklich bereits durch die innere Einheit eines verbindenden Gefühles zusammengefaßt, wie es G. überhaupt am ersten bei seinen Schilderungen der N a c h t und der E i n s a m- k e i t gelingt.

Das Schlummerlied, mit dem Leo zu Beginn des dritten Aktes in Schlaf gesungen wird, beginnt:

> „Die stille lust der angenehmen nacht,
> Der ruhe zeit, die alles schwartz anstreicht,
> Krönt nun ihr haupt mit schimmernd-lichter pracht.
> Der bleiche mond, der sonnen bild entweicht.
> Die erd erstarrt. Der faule Morpheus leert
> Sein feuchtes horn auf tausend glieder aus
> Und deckt mit schlaff, was schmertz und tag beschwert.
> Der träume schaar schleicht ein in hütt und hauß." Leo 3, 33 ff. –

Hier hat die Nacht nicht den schielenden Mond, Eulengeschrei und leblose Fenster zu ihren unheimlichen Attributen. In diesem Gesang der Höflinge, der den Kaiser einschlummern läßt, liegt die Unwiderstehlichkeit des Schlafes und die Geborgenheit nächtlicher Ruhe. Dabei ist die Schilderung erfüllt von ruheloser Bewegung; ebenbürtig wie selten stellt sich überall das Verbum neben das Nomen, — es ist hier eine geisterhafte Geschäftigkeit, die der anderen, der nächtlichen Welt zugehört. Die lautlosen Bewegungen der sich schmückenden Nacht, des Schlafgottes und der ungehinderten Geister des Traumes vollziehen sich auf der erstarrenden Erde. Und gerade in dem schattenhaften Leben, das hier unwirklich erwacht ist, spiegelt sich der tiefe Schlaf der Welt. Alle diese Schilderungen tragen das gleiche Gepräge einer gedrängten Komposition aus einer Reihe von jeweils in kurzen, selbständigen Sätzen auftretenden Feststellungen.

„Der schnelle tag ist hin; die nacht schwingt ihr fahn
Und führt die sternen auf. der menschen müde scharen
Verlassen feld und werck; wo thier und vögel waren,
Traurt itzt die einsamkeit..." 131, 3, 1 f. –

Auch in diesem Gedicht biegt der Gedanke dann sofort in das
Allegorisch-Erbauliche, das Hinschwinden des Lebenstages, ab.
Noch vermag der Dichter die gefühlte Stimmung der Landschaft
und der Natur nicht zum unmittelbaren symbolischen Ausdruck
der ihn bewegenden und durch sie angeregten Stimmung zu
machen. Noch stellt er nur das poetisch verzierte Sein der Natur hin, ohne den eigentlichen Willen, es beseelend zu verwandeln. Und n e b e n dies Sein stellt er dann in beständiger
allegorischer Verklammerung von Geistigem und Sinnlichem die
Bedeutung. Aber es läßt sich nicht verkennen, daß gewisse, G.
wesensverwandte und ihn seltsam anziehende Erscheinungen wie
etwa die N a c h t und die E i n ö d e — oft nur in einer einzigen
Gebärde — zu einem bei ihm selber wie in der dichterischen Um-
welt nicht gekannten eigenkräftigen Leben erweckt werden.
Doch diese vereinzelten, leicht zu isolierenden Bilder bleiben
ungenützte und unentwickelte Möglichkeiten; sie dringen nicht
über den Bereich ihrer zufälligen Verwirklichungen hinaus und
ändern nichts an der stilistischen Struktur des barocken Gedichtes, das einer gestalthaft-symbolischen Mitte entbehrt.

In dem Sonett „Einsamkeit" tritt das M i t e i n a n d e r v o n
L a n d s c h a f t s c h a r a k t e r   u n d   S e e l e n s t i m m u n g,
wie es für den barocken Dichter möglich ist, in repräsentativer
Weise hervor. Es zeigt, wie es nirgend sonst der Fall ist, den
Dichter in seiner Landschaft.

„In dieser einsamkeit der mehr denn öden wüsten,
Gestreckt auf wildes kraut, an die bemooste see,
Beschau ich jenes thal und dieser felsen höh',
Auf welchen eulen nur und stille vögel nisten.
Hier, fern von dem pallast, weit von des pöbels lüsten,
Betracht ich, wie der mensch in eitelkeit vergeh',
Wie auf nicht festem grund' all unser hoffen steh',
Wie die vor abend schmähn, die vor dem tag uns grüßten.
Die höl', der rauhe wald, der todtenkopff, der stein,
Den auch die zeit auffrißt, die abgezehrten bein
Entwerffen in dem muth unzehliche gedancken.
Der mauren alter graus, diß ungebaute land
Ist schön und fruchtbar mir, der eigentlich erkannt,
Daß alles, ohn ein geist, den Gott selbst hält, muß wancken."
133, 6, 1 ff. –

Das ist die dichterische Ideallandschaft dieses Liebhabers der
Friedhöfe und der Gräber.[11]) So nahe der Gedanke an die grau-
verhängte, nordische Schwermut Ossianischer Gefilde hier liegt,
— bei G. fehlt doch gerade jegliche poetische Stimmung. Hier
findet sich kein wallender Nebel, keine Wolken treiben, kein
Windhauch regt sich. Tot, starr und gegenständlich liegt die
Landschaft da; die einzigen Lebewesen, Eulen und „stille" Vögel,
erhöhen nur den Eindruck trostloser, lebensferner Einsamkeit.
Meer und Gebirge verkörpern, noch frei von jedem ästhetisch-
erhabenen, autonomen Stimmungsgehalt, nur die Elemente der
Unfruchtbarkeit, der Wüstenei und der Zerstörung. Vgl. auch
die Abschiedsklage:

> „Ihr w ä l d e r, ihr revir,
> Ihr zeugen meiner schmertzen,
> Ihr w ü s t e n f e l d e r ihr,
> Ihr t h ä l e r, den ich offt mein leid vertraut, ade!" 274, 7, 27 f. -

Dieser Landschaft fehlt nicht nur alle lyrische Beseelung, alles
Leben, alle Bewegung, ja, alles Organische, — in ihrer gänzlich
unverwandelten, fremden Dinglichkeit gleicht sie selber einem
Friedhof und Trümmerhaufen der Natur. Und eben darin liegt
für den betrachtenden Blick des Dichters ihr Erbauliches. Denn
nur, wo das letzte Leben ausgelöscht, wo selbst das Organische
in totes Stückwerk und Trümmer zerfallen ist, wo nur noch die
elementaren Verkörperungen der Leere, des Grauens und des
Todes walten, da vermag der immer unruhige, immer durch
allen Schein zum Wesen, durch alles vorbeifließende Jetzt zum
nahenden Einst, zum Ende dringende Blick auszuruhen. Hier ist
der unerträgliche Schein des Lebens der Wirklichkeit des Todes,
der Leere, des Nichts gewichen. Und während jeder prächtige

---

[11]) Was auch bei diesem Sonett vor einer allzu persönlichen Auffassung bedenklich macht, ist, daß sich bei O p i t z — Poemata, Frankfurt
1644, Poet. Wälder 4. Buch, S. 304 — eine Properzübersetzung findet, die
folgendermaßen beginnt:

> „Auff dieser wüsten stett / in dieser stillen Heyde
> Da niemand innen wohnt / als nur der Westenwind /
> Da kan ich ungeschewt genung thun meinem Leide" u. s. f.

Der Fortgang ist eine Liebesklage um „Cynthia"; vgl. auch die Bemerkungen bei A. J o s e p h, a. a. o. S. 16.

Palast, jeder blühende Mensch im Dichter nur das quälende Gefühl des unaufhaltsamen Verfalles, der nahenden Verwesung wachruft, fühlt er hier das Letzte, Bleibende, Eigentliche, das zum Verweilen auffordert, weil es mehr ist als die wehe Lust eines Augenblicks. Auf dieser Stätte, die zeitlos ist und ohne Wechsel, weil es kein Leben auf ihr gibt, ist der archimedische Punkt gefunden, von dem aus der Dichter das verzweifelte Spiel des wechselvollen Daseins betrachten kann, ohne beständig mit in seinen Strudel gerissen zu werden; angesichts dieser Einöde ist der Mensch sich selber gleichsam schon vergangen und fähig zu jener affektlosen Betrachtung, die der Lebende, Fühlende, Wollende nicht aufzubringen vermag.

Und nun vollzieht der Dichter auch den letzten Schritt, er zerstört auch den Schein der Einheit, des zusammenhängenden Gebildes, den die Schilderung der ersten Zeilen übrig gelassen hatte. Er umgibt sich mit den zusammenhanglosen Trümmern alles Lebendigen: des Menschen und seiner Werke und der Natur. Höhle, Wald, Stein und unfruchtbares Feld, Totenkopf, Gerippe und Ruine, — das ist die in Dingtrümmer, Ruinen und Fragmente aufgelöste Welt. Nachdem sie auf solche Weise unserem Gefühl nach für die dichterische Verwendung unbrauchbar gemacht ist, wird sie für G. gerade „schön und fruchtbar", quellend von Anregungen und erfüllt von Bedeutung. Eben damit ist aber das, was an der Natur „Natur" ist, völlig nivelliert. Wald, Höhle und Wüstenei ist nichts grundsätzlich anderes mehr als Gebeine und Ruine. Es sind Dingstücke, die ihren Wert darin haben, daß sie einen gültigen Begriff, eine Wahrheit, eine geistige Bedeutung durchscheinen lassen. Ihr Vorzug liegt in ihrer sinnbildhaften Qualität. Vor und über dem Bilde, das in sich selber nichts ist, steht der Sinn. Nur wo das Bild jeden Anspruch auf einen eigenen, autonomen Sinngehalt aufgegeben hat, wo es zum reinen Ding und zum Trümmerteil geworden ist, vermag es dienende Verkörperung eines höheren Sinnes zu werden. Gleichzeitig ist es die höchste und echteste Stufe von G.s Naturgefühl, wenn die Landschaft fähig wird, sich dergestalt in ein reines Bild für den Sinn zu verwandeln, wenn das natürlich-physische Sein zur Brücke wird in das spirituelle ewiger Wahrheiten und gültiger Erkenntnis.

Daneben kennt und beherrscht G. durchaus die p o e t i s c h e
T e c h n i k d e r p e r s o n i f i z i e r e n d e n u n d v e r z i e r -
l i c h e n d e n Z u b e r e i t u n g d e r N a t u r f ü r d e n d i c h -
t e r i s c h e n G e b r a u c h. Hier fehlt jenes Moment ursprüng-
licher Hinneigung des Dichters zu einer in all ihrer lebens-
abgewandten Starrheit ihn verwandt berührenden Szenerie, hier
rückt alles wieder in jenen Bereich literarischer Künstlichkeit
und Konvention, der jede unmittelbare und ursprüngliche Wirkung der Natur ausschließt.

Selbst die lyrische Verherrlichung der Sterne, die der Dichter

„nicht auf erden satt kan schauen"

und die ihn zu einem eigenen Sonett veranlaßt — 118, 36 — zeigt
das Überwuchern der rhetorisch-dekorativen Formen über den
Gegenstand und gleichzeitig die nie entspannte Distanz von
Mensch und Natur, die jedes lyrische Einswerden des Dichters
mit der Natur, jedes wirkliche, über den Menschen hinweg-
gehende Subjektwerden der Natur verhindert und trotz aller be-
lebenden Metaphorik das Verhältnis des (dichterischen) Ich zu
einem (endlichen) Gegenstande nicht überwindet. Die sechsmalige
Anrede — „lichter", „fackeln", „diamanten", „blumen" — lauter
dem gebräuchlichen Bildschatz angepaßte Metaphern mit ihrer
charakteristischen Neigung zur Idyllisierung und Verendlichung
ihres erhabenen Gegenstandes — steigert der Dichter von der
vergleichenden Bewunderung der Schönheit der Gestirne zur
liebend-personifizierenden Belebung: „Ihr wächter", „Ihr bürgen
meiner lust", „Herolden dieser zeit". Und der wie häufig zur
entscheidenden gedanklichen Pointe aufgipfelnde Schluß führt
wieder völlig auf den Dichter zurück.

„...wenn wird es doch geschehen,
Daß ich, der eurer nicht allhier vergessen kan,
Euch, derer liebe mir steckt hertz und geister an,
Von andern sorgen frey werd unter mir besehen?" 118, 36, 11 ff.

Eine frühere Fassung des Schlusses „...was näher werde seyn"
— entbehrte zwar der sprachlichen Exaktheit und Glätte, vermied aber dafür die allzu plötzliche Verlegung des lyrischen
Schwerpunkts von der „Sache" auf den Dichter und verhinderte
so die Desillusionierung des Lesers, dem nunmehr unwidersprech-

lich deutlich wird, daß hinter dem geschmückten sprachlichen Schein das Mensch-Gegenstandverhältnis mit der fraglosen Wertdominante des Menschen auch im lyrischen Vorgang nicht angetastet wird.

Alle Dinge der Natur sind zwar lebendig geworden: Sonne, Mond und Sterne, die Nacht und der Wind sind zu handelnden, fühlenden Wesen gemacht, aber es ist eine literarische Pseudobeseelung, eine künstliche Theatereinkleidung, bei welcher der Dichter mit Vorliebe zu den gebrauchsfertig bereitliegenden Kostümen der griechischen Mythologie greift, so das dichterische Handwerk in die gelehrte Hantierung hinüberspielend. Tatsächlich aber wird hier eine weit folgenschwerere Entseelung vorgenommen als da, wo die Landschaft zum dinghaften Sinnbild tiefster Gedanken wird. Denn was hier wirksam ist, das ist nicht die erfühlende Schau der mythischen Lebendigkeit der Natur, und es ist auch nicht die überflutende, beseelend sich den Dingen mitteilende Kraft des leidenschaftlichen Gefühles,[12]) — sondern es ist das ganz leidenschaftslose, fast mechanische Verfahren, der Natur ein Subjektsbewußtsein zu imputieren, das genau mit demjenigen übereinstimmt, das der jeweilige Held besitzt. Sonne, Mond und Sterne werden zu personifizierten Doppelgängern des Helden, deren einzige Aufgabe es ist, zu lieben, zu leiden, zu zürnen wie er. D i e N a t u r d r e h t s i c h u m d e n M e n - s c h e n a l s i h r e M i t t e ; von seinen Gefühlen ebenfalls beseelt zu sein, ist ihre einzige Aufgabe.

> „. . . Der sanffte westen-wind,
> Der durch die sträucher rauscht, beseuffzet und empfindt
> Die unausssprechlich angst, die meine seele drücket.
> Diane, die bestürtzt und dunckel uns anblicket,
> Bejammert meine noth und bittet, wie es scheint,
> Vor diesen, der für ihr auf seinen knien weint." Card. 4, 203 ff. -

Das für unser Gefühl alle Illusion unbarmherzig zerstörende „wie es scheint" bedeutet für den barocken Leser, dem die distanzierende Künstlichkeit des poetischen Verfahrens nie aus dem Bewußtsein schwindet, eher eine besondere Verfeinerung.

---

[12]) Vgl. dazu: P o n g s , Das Bild in der Dichtung, I. Marburg 1927.

„Die sonn' ist hier nicht helle,
Sie scheuet meine klag;
Der monden fleucht die stelle..." 212, 6, 15 f. -
„Entweiche, Phaeton! Dis hertze kömmt ans licht,
In dem der gantze Styx. Verdeckt eur angesicht,
Ihr kertzen jener welt! Diane lauff zurücke
Ob diesem greuel-nest..." Pap. 3, 623 f. -
„Güldnes licht, der erden wonne,
Das den großen bau erhält,
Schmuck des himmels, schönste sonne,
Wie daß nicht dein glantz verfällt?
Kanst du ob dem greuel stehn?
Wilst du nicht in wolcken gehn
Und mit donner-schwartzen flecken
Dein bestürtztes antlitz decken?" Carol. 3, 801 f. -

Hier überall ist die Natur ein Stilmittel, die traurigen oder
entrüsteten Empfindungen, die in dem Helden leben oder die
der Dichter im Leser hervorzurufen wünscht, umschreibend zu
vergegenständlichen, indem er sie auf die zu diesem Zwecke ver-
menschlichte Naturerscheinung, vor allem die Gestirne, überträgt. Der in Anblick und Gestalt wechselnde Mond fordert dabei
besonders auf, diesen Wandel personifizierend-psychologisch zu
begründen.

„Diane gibts gewonnen
Und deckt mit einer wolck ihr schamroth angesicht."
                                        Card. 4, 30 f. -
„Die schnelle lufft ersaußt,
Der monden fleucht bestürtzt..." 562, 15 f. -
„Phoebe lescht mit nassen wangen
Schon ihr silber-zartes licht..." Carol. 3, 817 f. -
„Diane stieg hervor mit halb-verwandten wangen." Card 5, 137. -

Auch sonst ist die Personifikation überall da gern angewandt, wo
etwa zur Umschreibung der Jahreszeit oder der Stunde auf die
Natur zurückgegriffen wird.

„Wenn der abend hergeschlichen" 233, 2, 69 - „Wenn sich die
schwartze nacht wird für dem monden schämen" 121, 41, 12 -
„Die nacht schwingt ihre fahn" 131, 3, 1. - Sie macht sich „in
den mittel-punct des himmels" Card. 5, 135 f., - bewegt sich von
ihrem Platz Carol 5, 364 - der Abendstern winkt der braunen
Nacht 537, 48 - wie der Morgenstern der güldnen Sonne

Pap. 1, 390. - Die Bäume „erbleichen" im Herbst 111, 23, 5 - ja, sie erschrecken bis in den Tod vor der Winterkälte 112, 25, 4. - Die Jahreszeiten selber erscheinen, wenn sie allegorisch auftreten, als Jungfrau, reifes Weib und Greisin Card 3, 185 ff. - Die astronomisch-mythologischen Benennungen erleichtern dabei die personifizierende Umschreibung kalendarischer Bestimmungen. Statt: in sechs Monaten — heißt es:

> Wenn „Cynthie dreymal mit vollem angesichte
> Und wider noch dreymal mit neu entstecktem lichte
> „der hörner flamm erhöht..." Card. 5, 413 f. -

Statt: immer — „So lang als Phoebe soll die braunen wolcken mahlen" Pap. 5, 248. -
Statt: es ist Herbst, wäre es Sommer —

> „Der schwartze scorpion steckt schon die scheren aus
> Und träuffelt blaße gifft auf wald, auf feld, auf haus.
> Wann noch die jungfrau sich wolt um den himmel schwingen..."
> 530, 65 f. -

Doch kann die Umschreibung der vier Jahreszeiten auch durch die Heraushebung ihrer charakteristischen Symptome erfolgen: statt: immer —

> „Wenn der schnee die felder kleidet,
> Wenn der süße westwind weidet,
> Wenn die heißen wälder brennen,
> Wenn ein baum läßt frücht' erkennen..." 254, 12, 31 ff. -

Vgl. die analoge Darstellung der Tageszeiten v. 19 ff. - Oder statt überall —

> „...wo Titan weicht, wo Helice vergeht,
> Wo das entfärbte licht der morgenröth auffsteht,
> Und wo die welt sich selbst in ewig eis verkehrt.
> Carol. 2. 243 f. -

Der geringen Neigung zu erotischen Gedichten entsprechend, findet sich bei G. auch wenig von der damals — mit der gleichen Unbekümmertheit, mit der man die Natur zum Sprachrohr und Widerschein der eigenen Gefühle machte — beliebten Ausplünderung zugunsten der Geliebten. Aber „Cardenio und Celinde", das Liebesdrama, enthält doch ein Bild von so galantem Reiz:

> „Die nacht, die um uns schwebt,
> Sey ihr statt einer wolck der zart-gewürckten seiden."
> Card. 4, 212 f. -

Eine letzte Möglichkeit der ausführlicheren Schilderung der Natur bieten noch die Fälle, in denen G. elementare Katastrophen, Meeresstürme, Gewitter, Dürre usf. — darstellt. Auch hier herrscht die Methode additiven Aneinanderreihens einzelner, in sich abgeschlossener und isolierter Details vor. In den Sturmgemälden tragen Verbum und Epitheton die Hauptlast klanglicher und dynamischer Wirkung. In der sprachlichen imitatio des Natureindrucks liegt das Hauptziel der Darstellung, während Metaphorik und Beseelung zurücktreten.

> „...wie schaumt die schwartze see
> Und sprützt ihr grünes saltz! Wie reißt der zorn die wellen
> Durch nebel-volle lufft! Wie heult das wüste bellen
> Der tollen stürm uns an! Die klippe kracht von weh...“
>
> 173, 26, 1 ff. -

Vgl. auch das folgende Sonett „auf das grausame unwetter, so den 24. Aug. 1654 entstanden“.

In gewollt monotoner Deckung der Verszeile mit der syntaktischen und sinnesmäßigen Einheit zählt dagegen die Darstellung der Dürre die langsam und unerbittlich tötenden Folgen der Glut auf:

> „...die ehrnen wolcken brennen,
> Die tunckel-rothe Sonne glüht,
> Indem der grund sich wil zutrennen,
> Und man die ufer wachsen sieht.
> Die ströme, die sich vor ergossen,
> Sind fast den bächen gleich verschossen.
> Der wald steht laublos und empfindet,
> Wie der verhaßte sud auszehr,
> Die äst und wipffel offt entzündet...“ usf. 494, 7 ff. -

E x k u r s I.
Die Verwendung der Mythologie.

Die doppelte poetische Forderung nach dichterischer Beseelung der Gegenstände und nach ihrer von der Belesenheit
und Bildung des Verfassers zeugenden Einkleidung in antike
Gewänder und gelehrte Namen wurde aufs Glücklichste erfüllt durch die M y t h o l o g i s i e r u n g der Dinge und Ereignisse. Gleichzeitig wurde sich der barocke Dichter, ob auch
das Mythologumenon für ihn reiner sprachlicher Schein war, des
realen Zusammenhanges mit den „Alten" stolz bewußt.[1]) Wie
es für ihn nur e i n e Poesie gab, so gehörte die grundsätzliche
Identität der eigenen Poesie mit der der Antike zu seinen
teuersten Überzeugungen. Von zwei Seiten her wurde dies, wie
so viel anderes, unmittelbar von der Renaissance übernommene
Stilmittel dann zurückgedrängt: von den deutschtümelnden
Kämpen für die Selbständigkeit und Reinheit der eigenen
Hauptsprache — hier vor allem von Z e s e n —, und von den
überzeugt christlichen Dichtern, wie etwa R i s t und B i r k e n ,
die sich, Rist besonders, mit renegatenhaftem Schelten von der
früher selbst betriebenen Praxis abwandten und sich wider die
heillose Vermischung von Christlichem und Heidnischem und
wider die poetische Verwendung der moralisch wenig einwandfreien heidnischen Abgötter ereiferten. Dabei gelang es jedoch
sogar den Rufern im Streit nicht, diesem beliebten und angesehenen Stilmittel zu entsagen, und derselbe B i r k e n dichtet in
seinem Lehrbuch, daß Christus die Tränen der Frommen „in
Olympischen Büsehen" abwischen wird.[2])

Auch G. bediente sich überaus häufig mythologischer Einklei-
dungen, freilich ohne dabei den Kreis der bekannten antiken
Götter- und Sagenstoffe zu überschreiten. Aber er schied ganz
streng zwischen den religiösen und den weltlichen Gedichten und

---

[1]) Über das Verhältnis des 17. Jh. zur Antike vgl. auch A. J o s e p h ,
a. a. O. S. 9 f. und S. 12: „Die antike Dichtung ist nicht mehr ein sinn-
volles Ganze, ... sondern ein Beutefeld für stoffliche und sprachliche
Einzelheiten."

[2]) Teutsche Rede-, Bind- und Dichtkunst. Nürnberg 1679, S. 20.

vermied es durchgehend, christliche und antike Symbolik zu ver-
mischen. In seinen biblischen und rein religiösen Gedichten hat
die antike Mythologie keine Stelle. Verse wie die über Christus:

> „... der teuffel übermeistert
> Und Ditis klufft zubrach und seine nacht zutrat." 526, 68 f. -

gehören zu den ganz vereinzelten Ausnahmen.

Im Übrigen aber stellt das mythologische Vokabular der Antike ein unentbehrliches Arsenal personifizierender Umschreibungen und gelehrter Zeichen dar. Niemand nimmt dabei das
mythische Kostüm irgendwie ernst. Jeder durchschaut es augenblicklich nach seinem nüchtern gegenständlichen oder begrifflichen Inhalt. Die schöpferische Phantasie bleibt auch hier ganz
aus dem Spiel. Aber dennoch bereitet das Spielen mit diesem
Kostüm, der rein sprachlichen Attrappe, über das Vergnügen am
gelehrten Requisit hinaus eine ästhetische Freude an den freien
Möglichkeiten, der Buntheit und Beweglichkeit des sprachlichen
Scheines, der die nüchterne, starre und triviale Dinglichkeit auflöst und erhöht in eine irreale, freie Wort-Welt, in der die Dinge
eine neue, verwandelte, verschönte, verlebendigte (d. h. ver-
menschlichte) Gestalt gewinnen. Hier erscheint nach Möglichkeit
kein Gegenstand und kein Begriff wie er i s t ; die eigentliche Benennung, die den kürzesten Weg vom Namen zur Sache darstellt, wird zugunsten eines Umweges erweitert oder außer Kraft
gesetzt. Dieser sprachliche Umweg verändert am Sein der
S a c h e nichts. Die verwandelnde und gestaltende Kraft des
barocken Dichters geht über den rein sprachlichen Raum nicht
hinaus. Sie läßt die Sache unangetastet und richtet sich lediglich
auf die Benennung. Eines der Hilfsmittel bei diesem Bemühen,
die Dinge anders, gewählter, seltener, indirekter zu benennen,
ist der Einsatz der antiken Gottheit für die gemeinte Sache. Das
Bewußtsein, die Gottheit stelle auch noch etwas anderes, Selbständiges neben dem Element, das ihr gehört, dar, ist dabei ganz
fortgefallen. Die Gottheit ist mit ihrem Element schlechterdings
identisch und also nur noch ein anderer N a m e für die Sache
selber, — ein Name aber, der ohne weiteres die Einführung der
Sache als eines (menschlich) handelnden und empfindenden Subjekts ermöglicht.

Der Morgen verbindet sich mit Eos, der Tag mit Titan oder Phoebus, die Nacht mit Diana, Phoebe und Cynthia.

„Die Eos früh in gold auf ihrem stuhl anlacht" Carol 5, 11 - 529, 7 - „Der strenge Titan sengt..." Leo 1, 365 - vgl. Leo 3, 18 - 103, 10, 9 - Pap. 5, 165 - „Wenn Titan nun des widers horn erhöht" Leo 4, 174 - „So hell als Phoebus strahlt" Pap. 5, 165 - „So lang als Phoebe soll die braunen wolcken mahlen..." 248 - „Diane stieg hervor mit halb-verwandten wangen" Card. 5, 137 - „Dafern Diane kam, gieng Phoebus über mir" Card. 1, 47. -

> „Wenn Cynthia auffgeh
> Und Hermes fünckel aus der höh" Pap. 1, 429 f. -
> „Eher wird Phebe die sonne verkennen" Pap. 4, 451 -
> „Diane bringt hervor ihr abgenommen licht" Card. 4, 15 -
> „Diane, die bestürtzt und dunckel uns anblicket" Card 4, 206 -
> „Wie wenn Dian bey nacht auffgeht mit vollem lichte" Pap. 3, 95 -
> „Wenn Cynthie ihr horn steckt auf den abend an...
> Und wenn Matuta lacht"... 143, 23, 9 f. -
> „Die braune nacht vergeht, Diane wil erbleichen" Kath. 1, 169 -
>   vgl. Card. 3,206 - Card. 1, 133
> „Offt eh die sonne fiel, offt eh Dian erwacht" Card. 2, 240 -
> „Die bleiche Cynthia, vor zeugin meiner lüste" Card. 2, 49 -
> „... Diane gibts gewonnen
> Und deckt mit einer wolck ihr schamroth angesicht" Card. 4, 31 -
>   vgl. noch besonders Carol. 3, 817 ff.

Alle Zeitangaben, aber auch Abstraktionen wie „überall", „niemals", „nirgends" können mit Hilfe der Götter konkretisiert werden. Sogar die Sonnenfinsternis wird so vergegenständlicht: „Wenn Diane sich vor ihren Phoebus stellt" Pap. 5, 293. -

Immer aber ist das Gestirn-Mythologumenon nur ein überlegen und überlegt gehandhabter schöner sprachlicher Schein, der eine Z e i t b e s t i m m u n g , eine U n m ö g l i c h k e i t s b e -t e u e r u n g , ein E n t r ü s t u n g s g e f ü h l , einen bedeutenden S i n n g e h a l t auf der dichterischen Sprachebene einer konventionellen, geschmückten, künstlichen Gegenständlichkeit verhüllt und entfaltet: „Astree steigt herauf; der bähr ist umgekehret" Leo 4, 27 - = nach Mitternacht. „Eh wird Calisto sincken, Wohin der grause Styx die schweffel-wellen schickt" Pap. 1, 312 f. - „... Verdeckt eur angesicht, Ihr kertzen jener welt! Diane lauff zurücke." Pap. 3, 624 f. -

T h e t i s , T r i t o n und A m p h i t r i t e werden die personifizierten Synonyma des M e e r e s : „ . . . an Thetis strand"
444, 92 -
> „Wenn Amphitritens tolle schoß
> Viel tausend menschen wird gebähren" 350, 304 f. –

„Trittons stoltze wellen" Carol 3, 449 - „ . . . Thetis schaum"
Carol. 5, 352 - „Amphitrit ist gantz bestürtzet, daß die Tems
es wagen kan" Carol 2, 558 - „Eher wird Thetis hell-lodernd
verbrennen" Pap. 4, 452 - „Fleuch hin, wo Amphitrit den heißen
sand umpfählet" Leo 3, 531. –
E r o s , C u p i d o , V e n u s , H y m e n und A m o r beleben die L i e b e s -, besonders die H o c h z e i t s g e d i c h t e.
Vgl. 536, 7 f. - 188, 52, 3 - 148, 32, 7 - 147, 31, 7 - 558, 58. –
Neben der Liebe erscheinen die G e r e c h t i g k e i t , als T h e -
m i s und A s t r a e a , die B e r e d s a m k e i t — S v a d a , das
S c h i c k s a l — die P a r z e n und speziell L a c h e s i s Pap.
1, 326 -, die V e r g e s s e n h e i t — L e t h e , und der S c h l a f
— M o r p h e u s — in Gestalten antiker Gottheiten.
> „Das ist der traute sitz, den Themis ihr erkohren,
> Da Svada sich ergetzt." 106, 14, 1 f. – '

Vgl. zu Themis 187, 50 8 - Carol. 1, 342 und 3, 670 - und besonders die Tragödie des unbestechlichen Richters:
> „Nun es Astreen selbst bey mir an richtern fehlt,
> Die traurig um sich sieht und leere stühle zehlt." 514, 85 f. –

Vgl. „Er, den die tugend liebt . . . ergetzt . . . sich täglich mit
Astreen" 109, 19, 5 ff. - vgl. 513, 38 - Pap. 3, 664 - „das
rad der Parcen" 108, 18, 10 - vgl. 142, 22, 14 - „durch gifft
den Parcen vorzukommen" Leo 1, 533 - vgl. 548, 41 - Pap.
3, 179. - „Weil sich die that nicht läßt in Lethe strom ver-
sencken" Pap. 3, 51 - „des Lethe klufft" 108, 18, 12 - „So fällt
ihn Morpheus an" Leo 1, 393 - „ . . . Morpheus kam geschlichen
Mit seiner träume schaar" 562, 10 f. - „Wofern es ruhen heißt,
wenn Morpheus uns bestrahlt" 529, 9 - „Manch schier unmöglich
ding Stellt Morpheus deutlicher und lehrt es recht vollenden."
557, 7 f. - vgl. Leo 3, 37. –
A p o l l und die M u s e n , besonders C l i o , U r a n i a und
C a l l i o p e sind die Verkörperungen der P o e s i e. 274, 7, 32 f. –

420, 193 - 554, 1 f. - 560, 34 - 561, 59 f. - 573, 2 f. - Wie sehr die Götter hier ihrer ursprünglichen Wesenhaftigkeit und Selbständigkeit beraubt, zu bloßen Sprachmitteln, zu geschmückten Namen geworden sind, zeigt sich, wenn der Dichter die ihm persönlich verliehene Gabe als „mein Phoebus", „meine Klio" bezeichnet 146, 29, 12 - 147, 31, 11 - 376, 6. - Daher können die Götter auch unbedenklich zur Erhöhung des menschlichen Wertes, zum Preise menschlicher Tugenden und Fähigkeiten verwandt werden. Wendungen wie:

„Ob schon Minerva selbst vor seinem mund' erbleicht,
Ob Phoebus ihm die ley'r, die wage Themis reicht" 109, 19, 8 f. -

mit ihrer barocken Zerlegung des persönlichen Wertes in selbständige Einzeltugenden, zeigen, daß es für die preisende Hervorhebung dieser Tugenden keine gemäßere Sprachgebärde gibt als die Personifikation dieser Eigenschaften, die als dem Besungenen verwandt, wenn nicht gar unterlegen, dargestellt werden.

Mit der Fähigkeit aber, im irrealen Raum dieses Sprachwaltens, in dieser Welt des Uneigentlichen, durch das künstlerische Mittel poetischer verhüllend-vergegenständlichender Umschreibung ein Höchstmaß von Aussage und Ausdruck auf knappem Raum zu erreichen, ehrt der Dichter nicht nur seinen Helden, sondern nicht minder sich selber. Jene uns heute so befremdenden hyperbolischen Lobsprüche wurden von ihren Adressaten nicht voll grober Lust an faustdicker Schmeichelei stofflich und direkt genommen, sondern in der ästhetischen Sphäre poetischer Künstlichkeit belassen und mit feiner Kennerschaft für die sprachliche Leistung abgewogen.

Nur selten bezieht G. über die bloße mythologische Benennung hinaus den mit einem Namen verknüpften Sagenstoff mit ein. Am auffälligsten ist in dieser Hinsicht die ausführliche allegorische Verbindung des E h r g e i z e s mit der I k a r u s - s a g e Leo 1, 405 f. - Kath. 1, 43 f. - N i o b e , H e c u b a , S a l m a c i s und O r p h e u s geben dem K u m m e r oder dem R u h m jenen würdigen, gegenständlichen Hintergrund, von dem sich die Besungenen dann ebenbürtig oder überlegen abheben.

„Muß mir nicht Hecube? muß nicht Jocasta weichen?
Ich bin der Nioben doch leben-volle leichen." 148, 33, 9 -

„Laßt mich wie Nioben in einen fels verarten" Pap. 5, 435. -

„O könt ich, Niobe!
Mich plötzlich und noch warm in rauhen marmel schließen!
O könt ich, Salmacis! in thränen-ströme fließen!" Pap. 2, 353 f. -

„So hat Euridicen ihr Orpheus nie besungen" 558, 32. - In den Versen auf „herrn Joh. Herrmanns poetische erquickstunden" heißt es:

„... Rühmt von des Orpheus haubt,
Ihr kühnen Lesbier, das, als der leib geraubt,
Entgläntzt und gar zustückt, doch auff dem strom gesungen
Und, was der jahre lauff nicht in die zeit gedrungen,
Weissagend hat entdeckt! Hier find ich, was ihr dicht."
572, 29 ff. -

Der Kreis der mythologischen Anspielungen geht weit über das bisher Erwähnte hinaus. Es erscheinen u. a.: Lycaon 399, 123 - Pallas und Alecto 403, 214 - Atropos 445, 139 - Jupiter 558, 47 - Minos Pap. 3, 704 - Pluto Carol. 3, 811 - Chloris 112, 25, 6 - die Gärten der Hesperiden 340, 14 - des „Cocytus pfützen" 442, 30 - Pap. 2, 555 - der Acheron Pap. 4, 235. -

Eine mythologische Scheltrede im „Papinian" lautet:

„... Cocythus erb!...
Alecto hat dir ihre schoß, Tysiphone die brust gewehret."
Pap. 2, 300 f. -

Viertes Kapitel.

Formelemente.

1. Interpretationen und Analysen zur Bestimmung des ästhetischen Vorganges im Gleichnis Gryphius'.

Auf Grund dieses Materials, das von der Sach- wie von der Bedeutungsseite her vollständig überblickbar ist, soll nunmehr, unter beständigem Bezug auf den eingangs erarbeiteten Stoff, in einer Reihe von Interpretationen charakteristischer Bild- und Gleichnisformen versucht werden, in die Stilgesetze der barocken Metaphorik, wie sie sich bei Gryphius darstellt, einzudringen. Zunächst eine Gegenüberstellung antiker, moderner und barocker Gleichnisgestaltung:

1. Odyssee, Buch XIII, V. 28 f.

„. . . . . αὐτὰρ ’Οδυσσεὺς
πολλὰ πρὸς ἠέλιον κεφαλὴν τρέπε παμφανόωντα,
δῦναι ἐπειγόμενος· δὴ γὰρ μενέαινε νέεσθαι·
ὡς δ’ ὅτ’ ἀνὴρ δόρποιο λιλαίεται, ᾧ τε πανῆμαρ
νειὸν ἀν’ ἕλκητον βόε οἴνοπε πηκτὸν ἄροτρον·
ἀσπασίως δ’ ἄρα τῷ κατέδυ φαος ἠελίοιο
δόρπον ἐποίχεσθαι, βλάβεται δέ τε γόννατ’ ἰόντι·
ὣς ’Οδυσεῖ ἀσπαστὸν ἔδυ φάος ἠελίοιο.“

2. Penthesilea, V. 213 ff.

„Denn wie die Dogg’, entkoppelt, mit Geheul
In das Geweih des Hirsches fällt: der Jäger,
Erfüllt von Sorge, lockt und ruft sie ab;
Jedoch verbissen in des Prachttiers Nacken,
Tanzt sie durch Berge neben ihm und Ströme,
Fern in des Waldes Nacht hinein: so er,
Der Rasende, seit·in der Forst des Krieges
Dies Wild sich, von so seltner Art, ihm zeigte.“

3. Gryphius: Das folgende Bild beschreibt den Augenblick, in dem Leo, überfallen und zum Altar geflüchtet, seinen Verfolgern das Kruzifix entgegenhält und um Christi willen um Gnade bittet.

„Sie starrten auf diß wort, wie wenn ein felß abfällt
Und der erzörnten bach den stoltzen gang auffhält.
Denn steigt die fluth berg-auf, die tobe-wellen brausen,
Biss daß der zehnde schlag mit ungeheurem sausen
Den anhalt überschwemmt und alles mit sich reißt
Und den bemosten stein in tieffe thäler schmeißt.
Der harte Crambonit begont erst recht zu wütten..."
Leo 5, 153 ff. -

4. Ferner sei der Beginn des Monologes, in dem Katharina
ihre Empfindungen angesichts der scheinbar hoffnungsvollen
Wendung ihrer Lage ausspricht, angeführt.

„Wie wenn der donnersturm der wetter sich verzogen,
Wenn nach der blitzen knall der wolcken nacht verflogen,
Der tauben matte schaar sich an der sonn ergetzt
Und rück und flügel, die des regens fall durchnetzt,
Abtrocknet bey der wärm' und die verscheuchten jungen
Lockt aus des felsen klufft mit girrend-trüber zungen,
So hoffen endlich wir nach schmertz und herbem schmähn,
Nach kercker und verlust die freye lufft zu sehn.
So treten wir zu hauff, wir abgekränckte frauen,
Und lassen uns benetzt von eignen thränen schauen.
So suchen wir die last, die uns so hoch beschwert,
Zu werffen von dem hals' und, was den geist verzehrt,
Zu reißen von der brust. Doch, wie viel sind verschwunden..."
Kath. 4, 1 ff. -

In der sehnsüchtig gespannten Erwartung des Sonnenunter-
ganges liegt der gleichnishafte Kern im Bilde H o m e r s.[1] An
sich ist die Stimmung des Odysseus — durch die Beschreibung
seines häufigen Sichhinwendens zur hellglänzenden Sonne, in dem
Verlangen, sie untergehen zu sehen, um endlich das Land der
Phäaken mit dem heimatlichen Ithaka zu vertauschen — schon
so eindrücklich dargestellt, daß sie durch ein Bild kaum noch

---

[1] Die folgenden Bemerkungen erheben selbstverständlich nicht den
Anspruch, in die vielverzweigte Diskussion über das Verständnis des
Homerischen Gleichnisses einzugreifen. Sie gehen nur auf e i n e n Typus
des Homerischen Gleichnisses und beschränken sich darauf, diejenigen
Züge herauszuheben, die vergleichsweise für das eigentliche Thema dieser
Untersuchung in Frage kommen. Der sehr eindringenden und feinen
Untersuchung über den Gleichnisdichter Homer von H. F r ä n k e l („Die
homerischen Gleichnisse", Göttingen 1921) verdanke ich, ohne ihr in allem
folgen zu können, reiche Anregung.

verdeutlicht, durch eine Analogie kaum noch gesteigert werden kann. Das Bild des Pflügers, der tagtäglich den Feierabend herbeiwünscht, um zur Abendmahlzeit zu gelangen, kann, wenn man es in seinem Gleichnischarakter ernst nähme, den Eindruck sogar nur abschwächen. Allein Homer verstärkt den Eindruck schon dadurch, daß er durch das eingeschobene Gleichnis bei ihm verweilt. Er greift zu einer Analogie aus der jedermann bekannten und von vielen hinreichend erfahrenen Wirklichkeit. Er verbindet das Einzigartige und Ungewöhnliche mit dem Bekannten und Alltäglichen. Was der eigentliche Vorgang an herausgehobener Bedeutung durch das Gleichnis verliert, das ersetzt es ihm durch die jeden Hörer durchströmende Wärme mitfühlenden Verstehens, das es dem Helden zuführt. Die Darstellung selber aber hat ihr Eigentümliches in der epischen Ruhe, in der ganz zweckfremden Gelassenheit, mit der sie sich in den gleichnishaften Gegenstand verliert, mit der sie ihn aufgreift, um ein selbständiges, in sich geschlossenes und wesentlich vollständiges Gemälde daraus zu schaffen, — ein Gemälde, innerhalb dessen das „tertium comparationis" nur e i n e n , nicht einmal notwendig besonders herausgehobenen Zug unter allen anderen bildet und also die gleichnishafte, d. h. auf den Vergleichspunkt zielende Perspektive gänzlich verliert. Erst der anschließende ὥς - Satz stellt nachträglich diese Perspektive wieder her, indem er den gleichnishaft gemeinten Bezug heraushebt und damit gleichzeitig wieder an die Haupthandlung anknüpft und ihre Weiterführung ermöglicht.

Diese Struktur ist nicht ein Ergebnis rationaler Überlegung. Aber sie ist andrerseits auch nicht Ausdruck einer irrationalen, das vielteilige Ganze des Gleichnisses durchdringenden Gesamtstimmung, deren poetisches Fluidum im Gegensatz zu dem aus falschem Rationalismus heraus isolierten e i n e n Vergleichspunkt die eigentliche Leistung des Gleichnisses wäre. Beides ist zu modern empfunden. Die gleichnishafte Entsprechung der poetischen Gesamtstimmung k a n n da sein, aber Homer bedarf ihrer nicht und kommt häufig ohne sie aus. Er bringt zwei objektive, noch von aller subjektiven Zutat, aller zweckvoll rationalen und aller irrational-stimmungsmäßigen Bearbeitung freie Verhalte: den die Nacht der Heimkehr ersehnenden Odysseus,

der ungeduldig zur Sonne blickt, — und den des Feierabends ge-
wärtigen Pflüger, der das gleiche tut. Das Seelische ist völlig
verleiblicht, völlig Gebärde geworden, und eben in dieser einen
objektiven Gebärde liegt die Basis des Gleichnisses, liegt das
Identische der beiden Verglichenen. Dieses Identische: das immer wieder ungeduldig zur Sonne Blicken, — ist ein ganz Äußeres und zugleich Erscheinung eines ganz Inneren. Das „Naive"
Homers zeigt sich nur darin, wie sich bei ihm das Gleichnis
über die benötigten Züge, über den konstitutiven Mittelpunkt
hinaus in seiner sachlichen Selbständigkeit durchsetzt: Der Gesamtverhalt des Pflügers wird gegeben, unabhängig davon, ob er
über den Vergleichspunkt hinaus poetisch nötig, förderlich oder
störend ist. Es entsteht graphisch folgendes Bild :

Beide Vergleichsfelder decken sich in der Gebärde des häufig zur
Sonne-Sehens als völlig Äußerem und gleichzeitig als Ausdruck
eines völlig Inneren. Das „Darüberhinaus" der Homerischen
Gleichnisse ist weder ein Zeichen bewußter Kunst oder dichterischer Genialität noch ist es ein Beweis seines gestalterischen
Versagens. Sondern es erklärt sich daher, daß Homer jene Distanz
überhaupt noch nicht kennt, die zur durchgeistenden Herstellung
eines allegorischen Gesamtzusammenhanges oder zur beseelenden
Erschaffung einer neuen gewandelten Symboleinheit beider Ver-
gleichsteile gehört. Die Dinge bleiben völlig unangetastet. Der
Dichter tut nichts mit ihnen, sondern er ordnet sich ihnen ohne
eigenen Anspruch unter. So erklärt sich die expansive Tendenz
des Gleichnisses bei Homer, seine Neigung zur Vervollständigung,
seine Fülle allegorisch „zweckloser" oder symbolisch unverwan-
delter Einzelzüge, die, ohne Beziehung zur eigentlichen Handlung
und zum Vergleichsgegenstand, allein aus dem Eigenrecht zu erklären ist, das das Gleichnis mit seinem Seinsverhalt alsbald gewinnt. Jeder Versuch, vom Gleichnis her auf das Verglichene so
zu visieren, daß möglichst viele Glieder in Beziehung zueinander gebracht werden, — jeder Versuch, das Gleichnis über

seinen „Erreger" hinaus durch eine Reihe gleichsam parallel
laufender Entsprechungen mit dem Verglichenen zu verbinden,
würde die ästhetische Funktion des Homerischen Gleichnisses
ebenso mißverstehen wie eine Deutung, die das Ganze doch wieder
zu einer wie auch immer gearteten symbolisch organischen Stim-
mungseinheit, zu einer beseelten Totalität macht. Weder der
„Geist" noch die „Seele" haben sich noch emanzipiert. Es gibt
noch keine „vergeistende" und keine „beseelende", keine die
Dinge stilisierende, kunstmäßig machende oder verwandelnde Behandlung des Seins, wie es noch keine Distanz zwischen Geist
und Stoff gibt. Die Welt des Seins hält den Geist noch in sich
verschlossen.

Bei K l e i s t dagegen ist das Gleichnis zum S y m b o l geworden. Es ist in sich selber Erscheinung eines höchst Ungegenständlichen und Überbegrifflichen, offenbarende Enthüllung
eines rein Seelischen und Subjektiven, nämlich der blinden und
tauben, auf ein einziges Ziel gespannten Leidenschaft, mit der
Achill, sich selber und alles vergessend, nur Eins denkt, fühlt und
ohne alles Überlegen unaufhaltsam verfolgt: Penthesilea. Es gibt
kein distanziertes und verweilend-gegenständliches Nebeneinander
mehr wie zwischen dem Pflüger und Odysseus bei Homer, wobei der Blick von einem zum andern hinübergehen kann. Es
läßt sich auch nicht mehr ein einzelnes konkretes Glied des
Gleichnisses als das „tertium comparationis" aus den beiden
Ganzheiten herauslösen. Man kann den Versuch machen, die
Glieder des Kleistschen Gleichnisses auf das Verglichene zu beziehen und also eine allegorische Entsprechung zweier statischer
Verhalte herzustellen. Dann wäre Achill eine Dogge, Penthesilea
ein Hirsch, Berge, Ströme, Waldesnacht wären Gefahren und
Verderben, wobei der Dichter dies Bild dann freilich als „Forst"
des Krieges wieder aufnimmt und beweist, wie wenig ihm jene
sachlichen Vergleiche als solche gelten. Zur Erfassung der dichterischen Funktion dieses Gleichnisses ist mit dieser Auflösung
nichts getan, es sei denn, daß das Doggengleichnis auf Achill im
Munde des überlegen-kalten Odysseus dabei seinen spöttisch-
verächtlichen Unterton enthüllt. Der eigentliche Sinn des Gleichnisses bleibt durch diese Gegenüberstellung unberührt. Für den
Dichter hat Achill an sich mit einer Dogge an sich so wenig zu

tun, wie etwa der Hirsch Sinnbild der Penthesilea ist. Der
barocke Dichter hätte in diesem Falle den „Hirsch" instinktiv
durch eine „Hinde" ersetzt. Ebensowenig soll das Einherjagen
des Achill hinter Penthesilea als solches durch die analoge Tätigkeit des Hundes illustriert werden. Was das Gleichnis darstellt,
ist überhaupt nicht ein Äußeres, sondern ein Inneres, nicht ein
Objektives, — etwa die Leidenschaft überhaupt —, sondern ein
höchst Subjektives: d i e s e Leidenschaft d i e s e s Achill, des
„ R a s e n d e n ". Diese Charakterisierung wäre vorher ein
leeres Wortzeichen gewesen. Nun aber unmittelbar nach dem
Gleichnis wird sie möglich. Denn nun ist sie erfüllt und überströmt
mit jenem direkt nie wirksam zu machenden Gehalt an Unauf-
haltsamkeit und Unbedingtheit, den das Bild in der Seele des
Hörers erweckt. Hier beharrt der Bildgegenstand nicht in seiner
eigenen Dinglichkeit. Er ist ganz und gar verwandelt und beherrscht durch seine „Bedeutung", die aber nicht mehr neben
ihm steht, sondern ihn von innen regiert, ihn aus sich herausstellt.

Dabei ist die Kraft des symbolschaffenden Dichters so groß,
daß er die „Dinge" aus ihrem Fürsichsein und Ansichsein heraus-
löst, daß er sie ihrer autonomen Seinsmächtigkeit so weit beraubt, bis sie nur noch Mittel sind, jene Ergriffenheit, Hingerissenheit und Gerichtetheit des Gefühls zu bewirken, die der
Dichter jeweils wünscht. Das Bild gestaltet in vollendeter Plastik
einen äußeren Vorgang und es trägt gleichzeitig die Kraft in sich,
unwiderstehlich sich umzusetzen in eine Gestimmtheit der Seele,
eine Schwingung des Gefühls, — und eben darin liegt die ästhetische Funktion des Symbols, von dem die irrationale Wirklichkeit des Gefühls, der Subjektivität unablösbar ist. So will das
Gleichnis nicht mehr in objektiver Distanz, als ein Gegenstand
für sich, sondern in ä s t h e t i s c h e r D i s t a n z , als ein
Ä u ß e r e s , d a s n u r z u r O f f e n b a r u n g e i n e s u n -
m i t t e l b a r I n n e r e n da ist, genommen werden. Es ist die
Leidenschaft, die sich selber in jenem Bilde Kleists als ein Un-
aussprechliches, glühend Unwiderstehliches darstellt, die ver-
nunftlos nur ein Einziges will und keinen Widerstand kennt. Es
gibt zutiefst kein Nebeneinander, keine Zweipoligkeit mehr; das
Gleichnis selber wird in seiner seelischen Kraftmitte zugleich das
Verglichene, das keine andere Möglichkeit hätte, sich dichterisch

zu realisieren. Nicht mehr mit statischen, isolierbaren, objektiven Verhalten haben wir es zu tun. Die S u b j e k t i v i t ä t ist entscheidend geworden, durchdringt alles von der dichterischen Konzeption über die (symbolische) Gestalt bis zum verstehenden Nacherleben des Hörers und führt zur völligen Neubildung der Struktur des ästhetischen Schaffens und Erlebens.

Die beiden aus G. ausgewählten Gleichnisse nehmen insofern eine Sonderstellung ein, als sie sich den Stilgesetzen des barocken dichterischen Bildes zu entziehen und der symbolisierenden Form zuzuneigen scheinen. Gerade an diesen „Ausnahmen" aber bewährt sich die Macht der das Gleichnis G.s gegen das „ n a i v e " H o m e r s wie gegen das „ s y m b o l i s c h e " K l e i s t s absetzenden Stilgesetze. Wir wenden uns zunächst dem zweiten zitierten Bilde G.s zu. Es erscheint in seiner Gesamtstimmung als ein lebendiges Symbol für das Gefühl, das Katharina überkommen muß, als sich der hilflos dem Verhängnis Preisgegebenen ein nicht mehr erwarteter Weg ins Freie öffnet. Vor dem gewaltigen Hintergrund des absinkenden, ohnmächtig gewordenen Gewitters, dessen elementare Macht alles Lebendige wehrlos der Vernichtung ausliefert, — entfaltet sich das Idyll des Vordergrundes, das Wunder der Erhaltung des zarten, hilflosen Lebens, das in lieblicher Geschäftigkeit dem erholenden Glanz der wiedergewonnenen und schon verloren geglaubten Sonne sich hingibt. So teilt sich uns in dem symbolisch durchseelten Bilde unmittelbar die Stimmung Katharinas an diesem Punkte des Geschehens mit.

Diese Auffassung, der von dem isolierten Gleichnis aus nichts zu widersprechen scheint, würde nur beweisen, wie außerordentlich gefährlich und problematisch ein solches deutendes Herausgreifen einzelner dichterischer Wendungen aus der komplexen Ganzheit des dichterischen Werkes ist, — wie notwendig es ist, das Einzelne aus dem induktiv erarbeiteten Zusammenhang des Ganzen zu verstehen, und wie angesichts der völligen Fremdheit jener Epoche die größte Vorsicht gerade da zur Pflicht wird, wo scheinbar verwandte Klänge zu beifälligem Verstehen ermuntern.

Zunächst scheint jene Tauben-Idylle kaum ein „Symbol" für das zu sein, was in der Seele der Heldin nach so schrecklichen Leiden und Verlusten vorgeht, als sich ihr wider Erwarten eine Hoffnung auftut, an die sie selbst noch kaum zu glauben vermag.

Wahrscheinlicher ist schon, daß jene beiden für sich gültigen
Sachbeziehungen: Unheil, Schmerz usf. = Gewitter, Blitz, Donner, Nacht — und: unschuldige Frau = die Taube — Wahl
und Ausmalung dieses Bildes veranlaßten, das der Dichter nun
mit ruhigen, sorgfältigen Pinselstrichen vervollständigt. Er stellt
das Gewitter von seiner doppelten Sensualität, der optischen und
der akustischen her dar, und er vertieft sich mit scheinbar
„homerischer" Liebe zum Konkreten in das zierliche Schauspiel,
das die Tauben darbieten. —

Odysseus und der Pflüger — das waren zwei gesonderte Verhalte. Gemeinsam war beiden nur das häufige Hinschauen zur
Sonne mit dem Wunsch, sie untergehen zu sehen. Achill dagegen
ist wirklich in jene Dogge, die blindlings, eine Verkörperung der
Leidenschaft, dem Wilde folgt, verwandelt; freilich in einem
völlig ungegenständlichen Sinne: in dem Vollzuge der Leidenschaft liegt die Identität, nicht in irgendeinem objektivier-
baren Sein. Und abgesehen von diesem Vollzuge, wie ihn das
Symbol an dieser konkreten Stelle verkörpert, gibt es zwischen
Achill und einer Dogge weder eine Identität, noch eine Analogie.

Der sinnbildliche Bezug aber zwischen Unheil und Gewitter,
zwischen Frau und Taube ist gültig und für sich bestehend.
Katharina kann mit der Taube verglichen werden nicht auf
Grund ihrer Individualität überhaupt oder gar ihres konkreten
Gefühles, sondern auf Grund ihrer Zugehörigkeit zur Gattung:
unschuldige Frau. Der Vergleich steht gewissermaßen schon vorher fest. Das aber heißt, daß sie nicht als K a t h a r i n a mit der
Taube verglichen wird. Bei Homer gab es e i n e n gegenständlichen Identitätspunkt, der noch jenseits der Scheidung von
Äußerem und Innerem, von Seelischem und Dinglichem liegt:
das ungeduldige Aufblicken zur Sonne. Dieser Identitätspunkt
trug gleichsam die beiden zu selbständigen Gebilden auseinander-
wachsenden Gleichnishälften. Bei Kleist ist die Identität in das
Seelische verlegt, in die Innerlichkeit des Symbols. Bei G. ist die
Identität überhaupt geschwunden. Geist und Natur, Eigentliches
und Bedeutung, Ding und Ding stehen in unvereinbarem Für-
sich gegeneinander. Getrennt ist, was bei Homer noch eine Einheit war, und die Kraft, die es neu zu verbinden vermochte, die
Subjektivität, ist noch gefesselt und kennt sich selber noch nicht.

Zwischen dem Gewitter und den Tauben einerseits und Katharina anderseits gibt es nur den P a r a l l e l i s m u s d e r A l l e - g o r i e. Fest und undurchdringlich stehen die Dinge in ihrer eigenen Schwere da als das, was sie sind, nicht als verzauberte Träger und Erreger einer Stimmung. Sie können wohl zum allegorischen Zeichen entleert werden, aber sie werden dennoch nie eins werden mit ihrer Bedeutung, sie werden nie ihr dingliches Für-sich-sein beseelend zur Erscheinung eines unmittelbar Innerlichen verwandeln lassen.

So steht Katharina und ihre Situation als der eine Verhalt neben den Tauben und ihrer Situation als dem anderen Verhalt. Herüber und hinüber waltet der verbindende Geist des Poeten, die „Vernunft", wenn man dies in einem ganz vorrationalistischen Sinne der Fähigkeit zur Erkenntnis überindividueller, gültiger, verbindlicher Verhalte auffassen will.[2]) Jede unmittelbare Berührung ist verloren. Nun kommt es darauf an, die Zahl der künstlichen Berührungen möglichst groß zu machen, das heißt, den Vergleichsgegenstand möglichst in allen seinen Teilen mit dem zu vergleichenden künstlich zu verbinden. Es darf nicht mehr wie bei Homer freischwebende, nur für sich, d. h. aus dem Eigenrecht des verselbständigten Bildes heraus verständliche Teile geben. Der Vergleichsgegenstand muß allegorisch ganz bewältigt, d. h. er muß in allen seinen sinnlichen Teilen mit „Sinn" erfüllt werden. Das geschieht dadurch, daß alle Glieder mit dem Bezugsgegenstand bedeutsam verbunden werden. An die Stelle der homerischen Einlinigkeit des gleichnishaften Bezuges tritt die Viellinigkeit, wobei freilich stets zu vergegenwärtigen ist, daß die homerische „Einlinigkeit" darin bestand, daß beide Vergleichspole an einer Stelle sich seinsmäßig deckten. Bei G. dagegen ist der ganze Charakter des Gleichnisses verwandelt. Ob das Gleichnis ein Einzelding, ob es ein Kompositum von Dingen ist, immer ist es im Verhältnis zu dem Bezugsgegenstand ein ganz anderes, immer stellt der Geist künstlich die Beziehung her, immer ist es allegorisch.

---

[2]) Auch A. J o s e p h urteilt a. a. O. S. 189: „Das Bewußtsein der Epoche ist erfüllt von Vertrauen auf die Kräfte der Vernunft...", wenn auch seine rationalistische Deutung dieser barocken „Vernunft" kaum haltbar sein dürfte.

Das hat im Verhältnis zu Homer eine starke Beschränkung der stofflichen Möglichkeiten für das dichterische Gleichnis zur Folge. Denn gleichnishaft verwendbar werden nur noch Zusammenhänge, von denen jedes wichtige Glied für sich ein objektives, für sich gültiges und durchführbares Teilgleichnis für ein entsprechendes Glied des Bedeutungszusammenhangs werden kann. Dabei droht das Gleichnis beständig, sich in seine Teile aufzulösen, in Gleichnisstücke zu zerfallen. Denn wenn das Symbol notwendig von einer zentripetalen Kraft zur Einheit zusammengefaßt wird, so steht die Allegorie leicht in Gefahr, den zentrifugalen Kräften zu erliegen. Darauf wird weiter unten noch einzugehen sein. Jedenfalls läßt sich schon aus dem Wesen des Allegorischen erschließen, daß es für die Herstellung der Einheit in einer Mannigfaltigkeit gar kein Organ besitzt. H o m e r besaß solch ein Organ, weil er, ohne jede Distanz des „Geistes" oder der Subjektivität, die vom Sein, von der Wirklichkeit selber geschaffenen Einheiten übernahm. Er ließ sie unverwandelt in ihrer natürlichen Kontingenz. K l e i s t besaß in der Einheit der ihrer selber gewissen Subjektivität eine neue, nicht mehr im Äußeren (das es als „Äußeres" für Homer natürlich noch gar nicht gab!), sondern im Inneren liegende Kraft, welche die Welt des Seins verwandelnd zum einheitlichen Symbol eines beseelten Innern zu machen vermochte.

G. hat nicht mehr die „naive" Unmittelbarkeit Homers zum Sein, — und er kennt noch nicht die symbolisierende, Einheit schaffende Herrschaft der Subjektivität, wie sie bei Kleist erscheint. (Daß „Homer" und „Kleist" hier nur beispielhafte Verdeutlichungen übergreifender geistiger Zusammenhänge sind, braucht kaum ausdrücklich hervorgehoben zu werden.)

Die Wirklichkeit ist für das Bewußtsein G.s in die beiden Sachhälften, die geistige und die natürlich-dingliche Welt auseinandergefallen. Beide Welten wieder haben sich in eine nicht absehbare Vielheit von „Sachen" — Dingen, Wahrheiten, Begriffen — aufgelöst, die in unverbundenem, hartem Für-sich-sein nebeneinander stehen. Vom „Geist" zur „Natur", von Ding zu Ding, vom Begriff zum Körper führen keine Brücken. In diese disparate Mannigfaltigkeit ist der Mensch hineingestellt. Aber er ist ihr keineswegs hilflos preisgegeben. Er fühlt sich im Besitze, in der

Teilhaberschaft an der erkennenden, verstehenden, deutenden, verbindenden geistigen Funktion, — nicht etwa als einer s u b - j e k t i v e n , sondern als einer o b j e k t i v e n Fähigkeit, — die aber, wenn nicht alles verwirrt werden soll, nicht als „rationa-listisch" bezeichnet werden sollte. Er fühlt sich fähig und be-rechtigt, aus den Stücken eine neue Welt von Beziehungen, Be-deutungen, Durchgeistung des Sinnlichen, Versinnlichung des Geistigen usf. aufzubauen. Er empfindet in dieser verknüpfenden Zuordnung ewig disparater Stücke nichts Willkürliches. Denn es ist ja ein Objektives, Gültiges und Allgemeines, was er damit herausstellt. Willkürlich ist allein die Subjektivität als solche. Noch ist das Bewußtsein der weltlich-überweltlichen Wirklichkeit eines ewigen und gültigen Sinnes, an dem der Mensch als Geist teilhat, so stark, daß es ein volles Äquivalent für die Zerstückelung und den Dualismus der Welt darstellt.

Die allegorische Geistesbeschäftigung des Barockmenschen ist schlechthin objektivistisch. Sie verknüpft Sache mit Sache, um ein Sachliches deutlich zu machen. Ihr Ziel ist nicht die μορφή sie trägt vielmehr einen amorphen Charakter. Wo sie Gleichnisse bildet, da können diese nicht „organisch" gebildet sein, — wie das Homerische und das Kleistsche Gleichnis Organismen (freilich ganz verschiedener Herkunft) sind, — sondern sie müssen auf kompositorischem Wege entstehen. E i n e r   s a c h l i c h e n S u m m e   v o n   B e d e u t u n g e n   m u ß   e i n e   s a c h l i c h e S u m m e   v o n   V e r s i n n l i c h u n g e n   e n t s p r e c h e n .

Kehren wir nunmehr zu G.s Gleichnissen zurück. Wenn der Dichter sich bewogen fühlt, an den Beginn des den vierten Akt einleitenden großen Monologs der Katharina ein Gleichnis zu stellen, so ist dieser gesteigerte äußere Einsatz Ausdruck eines nicht minder starken inneren: Katharina spricht aus, welche Ge-fühle sie angesichts der Wendung ihres Schicksals bewegen. G. will diese innere Verfassung der Heldin durch ein Gleichnis zum Ausdruck bringen. Dazu aber ist eine Objektivisierung der konkret-subjektiven Bedeutung nötig. Die Stimmung K a - t h a r i n a s   i n   d i e s e r ganz bestimmten Situation muß dadurch poesiefähig und -würdig gemacht werden, daß sie ins Allgemeine erweitert wird: zu der Freude der Befreiung aus großer Gefahr überhaupt. Diesen übersubjektiven geistigen Seinsverhalt: ein

Mensch befindet sich in hoffnungslosem Unglück, wider Erwarten
geht es vorüber, der Mensch ist glücklich darüber, — gilt es zu
verbildlichen. Die gültige allegorische Entsprechung für Unglück, für „schmertz", „herbes schmähn", „kercker und verlust"
ist Donner, Blitz, Wolken, Nacht, kurz, das Gewitter, wie die
Sonne Bild für den Sinn „Freiheit", „Glück" — ist. Damit ist der
Gegensatz Unglück : Glück = Gewitter : Sonne — festgelegt.

Wenn nun oben ausgeführt wurde, aus welchen Gründen der
Aufbau des barocken Gleichnisses zum Amorph-Kompositorischen
neigen mußte, — wofür das unabsehbare Feld der barocken
Emblematik hinreichende Belege erbringt, — so ist nunmehr zu
betonen, daß zumal das p o e t i s c h e Gleichnis dem sachlichen
B e d e u t u n g s z u s a m m e n h a n g nach Möglichkeit einen
sachlichen D i n g z u s a m m e n h a n g gegenüberzustellen suchte.
Das gelang zuweilen auf eine Weise, welche die kompositorische
Herkunft des Gleichnisses ganz verhüllt, so daß wir versucht sind,
es als eine ursprüngliche, geschaute, erlebte und symbolisch verwandelte Einheit zu nehmen. In der überwiegenden Mehrzahl der
Fälle bleibt der kompositorische Charakter, aus dem heraus Stücke
zu einem künstlichen Ding-Zusammenhange addiert werden, un-
verkennbar. (Beispiel folgt unten.) Es gehört mit zur Kunst des
barocken Dichters, etwa für einen vielgliedrigen geistigen Verhalt
einen natürlichen Ding-Zusammenhang zu finden, der ohne viel
Veränderung die Durchführung des viellinigen allegorischen
Parallelismus ermöglicht. Aber es ist wichtig, daß diese im
Hintergrund stehende, das Gleichnis überhaupt äußerlich als
solches zusammenhaltende stoffliche Einheitlichkeit für die
poetisch-allegorische Bestimmung ganz unwirksam bleibt. Hier
kommt zur gleichnishaft-allegorischen Realisierung niemals das
Ganze als Ganzes, sondern nur das Einzelne. Das bildliche
E m b l e m ist darin viel freier; es kann sich erlauben, amorpher
zu sein, weil es aus der Sprachsphäre bis zur Sphäre der Gegenständlichkeit und Sinnlichkeit selber vordringt und als Bild bereits eine künstliche, aber übersehbare Einheit ist.

Wir knüpfen wieder an die unterbrochene Analyse an. Nach
der Verbildlichung von Glück und Unglück bedarf es der Verbildlichung des Menschen, der diesen Wechsel erlebt. Der Mensch
als solcher findet nur im Tier ein ihm gemäßes Sinnbild. Ist er

nach irgendeiner Seite hin charakterlich bestimmt, so läßt sich das allgemeine Gleichnis auf eine bestimmte Tierart hin spezialisieren. Für die unschuldige, schwache Katharina und ihre Frauen ist der Vergleich mit den Tauben der geeignetste. Er sieht wieder von jeder individuellen Beziehung ab und setzt für diese bestimmte Heldin das Bild ein, das an sich und überhaupt für die unschuldige Frau, wenn nicht für die Unschuld selber, herkömmlich und gültig ist.

Das Gleichnis Kleists setzt keinerlei gültige von dem konkreten Anlaß oder vom Dichter unabhängige Beziehung von Mann und Dogge oder leidenschaftlichem Liebhaber und hitzig jagendem Hund voraus. Sondern d i e s e r Achill in d i e s e m konkreten Lebensvollzuge verwuchs mit d i e s e r Dogge in d i e s e r geschilderten Bewegung, — die aus dem dichterischen Zusammenhang im Grunde gar nicht herauslösbar ist, — zur Einheit eines Symbols.

Die gurrend nach dem Gewitterregen hervorkommenden Tauben jedoch — bezeichnend ist die Mehrzahl, während Katharina als Einzelne spricht und ihre Frauen passiv im Hintergrunde bleiben! — haben mit der Heldin nach ihrem persönlichen, individuellen Wesen gar nichts zu tun. Das Bild wird möglich, ja notwendig, nicht wenn man es vom Individuellen, Subjektiven und Seelischen her, sondern wenn man es vom Allgemeinen, Objektiven, geistig Bedeutenden und Gültigen her versteht.

Mit den drei Entsprechungen — Unglück: Gewitter, Befreiung: Durchbruch der Sonne, Katharina und die Ihren: Tauben — sind die drei bestimmenden Glieder der Bedeutungsgruppe gleichnishaft gesetzt. Es kommt noch die dichterische Aufgabe hinzu, dem Zusammenhang auf der Bedeutungsseite einen stofflichen Zusammenhang auf der Vergleichsseite entsprechen zu lassen und dem Ganzen durch die Sprache Schmuck und malerische Sinnenfälligkeit zu verleihen. Bei dem dadurch notwendigen Eingehen in das bildliche Detail gelingt es, jene drei entscheidenden Entsprechungen um noch einige minder wichtige allegorische Parallelen zu ergänzen: die regennassen Tauben gleichen den tränenbenetzten Frauen, das Abtrocknen der Tropfen gleicht dem Abwerfen der Last, das Hervorlocken der verscheuchten Jungen gleicht dem suchenden und trauernden Blick, mit dem Katharina die überschaut, die ihr geblieben sind.

Das ist das Ergebnis einer Analyse jenes scheinbar rein
symbolischen Stimmungsgleichnisses von den Kategorien barocker
Ästhetik und Poetik her. Aus der Verschiedenheit der drei in sich
geschlossenen und notwendigen G l e i c h n i s s t r u k t u r e n,
die hier als n a i v e, a l l e g o r i s c h e u n d s y m b o l i s c h e
bezeichnet sind, ließe sich, vom rein Ästhetischen der bildlichen
Formgebung her, ein bedeutender Einblick in die Gesamtstruktur
der Geisteslage gewinnen, aus der diese Gleichnisse hervorgingen.

Werfen wir schließlich noch einen Blick auf das zuerst zitierte
Gleichnis G.s. Hier ist der Eindruck, daß nicht eine allegorische
Komposition, sondern eine symbolische Einheit vorliegt, fast noch
stärker als bei dem eben erörterten Beispiel. Und in der Tat findet
sich im gesamten dichterischen Werk G.s schwerlich ein Gleichnis, das so unmittelbar symbolisch verstanden werden kann.
Wollte man aber eine „Entwicklung" des Dichters annehmen, so
könnte diese höchstens rückläufig sein, denn dies Gleichnis findet
sich in seinem ersten Drama. G. hat jede allegorische Auflösung
vermieden. Das Gleichnis schiebt sich vielmehr dergestalt in den
Fortgang der Handlung, daß die atemraubende Szene zwischen
dem instinktiven Zurückweichen der ersten Verfolger und der
mit um so schrecklicherer Wucht hereinbrechenden Katastrophe
nicht direkt, sondern nur durch das Gleichnis wiedergegeben ist.
Die M ö g l i c h k e i t, das Gleichnis symbolisch zu interpretieren,
ist nicht zu leugnen.

Aber ebenso unbestreitbar ist, daß auch hier das Verständnis
vom Ganzen des vorliegenden Stoffes herzukommen hat und daß
der Nachweis, daß auch die allegorische Auffassung m ö g l i c h
ist, beweist, daß sie allein die richtige ist. Der zu vergleichende
Gegenstand ist diesmal ein dingliches Geschehen; nicht ein Affekt
wie Liebe, Kummer, Angst und nicht ein Abstraktum wie
Glück, Ruhm und ähnliches. In diesem Falle würde die Allegori-
sierung sofort sichtbar werden. Das Geschehen besteht darin, daß
die vordersten Verfolger beeindruckt innehalten; es entsteht eine
Stauung, da die hinteren Reihen — sei es, weil sie aus der Entfernung nichts deutlich erkennen, sei es, weil sie nicht so unmittelbar beteiligt sind — weiterdrängen. Und während sich die
Ersten gesammelt haben, wird ihre neu entflammte Wut von der
unaufhaltsam herandrängenden und über sie hinweggehenden

Welle der ihnen Folgenden vorwärtsgerissen. Diesen Vorgang illustriert G. durch das zitierte Gleichnis.

Man wird zunächst gut tun, den vom Dichter für die Illustration ausgewählten Naturvorgang möglichst wenig als ein „ästhetisches" Schauspiel in unserem Sinne zu nehmen. Wie schon dargelegt, kennt G. nicht jene spezifisch ästhetische Distanz zu den großen Erscheinungen der Natur: dem stürmisch bewegten Meer, dem Gewitter, — die das „Interesse" des Menschen ausschaltet und ihn in ein betrachtendes Wohlgefallen versinken läßt, das der Natur eine freie und selbstgenügsame Schönheit verleiht. Er erlebt die Natur, z. B. das Meer, nur vom Interesse des gefährdeten Menschen her als dem Leben feindliches, furchtbar überlegenes und geistloses Element. Um Furcht und Schrecken, nicht um selbstvergessenes Wohlgefallen am Erhabenen zu erregen, wurde es dann mit allen sprachlichen Mitteln, durch Rhythmus, Klang, Steigerung und Häufung „abgemalt". Selbst die Betrachtung der Landschaft erhält ihren Wert nicht durch ihren autonomen Stimmungsgehalt, sondern durch ihre Kraft, auf eine Wahrheit, eine Lehre, einen gültigen geistigen Verhalt hinzuweisen. Diese gegenständlich praktische Einstellung G.s darf gar nicht erst „ästhetisch" (im modernen Sinne) entspannt werden. Ihm war der Bergbach-Vorgang ein sinnlos-blindes Spiel zerstörender physischer Gewalten, eine „Sache", deren allegorische Verwendung durch die illustrative Entsprechung nahegelegt wurde, in der jede Phase zu der gemeinten Verschwörerrevolte stand. In eben dieser illustrierenden Umsetzung eines mehrteiligen Vorgangs in einen anderen, entsprechenden, lag für G. das ästhetische Ziel. Und er glaubte, um so unbedenklicher dies Bild wählen zu können, als es jedem Verdacht subjektiv-schöpferischer Willkür durch eine lange Tradition entrückt war, an die G. es durch die Betonung des 10. Schlags geflissentlich anknüpfte. Die Bedeutung der epithetischen „Beseelung", die der Bach erhält, wird später im Zusammenhang erörtert werden.

Aus der ohnehin nicht großen Zahl der Gleichnisse bei G.,[3]) die

<hr />

³) P. S t a c h e l, Seneca und das Renaissancedrama, Palästra XLVI, Berlin 1907, stellt S. 257 f. 40 ausgeführte G.sche Vergleiche (Tierleben: 9, Schiff: 5, Feuer: 5, Gewitter: 6, Sturm: 3, Strom, Sturmflut 4, Himmelserscheinungen: 6, Krieg, Ringkampf: 2) zusammen.

gegen Metapher und Allegorie sauber abzugrenzen und zahlenmäßig festzulegen kaum möglich ist, sind im Vorhergehenden die
beiden herausgehoben, die vor allem die objektivistisch-allegorische
Struktur der barocken Ästhetik zu durchbrechen scheinen. Ihnen
sei noch ein drittes zugefügt, das wesentlich seelische Vorgänge
wiedergibt.

Michael legt in seiner Verteidigungsrede vor Leo und den Richtern
dar, daß seine Entgleisung nur eine Reaktion auf die vielfache Erfahrung
von Undank, Mißgunst und Neid sei, die ihm von seiten des Hofes, speziell
vom Kaiser zuteil geworden wäre. Sein Gedankengang ist: Von Jugend
auf habe ihm Neid und Argwohn den verdienten Ruhm für seine im
Dienst für Kaiser und Staat vollbrachten Taten zu schmälern gesucht.
Die natürliche Folge sei gewesen, daß der Ehrgeiz um so stärker wurde
und sich zornig Wege zu seiner Befriedigung suchte, die bei gerechterer
Behandlung nicht beschritten worden wären. Antwortete man ihm aber
darauf mit offenem Kampf, dann hätte das bei seinem Verdienst, seinem
Stolz und seinem Ehrgefühl nur eine um so leidenschaftlichere Reaktion
zur Folge haben müssen.

G. kleidet diese Apologie in das folgende Gleichnis:

> „Wer neben uns um lob must in den zelten liegen
> Und suchen, was uns ward, verkleinerte die schlacht,
> Die palm und lorberkräntz auf dieses haupt gebracht.
> So wird die erste flamm, eh'r sie sich kann erheben,
> Mit dunckel vollem dunst und schwartzem rauch umgeben,
> Biß sie sich selbst erhitzt und in die bäume macht,
> Daß der noch grüne wald in lichtem feur erkracht.
> Doch wie der scharffe nord die glut mit tollem rasen,
> In dem er dämpffen wil, pflegt stärcker auffzublasen;
> Wie ein großmüthig pferd, wenn es den streich empfindt,
> Durch sand und schrancken rennt, so hat der strenge wind
> Der mißgunst uns so fern (trotz dem es leid), getrieben..."

> Leo 2, 16 ff. -

Wieder finden wir zunächst die Entpersönlichung und Ent-
subjektivierung des konkreten Erlebens von Michael zu einem
phasenreichen Gegeneinander von verdientem R u h m , bzw. dem
Anspruch auf Ruhm — und mißgünstigem N e i d. Dabei verstärkt die Verbildlichung die Tendenz auf ein überpersönlich-
sachliches Gegeneinander abstrakter Begriffe und Kräfte. Denn
in den „Sachen" (Flamme, Wald, Sturm) und deren natur-
notwendiger Wechselwirkung spiegeln sich jene Beziehungen der
Begriffsrealitäten (Ruhm—Neid) als ein gültiges Gesetz. Der
Ruhmanspruch wird zur Flamme, der Neid zum Rauch, der das

Feuer, zumal bei seinem ersten Entstehen, zu ersticken droht. „Rauch", „Flamme" und „Sturm" sind dabei gleichzeitig für sich gültige allegorisch-sensuelle Entsprechungen des Neides, des Ruhmes und des Zorns. Nunmehr verknüpft die kunstgeübte Hand des Poeten diese drei Einzelbegriffe und ihre korrekten Bildzeichen zu einem dramatischen Ablauf geistiger Gesetze, und er bemüht sich, bei diesem Ablauf sowohl den Forderungen der Allegorie als auch denen des natürlichen Kausalzusammenhanges (auf der Bildseite) gerecht zu werden. In diesem Kampf zwischen der Flamme und der Rauchentwicklung kann sich kein lebendiges, beseelend-verwandelndes „Symbol" zeigen. Nicht anders als bei den Tauben und bei dem Bergbach ist auch hier die s a c h l i c h e Richtigkeit der Entsprechung allein maßgebend. Auf diese „Ästhetisierung" kam es G. an. (Die Formel „abstrakt" dafür anzuwenden, ist man nur dann berechtigt, wenn man sich vergegenwärtigt, daß für das 17. Jahrhundert, wie auch noch für das 18. und bis in den Beginn des 19. hinein, von höchster Realität war, was uns als „abstrakt" erscheint.) Aber für diese „Ästhetisierung" war noch nicht die Subjektivität zum konstitutiven Element geworden; sie war noch ganz sachlich allein auf Versinnlichung des für sich und an sich Seienden gerichtet. Ihre Kunst bestand — im vorliegenden Falle — nicht nur darin, daß die beiden Gegner: Streben nach Ruhm und Neid die ihnen an sich zukommenden, objektiv gültigen Versinnlichungen erhalten haben (Flamme—Rauch, Dunst). Es war auch äußerst wichtig, daß auf der Grundlage dieser feststehenden Verbildlichung der beiden ganz verschiedenen Begriffe ihre sinn-bildliche W e c h s e l - wirkung durch die Aufeinanderbeziehung jener beiden Bild-„Dinge" möglich wurde, daß also dem Sinnzusammenhang hier ein Zug um Zug, für sich wie im Ganzen, paralleler Sachzusammenhang dort entsprach.

Der Gedankengang ist noch nicht am Ende. Die poetische Aufgabe wird noch schwerer. Der Dichter muß auch die neu hinzutretenden Momente so einkleiden, daß ihre Verdinglichung für sich Gültigkeit hat, und daß diese ferner sich dem Sachzusammenhang kontinuierlich anfügen läßt.

G. will ausdrücken, daß der gerechte Anspruch auf Ruhm durch die Hemmungen, die ihm bereitet wurden, nur gesteigert,

im Drang nach Verwirklichung die Grenze überschreiten mußte:
Die Flamme — nun nur noch Sinnbild für den reinen Affekt —
„erhitzt sich selbst" und ergreift den frischen Wald. Der Dichter
bedarf einer neuen „Sache" als Bild für das Verbotene, auf das
der unrechtmäßig gehemmte Ehrgeiz nun übergreift. Und nunmehr erfahren wir, daß die „Flamme", die wir bisher nur in
abstrakter Allgemeinheit kannten, offenbar an einem W a l d e
brennt. Ein neuer Begriff tritt auf, ein neues „Ding" wird benötigt, und der Dichter erwägt, welches erstens den Begriff illustriert und zweitens gleichzeitig dem Bildzusammenhang einfügbar
wäre. Der Gedanke kommt ihm gar nicht, daß damit ein gänzlich unvorbereitetes, den bisherigen Charakter des Bildes ver-
änderndes Moment hinzugefügt wird, das den organischen
Charakter des Ganzen empfindlich stört. Denn er besitzt gar
nicht die Empfindung für das O r g a n i s c h e; dieses ist noch
keine Kategorie in der Gesamtstruktur seiner Ästhetik und kann
es auch nicht sein. Er komponiert das Bild, indem er, additiv
vorgehend, die Adäquatheit jedes Bildes nach der Seite des Einzel-
begriffs wie nach der des sachlichen Bildzusammenhangs im Auge
behält. Da nur ganz allgemein festgestellt ist, daß der Ehrgeiz
tat, was er nicht tun durfte, so ist das dadurch, daß die Flamme
„den noch grünen wald" ergreift, hinlänglich ausgedrückt.

Der Gedankengang geht noch einen Schritt weiter: der gewaltsame Versuch, Michael entgegenzuwirken, mußte notwendig
seinen zornigen Ehrgeiz aufs Äußerste steigern und die Entfremdung vollenden: Was das Feuer bedrängt und gleichzeitig
anfacht, ist der Sturm. Der Sturm kann außerdem Sinnbild miß-
trauischen Unwillens werden. Es ist nicht ein beliebiger Sturm,
sondern der feindselige „scharffe nord". — Hier unterbricht sich
der Dichter. Glänzend ist der letzte Gedanke in den Ding-
zusammenhang eingefügt und hat das Gleichnis damit vom Gedanken wie vom Ding aus auf einen Höhepunkt stärkster sinnlicher Eindrücklichkeit und geistreicher Bedeutung geführt.
Dennoch droht ein für den Zusammenhang unentbehrliches
Moment verloren zu gehen. Es handelt sich ja um Michaels Verteidigungsrede! Durch den auch aus der eigenen Schwere der
Sache herrührenden Verlauf des Gleichnisses (Brand—Rauch—
Wald—Sturm) gerät der wichtige Gedanke: das Michael zu-

gefügte U n r e c h t sei immer Anfang und Ursache alles Weiteren
gewesen — in Gefahr, verdunkelt zu werden. G. hält es für nötig,
ihn noch einmal besonders hervorzuheben Aus dem Flammen-
Verhalt läßt sich um so weniger ein Bild für diesen Gedanken
mehr herausholen, als für die Darstellung moralischer Bezüge
nicht ein Materielles, sondern ein Lebendiges, eine Entsprechung
des M e n s c h e n benötigt wurde. So fügt G. das Bild vom
„großmüthigen pferd", das geschlagen wird, dem Flammen-
Gleichnis ein, das dann durch den abschließenden und deutenden
So-Satz wieder aufgenommen, in seinem rein allegorischen
Charakter bestimmt und zu Ende geführt wird. Wie wenig G.
den für unser Gefühl unerträglichen, weil völlig amorphen Ein-
schub als ästhetisch störend empfand, erhellt daraus, daß er bei
den mehrfachen sorgfältigen Redaktionen, denen er den „Leo
Armenius" unterwarf, eine Änderung an dieser Stelle nicht für
nötig hielt.

Die Analyse dieses für das poetische Verfahren G.s und für
die Ästhetik des dichterischen Bildes im Barock überaus charakteristischen Gleichnisses wurde in solcher Ausführlichkeit gegeben,
weil die uns ganz wesensfremde, eigene Künstlichkeit dieses Gebildes nur so hervortreten konnte. Die Ergebnisse der Analyse
noch einmal systematisch zusammenfassen, hieße nur, das schon
anläßlich jener beiden scheinbar symbolischen Gleichnisse Ausgeführte wiederholen.

Eine besondere Erwähnung verdienen schließlich noch diejenigen G l e i c h n i s s e , die das seit der ausgehenden Antike
immer wiederkehrende Motiv von der S c h i f f s n o t , dem
S e e s t u r m und — in stärkerem Maße G. speziell zugehörig:
der K r a n k h e i t a l s p h y s i s c h e r A u f l ö s u n g d e s
K ö r p e r s zu geschlossenen Wortgemälden gestalten. Was das
Gemälde bedeutet, welcher geistige Sinn ihm beizulegen ist, besagt
dann eine titelartige Unterschrift; fast immer ist in diesen
Fällen „die Not" gemeint.

Drei dieser Gleichnisse seien nebeneinander gestellt:

Klage Zions:
> „Wie der stoltze schaum der wellen,
> Getrotzt durch grausen sturm, vermischt mit wind und sand,
> Itzt durch die wolcken sprützt, itzt das bestürtzte land,
> Wo die fischer netz auffstellen,

Mit brausen überschwemmt; wie er das spiel der see,
Ein halb zuscheitert schiff itzt auffschwingt in die höh,
Bald mit sich in den abgrund reißt,
Bald über klipp' auf klippen schmeißt,
So handelt uns die herbe noth." 241, 6, 1 ff. -

Abbas zu Katharina:

„Wie ein zuschmettert schiff
Auf hartbewegter see bald in das schwartze tieff
Des grausen abgrunds stürtzt, bald durch die blauen lüffte
Mit vollem segel rennt, bald durch die engen klüffte
Der scharffen klippen streicht, — so handelt uns die noth,
Versprechen, eyfer, lieb, haß, rache, qual und tod."
                                        Kath. 2, 263 f. -

Celinde:

„... Wie wenn die heiße macht
Der seuchen uns besiegt, ein zagend hertze schmacht
In hart entbrandter glut und die geschwächten sinnen
Empfinden nach und nach, wie krafft und geist zerrinnen,
Indem die innre flamm nunmehr den sitz anfällt,
In welchem sich vernunfft gleich als beschlossen hält,
Denn taumelt der verstand, denn irren die gedancken,
Denn zehlt die schwartze zung des abgelebten krancken
Viel ungestalte wort in schwerem schwermen her.
Die augen, blind von harm, von stetem wachen schwer,
Sehn, was sie doch nicht sehn; die ohren, taub von sausen,
Die hören hier trompet, hier schwerdt und drommel brausen.
So handelt mich die noth."   Card. 2, 75 ff. -

Die allegorische Struktur ist auch bei den vorstehenden Gleichnissen unverändert. Das Meer mit seinem Wogenschwall ist die
Not; Fischer und Schiff gleichen dem Menschen, der wehrlos, ein
Spielball des äußeren Geschicks oder der inneren Leidenschaften,
hin- und hergetrieben wird. Im dritten Gleichnis aber ist die
Auflösung von Körper und Geist durch das zerstörende Fieber
eine getreue Entsprechung der zuvor in ihren einzelnen
Phasen und Äußerungen entwickelten verzweifelten Liebes-
raserei Celindens.

G. bevorzugt mit seiner Zeit die traditionellen Bilder von
Schiffahrt und Meer. Denn sie erlauben ihm, wie nur noch etwa
das Motiv des Gewitters und des Brandes, alle Register poetischer
Sprachkunst in der Komposition der Worte, des Rhythmus, des
Klanges in Tätigkeit zu setzen. Dabei verschwindet die Korrela-

tion Mensch — Schiff, Not — Sturm — zuweilen fast hinter einem besonders kostbaren, faltenreichen und schweren Sprachgewand.[4]) Nur kann diesen prächtigen Wortkompositionen ein erhabener Natureindruck ebensowenig zugrunde gelegt werden, wie etwa die nicht minder prunkvollen Beschreibungen der Verwesungsvorgänge auf ästhetische Erlebnisse zurückgehen. Wenn auch zweifellos gerade bei G. ein besonders starkes Maß innerer Erregung und Erschütterung die Leidenschaft trägt und für unser Gefühl rechtfertigt, mit der diese Sprache Wortmassen auftürmt und bewegt, mit der sie das Äußerste — nicht an Anschaulichkeit, sondern an sinnlichem Reiz, an gedrängten, aufeinander gehäuften und rasch in ihr Gegenteil umschlagenden sensuellen Eindrücken zu erreichen sucht, — so besteht doch von der barocken Ästhetik her gar keine Notwendigkeit, daß so gesteigerten Formen eine ebenbürtige Leidenschaft entspricht.

Denn die Dichtung war auch, soweit sie ein Kunstschaffen aus dem Material der Sprache war, eine o b j e k t i v e B e - s c h ä f t i g u n g d e s G e i s t e s. Sie deshalb als k u n s t - g e w e r b l i c h zu bezeichnen, wäre ebenso ungenau, wie den Rationalismus zu einem bestimmenden Zuge der barocken Geistigkeit zu machen. Denn die Kunstgewerblichkeit als ästhetisches Werturteil setzt die „echte" Kunst, die nur durch eine technische Veräußerlichung zum „Gewerbe" werden kann, voraus. Diese „echte" Kunst aber, die dem modernen Begriff des Kunstgewerbes entspricht, kann es in einer so von Grund auf anderen Struktur der geistigen Welt, wie sie das 17. Jahrhundert darstellt, gar nicht

---

[4]) Hier geschieht es, daß durch rauschende Sprachmusik und glühende Tonmalerei dasjenige verherrlicht wird, was doch als verderblich empfunden wird, daß der Dichter von lustvollem Grauen an den betäubenden Düften verwesender Sinnlichkeit oder dem schrecklichen Geräusch krachender Brände zu einer sprachlichen Ausgestaltung gedrängt wird, die durch die parallel laufende „Bedeutung" nicht mehr erfaßt wird. Auch in dieser „verdrängten Ästhetik" wird das doppelte Motiv in der Dichtung G.s sichtbar, auf das in anderem Zusammenhange Manheimer einmal hinweist: A. a. O. S. XVI. „Eine Lehre der Verzweiflung: Mensch und Leben, Wissen und Kunst ist nichts, nur ein Wahn, ein Traum. Und diese Lehre doch vorgetragen im prunk- und anspruchsvollen Barockgewande, nihilistische Doktrin verkündet im Stelzenschritt der Alexandriner und mit der Schminke neuer Wörter und seltner Reime."

geben. Dieser Gegensatz überträgt bereits moderne und jener
Zeit ganz inadäquate Grundbegriffe in die Geschichte.

Die Sprache war ein objektives, künstlerisches Material, wie
der Ton, wie Marmor und Farben. Der Umstand, daß sie in
letzte feste Einheiten zerfiel, die zwar künstliche Verbindungen
miteinander einzugehen, nicht aber weiter zerlegt zu werden ver-
mochten, — die Notwendigkeit also, im Wesentlichen fertige
Materialteile zu komponieren, ließ die Poesie weit stärker in
vorgeschriebenen Bahnen verlaufen als die anderen Künste, bedeutete also eine besondere Einschränkung der subjektiven Möglichkeiten des Einzelnen. Die Forderung, daß der Dichter den
objektiven Stoff der Sprache zu einer Offenbarung seines persönlichen Wesens gestalten müsse, daß er ihr in diesem Sinne eine
dichterische Notwendigkeit geben müsse, wäre dem Barock als
Gipfel anspruchsvoller Willkür erschienen. Wohl kannte auch das
17. Jahrhundert dichterische Rangunterschiede, wußte, auf
welchem Gebiete jeder seiner Großen Meister war und hob
rühmend hervor, wo der Wortkunst neue Möglichkeiten erobert
waren. Diese aber waren keineswegs an die Person des ,,Er-
finders'' geknüpft, so wenig wie irgendeine Erfindung im modernen Sinne. Sie waren dazu bestimmt, sofort allgemein über-
nommen und angewandt zu werden. Sie ließen sich in Regeln
verwandeln. Sie waren vom Augenblick der Entdeckung an
Allgemeingut.

Die erregtesten Verse des Barock können mit der kältesten
Überlegung zusammengestellt worden sein, ohne daß das Zeitalter darin den leisesten Grund für den Vorwurf der ,,Unwahr-
heit'' erblickt hätte. Die s a c h l i c h e Richtigkeit, die es allein
erstrebte, lag darin, daß die von der Wirklichkeit gestellte Vor-
lage — des Meeres, der Krankheit — täuschend durch ,,Wort-
farben'' wiedergegeben wurde. Solange die schöpferische Subjektivität noch nicht zur beherrschenden Mitte der Dichtung
geworden war, war keine andere dichterische Aufgabe der Sprache
möglich als die der i m i t a t i o n a t u r a e. Mit dieser Universal-
Formel allein ist jedoch noch wenig gesagt. Entscheidend für die
Erkenntnis einer Epoche ist, wie immer wieder hervorgehoben
werden muß, nicht das, was sie von ihrem eigenen Wesen bereits
in das Licht der Theorie erhoben hat, sondern was in ihr noch

so unmittelbare, fraglose Praxis ist, daß es noch gar nicht zur
Distanz des Erkennens kommt.

Es handelt sich ja nicht um die naturgetreue Wiedergabe etwa
eines Schiffes in Seenot oder einer Krankheit, sondern um eine
konzentrierte Sammlung und Steigerung der aus dem natürlichen
Vorgang entnehmbaren sensuellen Eindrücke, um eine Kumulation
sinnlicher Reize, die in gedrängter Folge, gleichsam atemlos über-
einander stürzend, zu einer Reihe addiert werden, die an einem
Höhepunkt plötzlich nicht etwa sich zum Kreise schließt, sondern
abbricht, um mit dem summarischen „So..." von dem fertigen
Gemälde Abstand zu nehmen und ihm gleichzeitig seinen Sinn
zu geben. Umriß, Gestalt, Ganzheit suchen wir auch hier ver-
gebens. Die Linie ist ganz durch die Farbe ersetzt. Auf Anschaulichkeit, auf den wirklichen Vollzug der Vorstellung, kommt es
dem Dichter gar nicht an. Es ist im Grunde immer der gleiche
Seesturm, die gleichen Klippen sind es, die gleichen Wolken und
Wellentäler und das gleiche Schiff. Interessant ist nur, welche
Skala von „Sensationen" jeweils Worte, Satz- und Versrhythmus
erzielen. So durchdringt in den Gleichnissen, die eine leidenschaftliche Erregung der Seele in einen gegenständlichen Vorgang umsetzen, der Affekt das ganze Gleichnis derart, daß der
allegorisch-sachliche Bezug, oft hinter dem Bestreben, das Gleichnis zu einem sprachlichen Katarakt sensueller Eindrücke aus-
zunutzen, zurücktritt. Freilich bleibt bei alledem festzuhalten,
daß wie bei dem Dichter die Ursprünglichkeit, so bei dem Hörer
die Illusion fehlte. Man glaubte ebensowenig mehr an die
gleichnishafte Krankheit wie an den allegorischen Seesturm,
selbst nicht in den eindrücklichsten Schilderungen. Es kam ja
nur darauf an, daß diesen gültigen literarischen Kunstgesten auf
der Ebene der Sprache und durch das bloße Mittel der Sprache
neue und kräftige sinnliche Eindrücke, Spannungen und Steigerungen entlockt wurden.

Die Grenze zwischen barockem Gleichnis und barocker
A l l e g o r i e ist flüssig. Denn auch das Gleichnis im 17. Jahrhundert ist nichts als eine verhüllte, inexplicite Allegorie. Daher
dient es mehr zur Zusammenfassung und Klärung des schon Ge-
sagten als zur Anbahnung neuer Erkenntnisse, wenn nunmehr

abschließend an zwei Beispielen die beiden entgegengesetzten
Möglichkeiten barocker Allegorie verdeutlicht werden sollen.

Der „Papinian" setzt mit einer prächtig durchkomponierten
Ouvertüre ein, in welcher der Gehalt des ganzen Dramas sinn-
bildhaft erklingt. Ihr Thema ist: „Wer über alle steigt und von
der stoltzen höh Der reichen ehre schaut...". Aus diesem einleitenden Bild, das ebenso rein metaphorisch für sich stehen
könnte, wird der ganze Faden der einläßlichen Allegorie heraus-
gesponnen. Alles Folgende ist nur Herauswicklung und Analyse
dessen, was dieses Bild an sinn- und bildlichen Möglichkeiten
in sich schließt. Es gehört mit zur Kunst der i n v e n t i o, —
diesem vieldeutigen Begriff, mit dem die barocke Poetik voll
innerer Unsicherheit die eigentlich „schöpferische" Leistung zu
umschreiben suchte, die auch sie in ihrer Weise vom Dichter
forderte, — solche Möglichkeiten ausfindig zu machen, bei denen
die „Sache" imstande ist, den ganzen Reichtum des Gedankens
mit seinen vielfältigen Verzweigungen in sich aufzunehmen, ja,
wo der Anschein erweckt wird, als sei der Reichtum an Sinn nur
eine notwendige Folge näherer Betrachtung der „Sache". Der
Aufenthalt auf der Höhe hat die unleugbare Annehmlichkeit, alle
großen, über das Volk dahingehenden Katastrophen: Krieg, Über-
flutung, Brand, Dürre — von gesicherter Warte überschauen zu
können. Aber der Besteiger des Gipfels tauscht für jene dumpfen,
kollektiven Gefahren, denen er entronnen ist, nur andere, noch
schrecklichere, ein.

Die mannigfachen Gefahren, die dem Hofmann drohen, —
denn der Hof ist für das 17. Jahrhundert jene aus den bedrängen-
den Wirrnissen der Welt befreiende und die ersehnte, stoisch-
kontemplative Betrachtung ermöglichende „stoltze höh", — diese
Gefahren erscheinen nun verkleidet und entwickelt aus der Sache
selber: er kann durch eigene Schwäche, Unachtsamkeit und Unzulänglichkeit — durch einen Schwindelanfall — „durch gähen
fall...ehr man denckt..." abstürzen. Oder die Gunst des
Herrschers wird ihm, bzw. seinen Gönnern und Freunden, entzogen:

> „Wie leichte bricht der fels, auf dem er stand gefaßt,
> Und reißt ihn mit sich ab!"

Der Monarch selbst ist nie sicher, daß das empörte Volk ihn nicht
stürzt:

> „Bald wird der gipffel last
> Dem abgrund selbst zu schwer, daß berg und thal erzittert."

Der Zorn des Herrschers, — „der rauhe nord" oder noch eher
Neid und Verleumdung, diese „vom faulen sud" herangebrachte
Pest kann ihn herunterwehn.

> „Was ists, Papinian, daß du die spitz erreicht?"

fragt der Monologisierende sich selber am Schlusse der Allegorie,
um, nach einer langen, diese Spitzenstellung darlegenden Anapher,
den ganzen Zusammenhang abzuschließen:

> „Wenn eben diß die klipp, an der dein schiff wird brechen."

Im Augenblick, da die letzte Konsequenz aus der ganzen Allegorie gezogen werden soll, bricht das Bild unvermittelt ab; die
Bergeshöhe wird zur Klippe, an der das Schiff scheitert. Der
entscheidende Satz, daß eben aus jenem Glück für Papinian das
Unheil folgt, muß gesondert herausgegeben werden, darf nicht
als Glied in der Kette jener allegorischen Betrachtungen verschwinden. Dazu kommt, daß dem barocken Stilgefühl ein „d u
s e l b s t" wirst fallen, widersprach, es verlangte die Verdinglichung des personalen Trägers, der nur in Form des Attributs — „d e i n schiff" — zulässig ist, und die lange Anapher
machte die Katachrese weniger fühlbar.

Wir haben hier die e i n e Idealform der barocken Allegorie
vor uns. Es ist diejenige, welche äußerlich dem symbolischen
Gleichnis am nächsten kommt. Die Ding-Sache ist der Ge-
danken-Sache so adäquat, der Gegenstand nach seinem Sinn so
durchsichtig, daß das Bildgefüge, obwohl rein allegorischer Struktur, der Erläuterung, der ausdrücklichen Parallelisierung des
Sinns gar nicht bedarf. Höchst charakteristischerweise tritt
diese Parallelisierung erst in dem Augenblick auf, in dem der
Dichter beginnt, sich nicht mehr streng an die im Gegenstand
liegenden Möglichkeiten zu halten. Der seuchenbringende,
„faule sud" hat mit der Bergeshöhe nicht viel zu tun. Die ideale
Deutung von Sinn und Gegenstand geht verloren, das allegorische
Hintereinander wird zum Nebeneinander. Es kommt zu der
amorphen Normalallegorie, in der das Abstraktum das bildliche
Konkretum völlig ausschaltet.

Bis zu diesem Punkte aber war scheinbar das Bild alles und
der Sinn nichts, wurde scheinbar nur aus den Konsequenzen des
Gegenstandes, nicht aus denen des Gedankens, gefolgert. Das
war möglich, weil das Bild, wie ein buntes Glas, unmittelbar
durchsichtig war und dennoch die dahinter liegende „gemeinte"
Bedeutung in einer schönen, farbigen Beleuchtung darstellte.
Der „schöne Schein" hielt den Geist, der immer unterwegs zur
gültigen Bedeutung war, nicht auf und beschäftigte ihn dennoch
auf das Angenehmste. Die sinnliche Phantasie wurde durch
eine bewegte Fülle von Eindrücken unterhalten, und dem Geist
blieb es unverwehrt, durch das Uneigentliche dieser künstlichen
Bewegung hindurchzublicken auf den dahintergelegten bleibenden Sinn.

Neben diesem einen Idealfall durchgehender K o n g r u e n z
v o n D i n g g e f ü g e u n d v i e l g l i e d r i g e m G e d a n -
k e n g e f ü g e sei nunmehr ein zweiter, anders gearteter gestellt.
Beide bedeuten die Pole, zwischen denen sich die barocke Allegorie — nicht nur G.s — bewegte.

Einem Freundestreffen, bei dem man sich auf einem Spazier-
gange, um einen großen Stein gelagert, von den Sorgen der
Zeit durch ein gemeinsames Kartenspiel erholte, entsprang der
Plan, daß „zu einem gedächtnis dieser begebenheit etwas schrifft-
lichs von denen verfasset würde, welche sich zuweilen mit der
dicht-kunst erlustigen".

Wieder ist die negative Feststellung: was alle drei in ihren
Dichtungen n i c h t aus diesem Stoffe gestalteten, nicht minder
instruktiv als die positive Analyse dessen, w a s sie gestalteten.
Es ist allen drei Freunden völlig selbstverständlich, daß es sich
in diesem Erinnerungsgedicht nicht darum handeln kann, dies
p e r s ö n l i c h e Ereignis ihres freundschaftlichen ernsten und
heiteren Beisammenseins dichterisch zu besingen. Man erwäge
nur, wie, gut ein Jahrhundert später, ein aus solchem Anlaß
entstandenes Gedicht beschaffen wäre, obwohl es sich auch dann
noch um das für unser Empfinden höchst allgemeine G e f ü h l
„der" Freundschaft, „der" Liebe bewegen würde.

Hier verschwindet alles Individuelle, alles Persönliche, alles
Konkrete als belanglos, privat, ohne Anspruch und Recht auf
jene Öffentlichkeit und gültige Bedeutsamkeit, mit der die Poesie

es allein zu tun hat. Von der Freundschaft, der Natur, dem düsteren Hintergrund der Zeit und dem heiteren, tröstlichen Augenblick, von den Gefühlen und Stimmungen, welche die Freunde bewegen, erfahren wir nichts. Selbst die von G. zwischen der einleitenden captatio benevolentiae und dem Beginn des eigentlichen Inhalts eingeflochtenen vier Verse:

> „Soll dann von jenem stein ich meine meynung sagen,
> Auf dem so liebe freund, erhitzt, ein spiel zu wagen,
> Die unlängst treue gunst, so wenig itzt geacht,
> In unverfälschter lust zusammen hat gebracht" 442, 17 ff. –

sind ohne die erläuternde Vorbemerkung nicht verständlich. Als Gegenstand des Gedichtes kommen nicht die Menschen in Frage, der persönliche Vorgang oder irgend etwas Lebendiges, sondern allein ein Objektives, Gültiges und gegenständlich Bestimmtes: ein Ding. Gegenstand des Gedichtes wird also der S t e i n als solcher — und G. fügt ihm noch das K a r t e n s p i e l als solches zu.

Hier also ist das Primäre nicht die Bedeutung, die nach ihrer sinnenhaften Einkleidung verlangt, sondern das Ding. Die Aufgabe besteht gleichsam darin, aus einem gegebenen und begrenzten Stoff möglichst zahlreiche und möglichst gewichtige Bedeutungs-Münzen zu prägen. Und zwar muß sich der Dichter für eine b e - s t i m m t e Bedeutung entscheiden, und es kommt nur darauf an, diese beiden festgelegten „Sachen" durch so viel allegorische Parallellinien wie nur irgend möglich zu verbinden. Die W a h l der Bedeutung freilich steht dem Dichter in diesem Falle frei. Alle sonst geltenden, konventionellen Zuordnungen, alle metaphorischen Gesetze der Sinnenfältigkeit, des Kolorits u. a. sind außer Kraft gesetzt. Nicht Versinnlichung eines Geistigen, sondern restlose Vergeistung eines sinnlichen Verhalts ist die Forderung. Das Bild ist da, nun heißt es, soviel Sinn aus ihm herauszuholen wie möglich.

Von G.s Freunden macht der eine den Stein zum Sinnbild des Christen, der andere wählt, die wirklich allegorischen Bezüge freilich auf ein Minimum einschränkend, den Hofmann. G. dagegen greift über alles Einzelne hinaus wieder zum Letzten, Umfassendsten: Stein und Kartenspiel werden ihm zu Sinnbildern für Welt und Leben. Vor der getrennten Entfaltung beider Be-

ziehungen deutet er die Verbindung beider: dem Spiel auf dem
Stein gleich, setzen wir in der „steinernen" Welt beständig alles
auf das Spiel.

Nacheinander werden nunmehr beide Dinge in ihre Eigenschaften aufgeteilt. Der Stein ist unfruchtbar, — so die Welt.
Er lastet, — so zieht das Irdische hinab. Er ist nichts wert, —
das drückt der die ganze Welt distanzierend zum „Ding" vergegenständlichende Vers aus:

> „Könt iemand außer ihr die welt zum kauffe geben,
> Wer schlüg ihm etwas drauf?" ... 443, 40 f. -[5])

Den Hauptcharakter der Welt aber, ihre Vergänglichkeit, kann
G. nicht entbehren. Hier erweist es sich, daß es nicht weniger
galt, von der gewählten Bedeutung her in das Ding hineinzulegen
als vom Ding her den Sinn herauszulesen. Während der an Geist
und Poesie G. weit nachstehende erste Beitrag die standhafte
Unveränderlichkeit des Steins sachlich einleuchtend mit den
analogen Charaktereigenschaften des Christen verglich, bedarf G.
unter allen Umständen des Merkmals der Unsicherheit. So
statuiert er überkühn:

> „Der stein steht ungewiß, er ruht auf scharffer spitzen -
> Kan iemand auf dem rund der erden feste sitzen?" 442, 33 f. -

Sehr viel ausführlicher wird dann das Kartenspiel als Sinnbild des Lebens verwandt. Das Spiel als solches, die Farben, die
Gewinne, gewisse Regeln, die Verschiedenheit des Gewinns und
Verlustes und schließlich die am Schlusse achtlos hingeworfenen
Karten geben die allegorischen Motive ab, die G. jedoch, sobald
sie anklingen, zu selbständigen Betrachtungen ausspinnt. Und
im Grunde hebt er nur solche „Teile" der Sache allegorisch
heraus, die ihm Gelegenheit geben, seiner immer gleichen Predigt
vom Leben als Wechsel, Enttäuschung und Vergänglichkeit und
Tod neuen Ausdruck zu geben. Insofern findet sich in seiner
Dichtung gar kein reiner Typus für die v o m D i n g a u s -
g e h e n d e A l l e g o r i e. Seiner Schwermut und tiefen Er-
schüttertheit lag der vor allem von den Nürnbergern gepflegte, die

---

[5]) Die gleiche Stelle findet sich in der Leichenrede: „Überdruß
Menschlichen Lebens." A. Gryphii Leichabdanckungen, Frankfurt und
Leipzig 1698, S. 258, und ist dort auf Heinsius zurückgeführt!

Gewandtheit des Geistes fördernde Denksport mit halb oder ganz „g e b u n d e n e n" G l e i c h n i s s e n nicht. Da er wirklich einen Gehalt besitzt, den auszusprechen es ihn drängt, bleibt ihm das geistreiche Spiel mit den Formen als Selbstzweck immer fremd. Nur in den festlich-heiteren Hochzeitsgedichten, denen er so wenig wie irgendein anderer Poet seines Jahrhunderts zu entrinnen vermochte, stellte, wo es möglich war, der Name des Bräutigams oder der Braut die allegorischen Motive. Vgl. 141, 21, - wo der Bräutigam „Baum", 111, 23, - wo er „Specht" 188, 53, - wo er ‚Riese", die Braut „Becker" 549 ff., - wo sie „Weber" heißt.

2. Personifizierung und Beseelung.

Innerhalb der metaphorischen Formenwelt stand von jeher die Figur der Belebung, der Beseelung, der Personifikation im Mittelpunkt als das wirksamste und unentbehrlichste Ausdrucksmittel des bildprägenden Dichters, der die Dinge ihrer lastenden Stofflichkeit zu entkleiden, sie ihrem Zusammenhang mit der prosaischen Wirklichkeit zu entreißen trachtet, um sie in das ästhetische Reich des schönen Scheins hinaufzuheben, in dem sie verwandelt, zu Leben erweckt und auf vielfache Art dem Menschen verschwistert erscheinen. Aber wenn ästhetisch und poetisch weit differierende Epochen sich dieses Stilmittels bedienen, so zeigt sich schnell, daß sie jeweils mit der „Beseelung" ein verschiedenes dichterisches Ziel mit verschiedenen Mitteln verfolgen. So wird die Struktur des „beseelenden" Bildes für die vergleichende Analyse des poetischen Kunstwillens besonders aufschlußreich.

In den Lehrbüchern der Poetik und Rhetorik des 17. Jahrhunderts, in denen Tropen und Figuren nach festliegender Einteilung und tradierten Formeln abgehandelt werden, ist der „Beseelung" nur geringer Raum und wenig Überlegung gewidmet.[6]) Um so wichtiger ist ihre Funktion innerhalb der barocken Dichtung selber.

---

[6]) So empfiehlt B u c h n e r (De commutat. rat. dic., S. 27) gelegentlich seiner Behandlung der poetisch-rhetorischen Figuren unter Berufung auf Aristoteles vor allem die Metaphern, „quae καδ' ἐνέργειαν sive in actu esse dicuntur. Eam ob causam, quod res inanimas aliqvid agentes inducant, tanqvam animâ ac sensu praeditae sint"!!

Was liegt vor, wenn G. in Übereinstimmung mit der überkommenen poetischen Theorie und Praxis von dem „bestürzt
fliehenden Mond" (562, 16), dem „bestürzt" dastehenden Himmel
(Leo 4, 130 f.), der ob des Glanzes der Geliebten ihre Schamröte
verhüllenden Diana und den aus dem gleichen Grunde erblassen-
den Sternen (Card. 4, 30 f.) spricht? Wir fühlen sofort: diese
Beseelung entstammt nicht einer inneren Nötigung des Dichters,
der die Natur als ein lebendig Verwandtes erlebt, — nicht der
mächtigen Bewegung des überströmenden Gefühls, dessen Zauber-
wort die Welt zum Ertönen bringt. Diesen Formeln entspricht
weder subjektiv — in der Brust des Dichters — noch objektiv —
bei den angerufenen Dingen — eine Wirklichkeit. Mit der Substanz des Erlebnisses fehlt ihnen die Kraft, zu überzeugen. Aber
sie beanspruchen gar nicht, mehr und etwas anderes zu sein als
eine Sprachgebärde, als zierliche und prächtige „Farben" im Reich
des ästhetischen Scheins, des poetischen „bloßen Nennens". Der
häufig erhobene Vorwurf, hier werde dreist und ehrfurchtslos mit
den erhabenen Erscheinungen der Natur ad maioram gloriam
hominis Mißbrauch getrieben, hier sei auf eine neue, unerträgliche
und willkürliche Weise der Mensch zum Maß und Gesetzgeber
der Dinge geworden, — dieser Vorwurf mißversteht das rein
Sprachlich-Künstliche und also Uneigentliche, bewußt Illusioni-
stische dieser Formgebung. Er nimmt, was lediglich als poetischer
Schein geschaffen ist, ernst, indem er jene „Beseelung" zu
realisieren versucht, indem er sie anwendet und sie auf ihre
Durchführbarkeit, auf ihren Erlebnishintergrund, auf ihren Gehalt an Wirklichkeit prüft.

Das 17. Jahrhundert würde es vielmehr gerade als unver-
antwortliche Willkür empfinden, wenn ein Poet von seiner „beseelenden" Sprechkunst jenes ästhetisch-illusorische „tanquam"
Buchners striche und sie für Ernst ausgäbe. Es würde das
Verlangen etwa des Lyrikers der Goethezeit, daß der Leser an
diese so beseelte Natur „glaubt" und sie nacherlebend realisiert,
aus doppeltem Grunde verwerfen: als anmaßend und töricht
müßte ihm die Behauptung erscheinen, daß die objektive Welt
der „Sachen" sich den zufälligen und gleichgültigen Privat-
empfindungen eines Individuums unterwerfen solle, — und für
nicht weniger unbescheiden müßte es die ungenierte Enthüllung

der privaten Subjektivität mit dem Anspruch auf das sich ein-
fühlende Interesse der Öffentlichkeit halten. Schon im 18. Jahrhundert vollzieht sich jene ästhetische Umwälzung, nach der eine
Dichtung erst dann wahren Wert besitzt, wenn sie Gestalt-
werdung der spezifischen Begegnung eines „originalen" Ich mit
der Welt und dem Leben in seiner Totalität oder doch in wichtigen
Bezügen ist. Die unvertauschbare, alles durchdringende und durch
alles hindurchscheinende Individualität und Subjektivität des
Dichters ergreift nunmehr unmittelbar und unwiderstehlich das
empfangende Ich des Lesers oder Hörers und reißt es in die Tiefe
ihrer Lebensverwirklichung hinein, die unbeschadet ihres „Erlebnis"ursprungs und -anspruchs um so verbindlicher und gültiger
wird, je reiner die dichterische Form ist, in der sie sich ausspricht. Diese Kategorie der Subjektivität, die im 18. Jahrhundert zur selbstverständlichen Voraussetzung der Dichtung, des
ästhetischen Vorganges wird, bleibt im 17. Jahrhundert, wenigstens in der zur Erörterung stehenden Literaturschicht, ausgeschlossen. Hier ist das Ich des Dichters wie des Lesers als das
Willkürliche, Belanglose ausgeschaltet. Nicht auf einen persönlichen Vollzug, sondern auf einen sachlichen Verhalt
kommt es an. Die Poesie ist nicht die einzige Möglichkeit, durch das irrationale Geheimnis der Form und des
Symbols sprachlich zu verwirklichen, was auf keine andere Weise
seinen gemäßen Ausdruck finden könnte. Die Poesie ist vielmehr e i n e Möglichkeit der Aussage; sie ist die objektive Aufgabe, kunstvoll und ungewöhnlich, prächtig und zierlich das auszusprechen, was man an sich bequemer, direkter, ja verständlicher
auf manche andere, prosaische Weise sagen könnte.

Daher wäre es von dem Kunstbewußtsein des 17. Jahrhunderts
aus ganz sinnwidrig, zu sagen, Opitz beherrsche zwar die poetische
Technik in erstaunlichem Grade, doch fehle ihm das Entscheidende:
die dichterische „Persönlichkeit". Dem Bewußtsein des 17. Jahrhunderts liegt diese Scheidung ebenso fern wie der Gedanke, die
literarische Leistung des „Gekrönten" als Ergebnis und Offenbarung seines privaten seelischen Kräftefeldes zu verstehen. So
fest glaubt man an die Erlernbarkeit der Poesie, — eine Überzeugung, die sich unmittelbar aus der objektivistischen Ästhetik
ergibt und ohne die das Phänomen der in breitem Zug das Jahr-

hundert begleitenden, die Technik regelnden poetischen Theorie undenkbar wäre, — daß man kein Bedenken trägt, auch den anderen von den „Alten" beglaubigten Satz, das „poeta non fit sed nascitur", unverdrossen nachzuplappern. Denn man vermag ja auch ihn alsbald mühelos objektivistisch zu immunisieren, indem man darauf hinweist, wie ein geschmücktes Kleid schlecht zu einem unansehnlichen Körper passe, wie der Dichter große Gedanken haben, des inneren Aufschwungs fähig, reicher Assoziationen mächtig sein müsse. Denn die Poesie ist das überpersönliche Reich, da aus den Sachen, den Wörtern, den Gedanken unwirklich-künstliche Sprachgebilde werden, da Sinnliches und Geistiges, Ding und Gedanke tiefsinnig-prächtige, sinnreich-zierliche Verbindungen und Vertauschungen eingehen.

Und in dies objektivistische Gesamtgefühl der barocken Dichtung gehört auch die „Beseelung" als ästhetisches Kunstmittel hinein. Sie ist ein Vehikel zur gegenständlichen Explikation, zur Konkretisierung und Beweglichmachung bestimmter Meinungen, Gefühle, Begriffe, deren Erlebnischarakter — er mag da sein oder fehlen — sachlich und ästhetisch belanglos bleibt.

Es ist nicht möglich, von der sprachlichen Formenwelt auf die persönliche Haltung, von der unbekümmerten poetischen Verwendung der Gestirne etwa auf das fehlende Vermögen zu persönlicher ehrfürchtiger Bewunderung des Sternenhimmels zu schließen. Der ganze Vorgang der Belebung kann nur verstanden werden aus der beherrschenden ästhetischen Tendenz, alles Geistige, Gefühlsmäßige und also Unsichtbare in einen sichtbaren, hörbaren Eindruck hinein zu objektivieren und zu versinnlichen. Die objektive Feststellung: „das Mädchen war schön" — oder „die Tat war schrecklich" tritt nicht in einer Sprachform auf, welche die persönliche Begeisterung, den persönlichen Abscheu zur Darstellung brächte oder wenigstens durchfühlen ließe. Jene durchaus überpersönlichen, gültigen Feststellungen erfordern eine nicht minder dingliche, repräsentative Darstellung. Die Abstraktheit des Urteils „schön" und „schrecklich" wird dadurch auf poetischem Wege anschaulich gemacht, daß die Wirkung, der Reflex des Schönen oder Schrecklichen auf die Dingwelt geschildert wird. Der Poet meidet auch hier den direkten Weg der Aussage, er wählt einen Umweg, der ihn das eigentlich Gemeinte auf eine ganz uneigentliche Weise ausdrücken läßt, — und er erreicht dadurch, daß ein so subjektives, persönliches Erlebnis wie der Eindruck der Schönheit oder der moralischen Entrüstung entsubjektiviert und verdinglicht wird. Wenn es heißt:

"Der himmel steht bestürtzt, der löw, der bähr entweicht,
Die jungfrau scheust zurück ..." Leo 4, 130 f. -

so. wird hier eine seelische Empfindung von einzelnen Stücken der Dingwelt repräsentiert; ein moralisches Urteil ist gleichsam in physische Bewegungseindrücke verwandelt worden. Ein Geistig-Einheitliches ist umgesetzt in eine additive Vielheit von Verhalten, ein Nebeneinander von Sachen, in die unter Anknüpfung an die astronomische Figurenbildung lediglich vom Verbum her, ohne real verwandelnde Kraft, der Schein des „Beseeltseins" herangetragen ist. Die Dinge empfinden scheinbar, was die Personen eigentlich empfinden.

Das gültige, aber abstrakte Urteil: „schön" oder „schrecklich" ist also auf sprachlichem Wege in einen gegenständlichen Sachverhalt umzusetzen, der gleichzeitig ein Maximum sensueller Eindrücklichkeit besitzt. Zu diesem Zwecke „beseelt" der Dichter scheinbar die Sachen, läßt sie aber tatsächlich unangetastet in ihrem Eigensein, — (der Himmel „steht", Mond und Sterne wandern hinter Wolken, der Wind fährt durch die Sträucher usf.) — und versieht die natürlichen Vorgänge und Bewegungen nur mit psychischen Etiketten.[7]) Der betreffende Affekt wird ohne Umschweife ausgesprochen und den Dingen zuaddiert:

"Der monden fleucht b e s t ü r z t" 562, 16 -
„... der sanffte westen-wind,
Der durch die sträucher rauscht, beseuffzet und e m p f i n d t
Die unaussprechlich angst ..." Card. 4, 203 f. -

Die Dinge erhalten keine anima. Der natürliche Vorgang schließt sich nicht mit dem seelischen zu einer Einheit zusammen. Es bleibt bei dem a l l e g o r i s c h e n N e b e n e i n a n d e r. Der seelische Verhalt verlangt, vermittels der „malenden" poe-

---

[7]) Vgl. auch die Bemerkung W. B e n j a m i n s a. a. O. S. 186: „Immer hat die allegorische Personifikation darüber getäuscht, daß nichts Dinghaftes zu personifizieren, vielmehr durch Ausstaffierung als Person das Dinghafte nur imposanter zu gestalten, ihr oblag."

tischen Sprachkunst in einem physischen Verhalt, in einer Sache
oder einem Vorgang sinnfällig zu werden. Erst das Nebeneinander, das Bindestrich-Verhältnis beider ermöglicht es, das
Eindrückliche des D i n g e s und das Gültige des B e g r i f f e s,
das Objektive einer Sache und das Subjektive einer Empfindung
durch das Sprachspiel der Allegorie und der Personification zu
verbinden. Damit erhellt, wie wenig das Urteil, die barocke
Belebung führe nur zu einer plump vermenschlichenden Pseudobeseelung, ihren poetischen Absichten und Möglichkeiten gerecht
wird. Da die objektivistische Ästhetik die „echte" Beseelung, die
ja allein von der Subjektivität vollbracht werden kann, gar nicht
will, ist es sinnlos, ihr vorzuwerfen, sie bringe es „nur" zu
Pseudobeseelung.

In dem die Befreiung Israels aus Ägypten besingenden
114. Psalm lautet der 3. und 5. Vers:

> „Das Meer sahe und floh; der Jordan wandte sich zurück;"
> „Was war dir, du Meer, daß du flohest? und du Jordan, daß du
> dich zurück wandtest?"

G. übernimmt in seiner Nachdichtung diese echte Beseelung
von Strom und Meer, wie sie in den metaphorischen Verben unmittelbar Gestalt angenommen hat, nicht. Der Psalm läßt die
seelische Bewegung völlig in der Gebärde des Sehens, des
Fliehens, des sich zurück Wendens aufgehen. Die physische Bewegung ist in sich selber Erscheinung und Ausdruck eines
Seelischen, und die künstlerische Leistung des Psalmendichters
besteht gerade in diesem Gestalt werden lassen eines Inneren durch
die bloße natürliche Gebärde, unter Vermeidung aller vermenschlichenden psychischen Kategorien. G. setzt ohne Zögern die von
dem Psalm künstlerisch s y m b o l i s i e r t e Seelenbewegung
geradezu und direkt n e b e n das Bild.

> „Es hats das meer v o l l s c h r e c k e n angeschauet,
> Dem ocean hat in der flucht g e g r a u e t,
> Des Jordans macht
> Hat vor der pracht
> Des höchsten fort-zu-fließen nicht g e t r a u e t.
>
> — — — — — — — — — — — — — —
>
> Was war dir, ocean, daß du v o l l s c h r e c k e n
> V e r z a g t, den strand mit deiner fluth zu decken" ...

473, 17, 11 ff. –

Während G. nur das Vorhandene ausmalend zu steigern und zu verdeutlichen scheint, verändert er tatsächlich die ästhetische Struktur. Meer und Fluß werden aus beseelten Wesen zu Mitteln versachlichender ästhetischer Objektivierung des Schreckens, der von dem Gotteswunder ausgeht. Neben die in ihr starres Dingsein zurückverwandelten „Sachen" tritt, den allegorischen Bezug so erst ermöglichend, die eigentliche Bedeutung.

In manchen Fällen bewirkt das metaphorische Verbum als alleiniger Träger der Belebung den Schein einer „echten" Beseelung. Aber auch wenn der Mond „erwacht" und der Abend „herschleicht" 233, 2, 69 f. - Leo 5, 412, - wenn Luft und Bäume „erschrecken" 497, 3 - 112, 25, 4, - wenn die Nacht ihre „Fahne schwingt" 131, 3, 1, - den Sternen „ruft" 143, 43, 12 f. - und sich mit Lichtern „krönt" Leo 3, 33 f. - usf. handelt es sich nicht um eine Dämonisierung der Natur, sondern um bewußt und kunstgerecht gehandhabtes illusorisches Sprachornament.

Das gilt nicht minder für die häufige P e r s o n i f i z i e r u n g   d e r   e l e m e n t a r e n   M ä c h t e : Seuche, Tod, Schlaf, Hunger, Brand, die uns, wenn wir sie isolieren, am ehesten verwandt anmutet und die falsche Deutung als dämonisierende Beseelung nahelegt.[8]

Zuweilen gelingt G. geradezu eine an Shakespeare erinnernde Atmosphäre geisterhaften Zaubers und nächtlichen Spuks:

[8] Es ist daher grundsätzlich bedenklich, wenn in Untersuchungen über den Stil des Barock gewisse „gelungene", d. i. noch heute unmittelbar wirksame Bilder herausgegriffen werden. Der Verdacht, daß dies Gelingen nur höchst zufällig entstanden ist, daß auch sie tatsächlich nach Funktion und Intention vom 17. Jahrhundert her zu verstehen sind, ist allzu begründet. Wenn P o n g s einmal (a. a. O. S. 181) „das von blut fette schwerdt" als Beispiel für die beseelende Dämonisierung der Waffe anführt, so ist diese vom — unzulässig — isolierten Einzelfall aus zunächst einleuchtende Deutung im Zusammenhang der Gesamtbildlichkeit bei G. nicht aufrecht zu erhalten. Das „Fressen" und ebenso das „Fettwerden" des Schwertes ist zunächst eine gesonderte Umschreibung seiner Wirkung, wobei das metaphorische Verbum oder Epitheton mit seinem Subjekt keineswegs eine organische, beseelte Einheit bildet. Die Wendung scheint übrigens ebenfalls bereits formelhaft zu sein, denn in L o h e n s t e i n s „Ibrahim Sultan" heißt es: „So tauche der Tyrann eh' in die Adern ein Die vom Blut fette Faust" II 290 (Frankfurt-Leipzig 1676). Ebensowenig liegt z. B. eine Beseelung vor, wenn einmal vom „schnellen zahn der fäule" (84, 22, 1) die Rede ist.

„Phoebe lescht mit nassen wangen
Schon ihr silber-zartes licht,
Dunst und nebel hat umfangen
Der Astreen angesicht.
Nur Orion zuckt sein schwerdt
Auf der Britten kirch und herd.
Und Meduses schlangen-zöpffe
Treuffeln über unser köpffe." Carol. 3, 817 ff. –

Aber diese Strophe darf aus dem Gesamtchor der „engelländischen
frauen und jungfrauen", der den dritten Akt des „Carolus" beschließt, nicht isoliert werden. Den entsetzungsvoll dem unaufhaltsam nahenden Hinrichtungsmorgen des Königs entgegen-
blickenden Frauen liegt jedes lustvoll-unheimliche Versinken in
eine poetische Traum- und Zauberstimmung fern. Es ist auch in
diesem Falle keineswegs so, daß G. die dichterisch erfühlten
raunenden nächtlichen Geheimnisse zu Geistern beseelt, zu
mythischen Wesenheiten, in deren dämonischem Treiben die
dichterisch empfundene Stimmungsgewalt der Nacht ein unwiderstehlich ergreifendes Leben erhält. — Der Todestag Karls dämmert
herauf. Mit Hilfe der mythisch-personifizierenden Stilform ist
dieser Gesamtvorgang in eine Reihe nebeneinander stehender, in
sich geschlossener und bedeutsamer Einzelteile zerlegt: 1. der
Mond geht unter, 2. Frühnebel verhüllt die Sterne, 3. nur der
helle Orion ist noch erkennbar, 4. Morgentau befeuchtet kalt
die Erde. Für jeden Einzelteil des Naturzusammenhangs ist
durch die Mythologie Richtung und Art der poetischen Benennung gegeben. Damit aber ist die Interpretation nicht erschöpft, denn nicht auf ein stimmungsvolles Gesamtgemälde dieses
verhängnisvollen Morgens kommt es dem Dichter an. Sondern
jetzt gilt es, durch das kunstvolle Kostüm, durch die mythologische Einkleidung und die poetischen Attribute zum eigentlichen, bedeutungsschweren sachlichen Gehalt dieses Natur-
stücks durchzudringen. Da bedeuten die „n a s s e n" Wangen
der Phoebe Trauer über das geschehende Unheil. Die U m -
n e b e l u n g der A s t r a e a bezeichnet die durch den unglück-
lichen Spruch in England außer Kraft gesetzte Gerechtigkeit.
Die Sichtbarkeit des O r i o n erlaubt die Anspielung auf sein
S c h w e r t, d. h. auf die bereits drohend herannahende Rache,
die England mit dieser Freveltat sich zuzieht. Nicht minder

deutet die in das Giftgeträufel der M e d u s e n - S c h l a n g e n
verwandelte Morgenfeuchte auf das dem verbrecherischen Lande
bevorstehende Unheil.

Immer ist die scheinbar selbständige mythische Metaphorik
beherrscht und gelenkt von der überpersönlichen, übergefühls-
mäßigen, sachlichen Bedeutung. Immer ist das Gestirn-Mythologumenon nur ein überlegen und überlegt gehandhabter schöner
sprachlicher Schein, der eine Z e i t b e s t i m m u n g , eine
U n m ö g l i c h k e i t s b e t e u e r u n g , ein E n t r ü s t u n g s -
g e f ü h l , einen bedeutenden S i n n g e h a l t auf der dichterischen Sprachebene einer konventionellen, geschmückten, künstlichen Gegenständlichkeit verhüllt und entfaltet.

Viel deutlicher als in den genannten Gebieten wird die Uneigentlichkeit und Unwirklichkeit dieser Belebung, die nicht aus
einer subjektiven inneren Schau, sondern aus einem objektiven
poetisch-sprachlichen Gesetz erwächst, bei der Anwendung
des personifizierenden Verfahrens auf L ä n d e r , S t ä d t e ,
F l ü s s e u. dgl.

„Europe selbst zureißt ihr thränen-nasses kleid" Carol. 2, 247. -
„O land! mit königs-blut durchsprützt?
Machst du mit einem tollen streiche
Dichselbst zu einer toten leiche?" Carol. 1, 314 f. -
„. . . unser land stund gleichsam auf der bahr" Kath. 1, 560. -
„. . . das große land erschrickt,
Indem es kaum sich selbst in finsternüs erblickt" 329, 18, 11 f.
(So wird) „Mein müdes Britten-land sich selbst voll haß anspeyen"
Carol. 4, 165. -
„. . . Auf heut legt Engelland
An sich die mit dem beil (ach! ach!) bewehrte hand" Carol. 3, 491 f.

Das „Land" ist hier nirgends eine geschaute Wesenheit, es verdinglicht vielmehr das Lebendig-Persönliche der Einzelnen, der
Gemeinschaft, des Volkes, zum begrifflichen Gegenstand.

G. vermeidet dabei alles, was an das Individuelle, Persönliche
und also für ihn Z u f ä l l i g e , G l e i c h g ü l t i g e und V e r -
g ä n g l i c h e erinnert, um in dem abstrakten Begriff „Land"
das Ganze, das Objektive, Bleibende und Wesentliche, das allein
der poetischen Sphäre angemessen ist, zu fassen. Diesem ver-
dinglichten Begriff werden nun vermenschlichende, personifizierende Funktionen zugeordnet: das Land ist erschrocken, beküm-

mert, verzagt, verwundet - vgl. Carol. 1, 48; - es zittert, es
weint, legt Hand an sich selbst, liegt in den letzten Zügen, steht
auf der Bahr usf. - vgl. Leo 2, 34 - 442, 5 - Carol. 3, 555. -
Die Unvollziehbarkeit dieser Bilder ist eine wesentlich andere
als die von Th. A. Meyer im Allgemeinen festgestellte, die in der
von ihm durchgeführten Form nur für das Bild in der neueren
Dichtung zutrifft. Das metaphorische Verbum verschmilzt in
den erwähnten Fällen gar nicht zur Bildeinheit mit seinem nominalen Beziehungswort, sondern das metaphorische Verbum will
zunächst für sich genommen, enträtselt und gedeutet werden.
Das Zerreißen des Kleides, das auf der Bahre Liegen, das sich
Anspeien usf. sind versinnlichende Umschreibungen geistiger
Bedeutungen, die nun vermittels der personifizierenden Funktion,
gleichsam dem stilistischen Bindestrich und Additionszeichen,
mit dem an sich unbewegten und unveränderlichen nominalen
Dingbegriff zu einer sprachlich-künstlichen Einheit verbunden
werden.

So macht die poetische Technik die Tendenz zur Verdinglichung alles Menschlichen z u m S c h e i n e dadurch rückgängig, daß sie mit diesen Dingen vermenschlichende Metaphern
verknüpft — „als ob sie mit Seele und Sinn begabt seien". —
Und mit Hilfe dieser personifizierenden Metaphern bringt sie
in die ruhende Statik der unbewegten Dinglichkeit und Begriff-
lichkeit, in diese barocke Welt gültiger und bedeutungsschwerer
Nomina den k ü n s t l i c h e n S c h e i n sinnlicher, lebendiger,
konkreter Dynamik. Was zunächst künstlich zum Ding gemacht
wurde, das wird nun wieder noch künstlicher „zum Sprechen"
gebracht, — nämlich einfach dadurch, daß der Poet behauptet:
es spricht.

Die vorstehende Auffassung der Personifikation in der
barocken Dichtung findet ihre Bestätigung in der Gruppe, die
den weitaus größten Anteil an der personifizierenden Figurenbildung stellt und in der die ästhetische Funktion der „be-
lebenden" Metapher am stärksten hervortritt, wie hier gleichzeitig die Distanz von aller dichterischen „Beseelung" im heuti-
gen Sinne am greifbarsten wird. Die abstrakten Nomina, die
für den Poeten aus Gründen des Gehalts und des Gewichts von
größtem Wert sind, machen vor allem eine Ästhetisierung, ein

Beweglich-Machen nötig: Sie bedürfen daher am stärksten des personifizierenden Stilmittels. Hierfür nur wenige Beispiele:

„Verläumdung schliff das beil, das durch den hals wird gehn,
Wenn mir der heiße neid wird über haupte stehn." Pap. 1, 57 f. -
„Die straffe wacht, sie brennt auf kalter see."
„Die straffe selbst steigt von des himmels höh." Carol. 2, 134; 139 -
„Ihr bot alsbald die rach-lust treu die hand..." Card, 1, 565 -
„Drum steckt der heiße grimm
Zorn, rach und eyfer an und stöst die donnerstimm
Durch seine lippen vor..." 49, 39, 9 f. -
„Die ausgejagte zucht nahm deine seel zu sich" 142, 22, 4 -
„...Rufft jammer mich zum kampff. Dafern mir in dem streit
Die hoffnung hülff einspricht, fällt der erhitzte neid
Mich mehr denn hündisch an..." 143, 23, 6 f. -
„Das beil, das du auf Carlen wetzt,
Wird deiner ruh an hals gesetzt..." Carol. 1, 317 f. -
„Erfahrung hofft, ob pfeil und degen
Ihr schon an hertz und gurgel stehn,
Und dolchen durch die brüste gehn..." 498, 31 f. -
„Rein' unschuld setzt den fuß auf schwartze scorpionen
Und steht doch unverletzt..." 535, 53 f. -
„Daß allzuhartes recht, daß haß und toller neid
Den holtzstoß auffgesetzt, auf dem die tapfferkeit
Und tugend..." (verbrennen). Leo 2, 373 f. -
„Da rieb die angst den schlaff von den bethränten wangen." Leo 5, 43 -
„Wenn trotze tyranney den strengen hals abstürtzt" Carol. 3, 764 -
Die „pflicht verstarb durch des entleibten wunden" Pap. 4, 396 -
„...sein selbst eigen ehr in stillem grimm durchstiß" Pap. 4, 402 -
„Ihr wunder der gemähld', ihr kirchen und palläst,
Ob den die kunst erstarr't" 153, 51, 9 f. -
„Die matte sinnen-schaar
Laufft traurig um mich her" 60, 53, 10 f. -
„Doch steckt der neid den hof mit so viel seuchen an,
Daß niemand sonder furcht. Wo man verläumbden kan,
Beut argwohn stets die faust; wo argwohn zugenommen,
Hat schmertz die oberhand und haß den thron bekommen."
Pap. 1, 169 f. -
„Wem hat verleumdung nicht ein mordstück eingebrocket?
Kan iemand ohne fall auf glattem eyß bestehn,
Wenn ihn der neid anstößt?" Leo 2, 136, f. -
„Mit flügeln, die ihm wahn und hochmuth angebunden..." Leo 1, 407. -

Aber diese Tendenz auf übersubjektive, sachliche Begriffswesenheiten, die dem Gehalt erst die Qualität poetischer Verwendbarkeit verleihen, erschwert gleichzeitig durch die be-

herrschende Rolle, die sie dem unbeweglichen, abstrakten Sub-
jektnomen zuweist, die Aufgabe der ästhetisch-poetischen Formgebung, — eine Schwierigkeit, vor die sich aus verwandten Gründen noch Schiller immer wieder gestellt sah. Denn die Form-
aufgabe des Poeten zwingt ihn ja gerade zur Versinnlichung,
zum Beweglich-Machen, zum Konkretisieren. Er löst die Schwierigkeit dadurch, daß er die abstrakten Begriffssubjekte personi-
fiziert, d. h. er verbindet sie mit denjenigen prädikativen Verben,
die er wählen würde, wenn nicht die zum Begriff hypostasierte
Eigenschaft, sondern der Mensch, der die betreffende Eigenschaft
besitzt, das eigentliche Subjekt wäre. So macht das Verbum,
das überall der Hauptträger der personifizierenden Metaphorik
ist, den Schritt des attributiven Adjektivs zum selbständigen
Begriffsnomen gleichsam wieder rückgängig.

An dieser Stelle wird das Fiktive, der nur formalstilistische
Charakter der barocken „Beseelung" vollends unwidersprechlich.
Hier entfällt die letzte Möglichkeit, spätere Theorien von Erlebnis, Einfühlung, nachzuerlebender Beseelung heranzubringen.
Die personifizierende Dynamik des Verbums besitzt nicht entfernt die Kraft, das Begriffsnomen, zu dem es gehört, in seiner
starren Abstraktheit aufzulösen und in eine lebendige Wesenheit zu verwandeln, der künstlich hergestellten Objektivität
wieder eine Subjektivität anzuschaffen. Wenn die Unschuld auf
Skorpionen tritt, Neid den Holzstoß aufsetzt, die Kunst erstarrt,
die Pflicht erstirbt usf. — ist in all diesen Fällen das metaphorische Verbum für sich zu nehmen und in s e i n e Bedeutung (sich in Gefahr begeben, töten, erstaunt sein, untergehen)
zurück zu übersetzen, denn es ist mit seinem begrifflichen Beziehungswort gar nicht zu einer vollziehbaren Bildeinheit zu-
sammengewachsen.

Dem scheint entgegenzustehen, daß der barocken Emblematik
sowohl als auch dem barocken Theater eine Verwirklichung
dieser Begriffspersonifikationen durchaus geläufig ist. Tod und
Ewigkeit, Affekte und Eigenschaften, die Zeit, das Glück usw.
treten immer wieder in Sinnbildern und Schauspielen in der Gestalt menschlicher Personen auf, und die emblematischen Lehrbücher ergehen sich in scharfsinnigen und minutiösen Erwägungen, wie diese Personen dem Wesen des Begriffes, den sie dar-

stellen, am angemessensten ausgestattet werden. Tatsächlich aber schließt diese allegorische Figuration gerade jede beseelende Verwandlung des Begriffes aus. Sie vollendet die Verdinglichung, welche der barocke Poet mit allem vornimmt, was er berührt.

Alle diese Abstrakta sind irgendwie verselbständigte, hypostasierte menschliche Eigenschaften. G. aber vermeidet es, sie als Attribute eines Individuums erscheinen zu lassen. Er löst sie aus der ihren Wert beeinträchtigenden Bindung an eine Subjektivität. Er macht sie autonom und selber zum Subjekt. Wie — etwa bei der Schilderung der Frauenschönheit — der Mensch als physische Einheit, als Gestalt aufgelöst wird in entpersönlichte, verdinglichte und verselbständigte Einzelteile — weil ja die Ganzheit, die Einheit der Gestalt durch ein unauflösbar Einmaliges, Individuelles hergestellt wird, das sich jeder objektivierenden Versachlichung widersetzt —, so verliert hier der Mensch als innere Ganzheit, als Charakter seine Einheit und erscheint ästhetisch als eine Summe überindividuell-gültiger, mit der Würde des Begriffs ausgestatteter Eigenschaften. Diese völlig entpersönlichten Eigenschaften emanzipieren sich — gleich der Lippe, der Stirn, den Wangen als den unpersönlichen Sitzen der Schönheit — und dulden den wirklichen Eigner dieser Eigenschaften bestenfalls in einem attributiven Abhängigkeitsverhältnis. Selten wird es so deutlich, wie an dieser Stelle, daß in die vielschichtige Struktur der barocken Geistigkeit machtvoll und ungebrochen ein Stück jenes mittelalterlichen Realismus hineinragt, der alles Individuelle und Subjektive als das Einmalige und Nichtige verneint und den Begriff seiner Allgemeinheit und Zeitlosigkeit wegen als das Wirkliche und Wertvolle verehrt.[9]) Wenn statt privater Individuen und vergänglicher Wesenheiten die überpersönlichen, ewigen Eigenschaftsbegriffe, die Tugenden und Laster auf die Bühne treten, so ist damit der ästhetisch-

---

[9]) Das schließt natürlich nicht aus, daß dieser Realismus, der uns zwingt, das 17. Jahrhundert in vielem vom ausgehenden Mittelalter, nicht von der beginnenden Neuzeit her zu verstehen, nicht bereits erschüttert, seiner objektiven metaphysischen Substanz, seiner selbstverständlichen religiösen Gewißheit weitgehend beraubt und durch die leidenschaftlich und dunkel ihrer selber als letzter Wirklichkeit bewußt werdenden Subjektivität bedroht ist.

poetische Anspruch auf gehaltliche Steigerung der Gegenstände über die Zufälligkeit des Einzelgeschehens hinaus zur Würde und Bedeutung des Allgemeinen erfüllt.

Das zu bewähren, seien abschließend noch einmal symbolisierende Beseelung und allegorisierende Personifizierung beispielhaft nebeneinander gestellt.

Wenn Goethe den stillen Glanz des Mondes als milden und lindernden Freundesblick empfindet, verschmelzen in diesem beseelenden Bilde der empfindende Dichter und der die Empfindung auslösende „Gegenstand" zu einer neuen, unauflöslichen Einheit, die in der Tiefe des fühlenden Ich, der Subjektivität wurzelt. Dies konstitutive Mitgesetztsein der Subjektivität wäre innerhalb der Ästhetik des 17. Jahrhunderts der Kardinalfehler, der jedes Zustandekommen eines „richtigen", d. h. objektiv gültigen Bildes verhindert. Es hieße jedoch das Stilgesetz — nicht „der" Poesie, sondern dieser symbolisierenden Ästhetik Goethes — völlig mißverstehen, wollte man Goethes Bild (wie es der kritische Leser des 17. Jahrhunderts ohne Zögern tun würde) als eine Aufforderung auffassen, einen geistigen Gehalt zur sinnlichen Anschauung und Wirkung zu bringen. Eben darin aber erblickt die „malende" Poesie ihre Aufgabe. Ihre Verwandtschaft mit der Malerei ist begründet in der die Subjektivität ausschließenden Richtung auf das adäquate, sachlich zutreffende μετα - φέρειν, die Projizierung objektiver Verhalte auf eine neue kunstmäßige Ebene. Ist der Mond — so würde der Kunstrichter des 17. Jahrhunderts auf Goethes Bild hin sagen — als malende Vergegenständlichung eines sänftigenden Freundesauges brauchbar und richtig? Schon die auf der mythologischen Tradition beruhende Übereinstimmung, daß Luna eine Frau ist, würde ihn bedenklich machen.

Aber eben der Versuch, dies Bild als ein malendes, für sich mögliches gegenständliches zur-Anschauung-Bringen aufzufassen, würde, das hat Th. A. Meyer unwidersprechlich dargetan, gerade sein Dichterisches vernichten. Denn was in Goethe bei d i e s e r Gestimmtheit seiner Seele diese Begegnung des Mondes bewirkt, das fühlbar werden zu lassen, ist das Bild bestimmt. Es soll nichts s i c h t b a r machen, keine allegorische Entsprechung geistiger und sinnlicher Verhalte herstellen, sondern es soll etwas f ü h l b a r machen, jene Schwingung und Tönung der Seele, die der des Dichters in der Mondlandschaft — nicht entspricht, nicht ihr gleicht —, sondern die sie selber wiederholt. Der Vorgang im Leser ist nicht so, daß dieser gleichsam aus der Distanz des prüfenden Kenners das Bild von allen Seiten umschreitet, um schließlich nach vollendeter Betrachtung es zu verlassen und weiterzugehen, — sondern das Bild hebt augenblicklich alle Distanz zum Leser auf in die Unmittelbarkeit des Gefühls, das es hervorruft, und es hebt sich in dieser seiner Wirkung als Bild selber auf, statt, wie die Allegorie, stehen zu bleiben. Je richtiger wir es anwenden, desto stärker vergessen wir es als Bild, indem wir uns verlieren in die Welt, die es vor uns auftut und in uns heraufbeschwört.

So ist die Funktion des Goetheschen Bildes von vornherein auf diese in der subjektiven Innerlichkeit des Gefühls zustande kommende unmittelbare Einigung des Eigentlichen und des Bildhaften gerichtet. Das genaue Gegenteil dieser Richtung ist es, wenn man die Aufgabe des Bildes dahin versteht, daß es das Eigentliche, die „Bedeutung" in einen qualitativ fremden Gegenstand hinübertragen — μετα-φέρειν — soll, der zur „Veräußerlichung", zur Versinnlichung, zur verendlichenden Konkretisierung führt. Das aber ist nur möglich, wenn der zu vergleichende Verhalt überhaupt nicht als ein wesentlich Persönliches, sondern als eine Sache empfunden wird. Damit wenden wir uns wieder der Struktur des barocken Bildes zu. Wenn dort die reine Unschuld ungescheut auf Skorpionen tritt, wenn der auf Glatteis Befindliche leicht vom Neid hingestoßen wird, wenn der Ruhe Englands das Beil an den Hals gesetzt wird usf., so kommt es nicht zu der von der Kraft des Gefühls getragenen Realisierung eines Symbols, in dem sich beide Bildhälften zu einer höheren Einheit unmittelbar durchdringen, sondern es bleibt das unverbundene und gegenständliche Nebeneinander zweier Dinge, meistens sogar zweier Sphären, geschieden durch die unermeßliche Kluft, die das Ding vom Dinge, den Geist von der Materie und der Sinnlichkeit trennt, — eine Kluft, die nicht durch die metaphorische Gestalt, sondern allein durch den sachlich kombinierenden, das eine in das andere hin- und zurückübersetzenden Menschengeist überbrückt wird.

Hier verschmilzt die Zweiheit der Bildpole niemals zur symbolischen Einheit, die sich erfüllt und auflöst als seelische Wirkung,
als Gefühl. Das Nebeneinander bleibt künstlich verbunden durch
das „das bedeutet", ein Werk nicht des Individuums und der
Subjektivität, wohl aber der menschlichen Vernunft und der
Übereinkunft; und es wird nie zur Einheit des „das ist". Die
schwarzen Skorpionen „bedeuten" die Bosheit. Sie haben an sich
mit der Bosheit ebensowenig zu tun wie der Freund mit dem
Mond und der Blick mit dem Mondstrahl. Goethe vergleicht
diese Gegenstände auch gar nicht, sondern er symbolisiert sein
Erlebnis des Mondes durch ein verwandtes, das in seiner Wirkung i n n e r l i c h das g l e i c h e ist. Aber der barocke Dichter
vergleicht. Er malt jene schwarzen Tiere hin und meint etwas
toto coelo anderes, nämlich eine bestimmte Geisteshaltung als
Eigenschaft. Und er malt ferner eine Figur hin, aus welcher
der sinnreich kombinierende und gleichzeitig mit der emblematischen Konvention vertraute Geist entnimmt, daß sie „die Unschuld" bedeutet. Auch diese Figur hat keinen Punkt, in dem
sie mit der Sache, die sie darstellt, identisch ist, wenn sie sich
auch bemüht, ihr in möglichst vielen Punkten in ihrer heteroge-
nen Sphäre korrelat zu sein. Der Dichter läßt dann diese Figur
auf jene Tiere treten und versinnlicht dadurch das Ereignis, daß
die Unschuld sich mitten unter die Bosheit begibt. Er läßt sie
dort aufrecht und unangefochten stehen und vollendet mit diesem
Ausdruck ihrer Sicherheit das allegorische Gemälde überpersönlicher und daher auch völlig „unbeseelter" geist-sinnlicher Sach-
entsprechungen. Immer wieder erweist sich das barocke Bild,
auch wo es durch die belebende Figuration scheinbar zur unmittelbaren Einheit des Symbols tendiert, als eine Summe isolierbarer und an sich selbständiger Einzelglieder, die ihre poetische
Gültigkeit keineswegs verlieren, wenn man das künstliche Gefüge
der Verknüpfung auflöst, für das auch die „Beseelung" immer
eine Verdinglichung ist, und dessen unpersönliche Stilstruktur
nur der notwendige und gemäße Ausdruck jenes Objektivismus
ist, der noch immer, ob auch oft schon als ausgehöhlte Form für
einen neuen, noch ausdrucksunfähigen Gehalt, die gesamte
Geisteslage beherrscht.

3. Die Umschreibung.

Neben dem allegorischen, auf sensuelle, bedeutsame Verdinglichung gerichteten Grundgesetz barocker Figuration steht, nicht
minder maßgebend, das andere, das die N e n n u n g e i n e r
S a c h e bei ihrem wirklichen Namen als prosaisch verbietet
und eine kunstvoll erweiterte Umschreibung fordert, die sich der
Attribute des gemeinten Gegenstandes, bestimmter Details und
Wirkungen bedient. So wird der Geist des Lesers beschäftigt,
indem er erst auf einem Umwege durch kombinatorische Rück-
schlüsse zur eigentlichen „Sache" gelangt und gleichzeitig wird
sein sensuelles Eindrucksvermögen aufs Lebhafteste dadurch bewegt, daß gerade die repräsentativen, wirkungsvollsten und
allegorisch bedeutsamen Teile zur Umschreibung des Ganzen
isolierend herausgestellt werden.

Damit wird die Umschreibung eine kunstvolle, zugleich ver-
hüllende und enthüllende ästhetische Aufgabe. Sie tritt auf, als
gäbe es den die Sache bezeichnenden Begriff gar nicht, als ver-
möge sie ihn nur durch konkretisierendes Zurückgreifen auf Teil-
stücke, Attribute und Wirkungen anzudeuten. Mit der allegorischen Metapher teilt diese Tendenz zur erweiternden
Umschreibung den Charakter des Uneigentlichen und Objektivistischen. Auch bei der P e r i p h r a s i s , A m p l i f i c a -
t i o oder E x a g g e r a t i o ist nicht das gemeint, was dasteht,
sondern etwas, was der Leser von dem Gegebenen aus durch
sinnvoll deutendes Kombinieren erst erschließen muß. Auch hier
beherrscht die Kategorie des B e d e u t e n s den stilistischen
Vorgang. Die Subjektivität ist wiederum ausgeschlossen und die
ästhetische Beschäftigung des Geistes ist auf die dekorative und
sinnreiche Umnennung, Verkleidung, gleichsam auf die praktische Emblematisierung objektiver Verhalte gerichtet. Die
Figur der Periphrase verbindet das 17. Jahrhundert mit der
rhetorischen Tradition des Humanismus und der Antike. Schon
Q u i n t i l i a n empfahl, den Ehebrecher „non adulterum, sed
expugnatorem pudicitiae", den Tempelschänder „non sacrilegum,
sed hostem sacrorum religionumqe" zu nennen.[10]) J. C. S c a -

---

[10]) A. a. O. lib. VIII, 127.

l i g e r nimmt dann, nüchtern und plump definierend, den Stil-
begriff auf: „Multum affert ornamenti περίφρασις quum rem
vnā multis designamus verbis. Valde nanque abhorret a communi
vsu loquendi ...[11]) O p i t z schließlich verlangt dementsprechend:
„... in wichtigen Sachen, da von Göttern, Helden, Königen,
Fürsten, Städten vnd der gleichen gehandelt wird, muß man an-
sehliche, volle vnd hefftige reden vorbringen, vnd ein ding nicht
nur bloß nennen, sondern mit prächtigen hohen worten vmb-
schreiben. Virgilius sagt nicht: die oder luce sequenti; sondern

> ... vbi primos crastinus ortus
> Extulerit Titan, radiisque retexerit orbem.
> Wann Titan morgen wird sein helles liecht auffstecken,
> Vnd durch der stralen glantz die große welt entdecken."[12])

Gerade dies Beispiel zeigt, wie sich Periphrase und Metapher
in einer Figur zur Einheit verbinden k ö n n e n : die Umschreibung ist aber nicht minder häufig ein ganz unmetaphorisches,
sachlich-definitorisches Konkretisieren des Begriffes. Der Vers:

> „Wer sich auffs schwache gold des schweren scepter stützt
> Und auf die hertzen baut, die er in noth geschützt,
> Die er aus schnödem staub in höchsten ruhm gesetzet ..." Leo 2, 5 ff.

ist lehrreich. Die erste Zeile umschreibt den Gedanken: der
Fürst, der sich auf seine souveräne Macht verläßt ... Der Begriff
der Souveränität muß malend in bedeutende, sinnlich eindrückliche Dingteile verwandelt werden. Dazu bietet sich von selbst
das Emblem der Krone oder des Szepters. So nimmt hier das
Szepter als sinngefüllter, „malerischer" Gegenstand repräsentativ
die Stelle der Souveränität ein, verhüllend und offenbarend zugleich. Dem Dichter aber genügt dieser Schritt noch nicht. Er
tut noch einen weiteren. Nachdem er bereits ein Zeichen der
Sache für diese selber eingesetzt hat, greift er nun noch zu einem
Teil dieses bedeutenden Zeichens: er macht das Gold des Szepters
zum Hauptbegriff. (Vgl. dazu auch „seines scepters gold" Kath. 1,

---

[11]) Poet. lib. VII a. a. O. lib. IV, S. 505. Vgl. auch G. V o s s i u s
in „Oratoriarum Institutionum lib. VI, 1630, 5. Buch S. 281: „Eloquentiae
studioso plurimum prodesse, si discat eandem rem referre plurimis modis."
Vgl. P. S t a c h e l , Seneca und das Renaissancedrama, Palästra XLVI,
Berlin 1907.
[12]) Dt. Poeterey, a. a. O. S. 35.

244 - „seiner cronen gold" Kath. 3, 123 -.) Ein non plus ultra verdinglichender Zerstückelung ist umschreibend erreicht, und zugleich fallen die Akzente des Verses auf die beiden bedeutungsschweren „Sachen": das Gold und das Szepter. Die beiden alliterierenden Epitheta aber, mit Sorgfalt in ihrer Antithetik ausgewählt, die durch den Rhythmus des Verses noch hervorgehoben wird, geben dem Gesamtvers die letzten Lichter, die letzte geschliffene Vollendung der Form. Sie öffnen den Hintergrund von Bedeutung, der sich dem emblemfreudigen Zeitalter hinter den Dingen „Gold" und „Szepter" verbirgt. Der kahle Begriff der Fürstenmacht ist ästhetisch verwandelt in ein durchformtes, sinnbeherrschtes, geistbedeutendes Gefüge sensueller Eindrücke. Freilich bedarf es zum letzten Verständnis der ästhetischen Vollendung und des Reichtums dieses Verses der Fähigkeit, von der das Subjekt entscheidend mitsetzenden Ästhetik zu abstrahieren und die Kunst als eine objektive, transsubjektive Geistesbeschäftigung zu verstehen, dem Stilaufbau der uns geläufigen wohl entgegengesetzt, aber in sich voll eigener Notwendigkeit, Größe und Einheit, so daß der Schritt von dem geschichtlichen Nebeneinanderstellen beider Strukturen zur Wertung sich als immer schwieriger, wenn nicht als unmöglich erweist.

Natürlich wird in der Dichtung G.s der Begriff auch häufig, ja sogar überwiegend direkt verwandt. Die Umschreibung tritt hauptsächlich da ein, wo auf dem betreffenden Wort ein entscheidendes Sinngewicht liegt, wie etwa in dem eben erwähnten Falle, wo sich Leos Worte bis zur Höhe sentenziöser Allgemeingültigkeit erheben und wo die nüchterne Abstraktheit des Begriffs zusammen mit seinem inhaltlichen Gewicht einen gesteigerten, eindrücklichen Sprachausdruck fordert.

So wird aus: mächtig, ihn zu töten — „mächtig, seine leich ins kalte grab zu legen" Leo 1, 468 - und seinen Bruder mordete — „Und seines brudern hertz an bloße dolchen steckte" Kath. 3, 121 - die viele Feinde erschlugen — „die mit der feinde fleisch das große land bedecket" Leo 1, 15 - wie Karls Königtum bedroht ist — „... wie die zustückte cron auf Stuards sprossen knackt" Carol. 2, 484 f. - daß wir durch ihn Kaiser wurden — „daß wir durch seine gunst gold auf den haaren tragen und purpur um den leib" Leo 2, 528.

An die Stelle der Person tritt jeweils ein sachlicher Teil von
ungleich stärkerer sinnlicher Eindruckskraft: Leiche, Herz,
Fleisch —, an die Stelle des Verbs tritt periphrasierend eine
malerisch-anschauliche Handlung, die ein bestimmtes Detail —
eine bestimmte Phase oder Art des Vollzuges — als Zeichen für
das Ganze hinstellt und es oft kunstvoll durch Epitheta sen-
sualisiert, deren Reiz vom Wortgehalt bis zum Vokalakkord —
„kaltes grab", „bloße dolche" — wohl abgewogen ist.

Der einfache Gedanke: ehe der Morgen naht, bzw. ehe die
Sonne aufgeht — wird in einen pseudodramatischen Vorgang
mit drei „Personen" umgewandelt, die doch nur die allegorischen
Entsprechungen zerstückter Abstraktionen sind:

> „. . . eh die zeit den nunmehr nahen tag
> Die sonnen grüßen läßt. . ." Leo 5, 414. -

Aus dem einheitlichen Naturvorgang des anbrechenden Tages
wird zunächst eine Begriffsrealität, die allgemeinste, — die
Zeit, — personifizierend herausgelöst und zum handelnden Subjekt erhoben. Sodann wird der „Tag" von der „Sonne" getrennt,
beide werden gleichfalls „beseelt". Dabei ist die syntaktische
Stellung der Nomina wieder sehr bezeichnend. Sie enthüllt erneut
die Wortskala, die, dem mittelalterlichen Realismus des Begriffs
weit verwandter als dem modernen des existierenden Einzeldings,
dem reinsten Abstraktum die höchste Würde zuerkennt und
bei dem Konkretum endet. Das eigentlich alles bewirkende Konkretum, die Sonne, ist zum Objekt eines Objekts geworden; der
„Tag" regiert syntaktisch die Sonne, deren Folge er ja in Wirklichkeit ist. Die Zeit aber als reiner Begriff ist zum Subjekt
geworden, das beide, Tag und Sonne, lenkt. — Aus dem Gedanken: Ich sehe die Brüder im Kampf miteinander — wird:
„Ich schau des brudern faust im brüderlichen Haar" Pap. 1, 49 -
aus: Durch meine Mühe die Völker befriedet — wird: „Durch
meiner glieder schweiß der länder angst erfrischt" Pap. 1, 134. -
Carolus sagt von seinen Kindern, daß die Flucht über See sie
gerettet habe, daß sie ihm aber trotz der Entfernung unvergessen
seien. Die poetische Fassung lautet:

> „Euch gab der wilde schaum der strengen see das leben,
> Das uns die insel nimmt . . .
> Ihr seyd, wir stehn es zu, uns aus den augen kommen;
> Der strom hat dennoch euch nicht aus der brust genommen."
>
> Carol. 2, 402 ff. -

Überall vollzieht sich die gleiche Bewegung: das Sachliche, Allgemeine, Unpersönliche, begrifflich oder dinglich Gegenständliche übernimmt die Führung. Die Person, wofern sie unentbehrlich ist, wird ihm attributiv beigefügt. Die Periphrase dringt nach Möglichkeit bis zum äußersten Detail konkretisierender Versinnlichung vor. Die Faust im Haar und der Schweiß der Glieder, der Schaum der Wogen usf. sind gleichsam der sinnenfälligste malerische Teilgegenstand des entstehenden Zwistes, der vergangenen Mühe, des rettenden Meeres.

Am augenfälligsten wird diese Richtung auf extreme verdinglichende Zerstückelung wieder bei der Darstellung des Menschen. Joseph hat gezeigt, wie der barocke Übersetzer „statt der Erwähnung einer Frau, Lydia, „der Lydien glattes Haar"[13]) auftreten läßt. Der Blick wird von der Person, der Gestalt, dem Ganzen sofort auf das Einzelne, das Teilstück abgelenkt. Für: manch alter Mann bewundert mich jungen — setzt G.: „manch greiser bart erstarrt ob meinen gelben haaren." (Card. 1, 50.) So wird der Mensch, soweit er der übergeordneten Macht der Vergänglichkeit angehört, zum Ball, Irrlicht, Schnee, Klang, Tau usf., soweit er von Schmerzen und Leidenschaften erfüllt ist, zur Brandstätte, zum Wohnhaus, zum Schauplatz, und sogar wenn der Dichter sich selber, sein ganz persönliches Leben, seine vermeinte Auflösung lyrisch schildert — dann bringt er eine Physiologie der Agonie in Verse, isoliert seinen Geist, löst ihn in die gegenständliche Vielheit der Sinne auf, die, als Trauergefolge, das Grab seines eigentlich schon erstorbenen Körpers umringen:

„Die matte sinnenschaar
Laufft traurig um mich her ..." 69, 53, 10 ff. -

Wo aber bleibt das mächtig erregte Ich des Dichters? Es vermag sich noch nicht zu offenbaren; noch wird ihm, was immer er sprachlich berührt, zum Dinge, — und ob er auch das Ding zu durchgeisten vermag, so doch nicht zu beseelen. Das ist das Charakteristische dieses Stils: niemals wird das Bildsubjekt oder -objekt als Ganzes erfaßt, immer wird nur e i n e Beziehung abgelöst, vergegenständlicht und als Wahrheit, Begriff oder Vorgang durch eine „Sache" illustriert, die wiederum als ganze im Dunkel

---

[13]) A. a. O. S. 47.

bleibt, die wieder nur einen bestimmten Teil ihrer selbst zum
Zweck der Figuration hergibt.

Oft handelt es sich auch nur um die P e r i p h r a s e e i n z e l -
n e r   B e g r i f f e   u n d   Gegenstände, von denen sich in
den geräumigen „Schatzkammern", „Parnassen" und andern
poetischen Katalogen durch Umfang und Auswahl Erstaunen er-
regende Zusammenstellungen finden. Aus der großen Fülle von
Umschreibungen dieser Art, die sich bei G. findet, — und die
dann bei den Späteren vollends unabsehbar anschwillt —, seien
nur einige typische Beispiele herausgegriffen:

> Das Kreuz: „der verfluchte baum der pein" 322, 15, 5 -
> die Zeitgenossen: „diß, was athem zeucht" Leo 2, 38 -
> die Seide: „was der Sere spinnt" Leo 3, 239 -
> die Bienen: „der bemühte schwarm" Pap. 3, 77 -
> 22 Jahre: „die zweymal eilfften ähren" Card. 1, 37. -

Eine besondere Erwähnung verdienen in diesem Zusammenhange die Fälle, in denen zu S e n t e n z e n erhöhte Gedanken
ihre — natürlich immer m e t a p h o r i s c h - a l l e g o r i s c h e
U m s c h r e i b u n g finden. Das Barock neigt wegen seiner
Richtung zum Objektiven, Gültigen und Allgemeinen folgerichtig
zur Sentenz und sieht in der Prägung und Einflechtung zahl-
reicher sentenziöser Regeln und Wahrheiten einen besonders
wertvollen Schmuck der Dichtung. Allen Gedanken, die der
barocke Dichter um das Grundmuster der — ebenfalls streng
typisierten — Handlung webt, wohnt dieser Auftrieb zur allgemeinen Gültigkeit und Regelhaftigkeit inne; sie alle sind unterwegs zur reinen Höhe des „Sinnspruchs". Die periphrasierende
Überführung der sentenziösen Wahrheit, die Ausdruck eines notwendigen Geistesgesetzes ist, in die gegenständliche Sinnenwelt
geschieht meistens so, daß der geistigen Zwangsläufigkeit eine
natürliche, der ideellen Regel eine physische illustrierend zugeordnet wird. Aber dies korrespondierende Prinzip der Notwendigkeit ist keineswegs d a s tertium comparationis; das Bild
bleibt auch hier eine allegorische Summe korrelater Einzelteile.

> „Die cantzel bauet uns nicht wenig vor das Licht." Carol. 3, 183. -
> „In einem augenblick entbrennt ein großes feuer." Carol. 3, 770. -
> „Man kan ja jedes bild mit schöner farb anstreichen."
> Card. 4, 265. -
> „Es kan ein kleiner funk ein großes feur entzünden."
> Carol, 1, 169. -

„Wen nicht die dornen ritzen,
Bricht schwerlich rosen ab." 84, 21, 4 f. –

„Der baum, der lange stund, fällt auf den letzten schlag."
Kath. 2, 352. –

„Man läßt die löwen nicht leicht aus dem käficht springen."
Kath. 1, 161. –

„Wer sich vor brand entsetzt, muß auch die funcken dämpffen."
Kath. 1, 158. –

„Der ist umsonst bemüht und bittet sonder frucht,
Der in dem höchsten durst bey flammen wasser sucht."
Carol. 5, 31. –

„Je mehr der himmel träufft, ie schöner wächst die blum."
Pap. 14, 266.

„Ein schatten-reicher baum wird von dem himmel troffen;
Ein strauch steht unversehrt." Pap. 1, 152 f. –

„Ein dunckel aug hat nie der sachen werth betracht."
Carol. 3, 712. –

„Der artzt ist scharff, der nicht die wunden selber fühlt."
Pap. 2, 22. –

„Furcht schwebt sowohl um stroh und leinwand, als scarlat."
Leo, 1, 421. –

Auch in diesen Beispielen hat der äußere Vorgang in seinen einzelnen Teilen vom textlichen Zusammenhang her seine bestimmte allegorische Bedeutung und Auflösbarkeit. Aber gleichzeitig sind die Bildteile nur Versinnlichungen der allgemeinen Begriffe einer Sentenz, die vielfacher Anwendung und Füllung offenstehen. Zuweilen ist nun die versinnlichte Sentenz von einer so allgemeinen Bedeutung, daß der Dichter eine zweite Umschreibung, die den allgemeinen Satz auf das konkret Gemeinte anwendet, beifügt.

Als Theodosia aus religiösen Gründen um Begnadigung Michaels bittet, antwortet ihr Leo mit der ganz allgemeinen Bildsentenz:

„Wie thörlich! wenn man sich die gurgel selbst abschneidet", fügt aber, diesen Satz auf sein Verhältnis zu Michael anwendend und näher bestimmend, die zweite, aus dem Zusammenhang nicht mehr zu verselbständigende metaphorische Periphrase zu:

„Wenn man das waldschwein, das mit so viel schweiß gehetzt,
Und in dem garn verstrickt, auf freye wiesen setzt."
Leo 2, 488 ff. –

An anderer Stelle bringt der Dichter gleich drei verbildlichte
Sinnsprüche, die dennoch so allgemeiner Natur sind, daß er, in
besonders deutlichem Anschluß an das dritte Bild, die in diesem
Falle geltende bestimmte Anwendung deutend hinterher schickt.

> „Ihr neider bellt und nagt! was nicht der wind anficht,
> Was nicht der regen netzt, bringt selten reife frucht.
> Die ros' ist immerdar mit dornen rings umgeben.
> Manch baum, der itzt die äst hoch in die Luft aufreckt,
> Lag als ein unnutz kern zuvor mit erd bedeckt.
> So was ihr unterdruckt, wird, wenn ihr todt seid, leben."
>
> 93, 36, 9 - Lesart A. (Anm. 5.) -

Besonders fordert der zur stichomythischen Wechselrede zugespitzte Dialog dazu auf, der eigenen Ansicht dadurch ein be-
sonderes Gewicht zu geben, daß man sie durch eine unbestreitbare
Kausalverknüpfung des Naturgeschehens allegorisch abbildet und
sie damit zur sentenziösen Höhe eines unwidersprechlichen Gesetzes erhebt. Der Dialogpartner, der die Gültigkeit jener Formulierung zum mindesten im Bereich der Dinge nicht gut
anfechten kann, strebt dennoch danach, im Bild zu bleiben und
seinen Gegner in eben der Sphäre, die jenem die Waffen geliefert
hat, zu widerlegen. Er nimmt das Bild auf und holt daraus für
seine abweichende Meinung durch eine leichte Wendung ebenfalls ein allegorisches Gemälde in der Form eines unangreifbaren
Gesetzes. So bewegt sich der Dialog scheinbar auf einer ganz
anderen Ebene als die Sache, wird scheinbar von rein äußerlichen
Motiven vorwärtsgetrieben, während tatsächlich alles ganz uneigentlich gemeint ist. Er gibt sich äußerlich als kontinuierliche
Erörterung von Naturerscheinungen und ist in Wirklichkeit
eine Abfolge gegensätzlicher Ansichten über bestimmte dramatisch
akute, politische oder moralische Fragen. Ein Beispiel: Leo berät
mit Exabolius, ob die rasche Hinrichtung Michaels die Ruhe
sichern oder gerade Ursache zu noch größerer Unruhe bringen
wird.

> E.: „Ein vogel fleucht den baum, auf den der donner schlägt."
> L.: „Der große, wüste wald wird durch den schlag bewegt."
> E.: „Bewegt auch und erschröckt. Man lernt die klippen meiden,
> An der ein fremder mast hat müssen schiffbruch leiden."
>
> Leo 1, 185 ff. -

Der Gedanke: Michaels Freunde werden sich hüten, einen Plan zu verfolgen, der seinem Hauptvertreter das Leben gekostet hat, — wird von Exabolius in ein Naturgesetz mit seiner ganzen Eindringlichkeit gekleidet. Die persönliche Ansicht des Einzelnen erhält damit das Ansehen und die Gewißheit einer gültigen Regel. Sie tilgt geradezu jeden Schein ihrer privaten Herkunft und tritt als diese Regel selber auf, die nach der Dingseite hin ein Naturgesetz, nach der Bedeutungsseite hin eine allgemein menschliche Verhaltungsweise darstellt. Gleichzeitig aber muß jedes Glied dieses notwendigen Naturzusammenhangs auch auf den konkreten Zusammenhang im Drama anwendbar sein; so ist Vogel = diejenigen, die Gleiches gelüstet wie Michael, baum = der Anschlag auf Leo, der donner = die Hinrichtung Michaels. Leo knüpft antwortend nicht an den Träger des ihm entgegengehaltenen Bildes, an den Vogel, an, sondern an einen untergeordneten Teil: den Baum. Ihn erweitert er zum Wald, und dieser erhält nun eine ganz neue Bedeutung; er illustriert das Volk. Bei dem anknüpfenden Wiederaufnehmen des gegnerischen Bildes kommt es nur wieder darauf an, daß ü b e r h a u p t die äußere Sachbeziehung hergestellt wird, auch wenn dabei das Bild in eine ganz neue Bedeutung hineingewandt wird. Exabolius schließlich nimmt das „bewegt" Leos auf, das bei Leo „aufgereizt" bedeutete und interpretiert es als „erschröckt". Er nimmt also Leos Gegenbeweis aus der Natur an, gibt ihm aber die entgegengesetzte allegorische Ausdeutung, die er natürlich nun gezwungen ist, direkt, nicht mehr „im Bilde" auszusprechen. Die Situation hat sich dahin gewandelt, daß nicht mehr, wie zu Anfang der Diskussion, die Meinung das Erste und der sie abbildende Vorgang das Sekundäre ist. Nunmehr hat sich das Bild verselbständigt, und wer von beiden Partnern recht hat, das hängt scheinbar davon ab, wie der von beiden zugegebene natürliche Vorgang allegorisch zu deuten ist. Hier bricht der Dichter ab und führt das an der Grenze möglicher Durchführbarkeit angelangte Bild in ein neues, dem letzten Gedanken gemäßes über. Etwas von der sinnreichen Technik des Uneigentlichen und dem kunstvollen Beziehungsgewebe barocker Dichtung wird an diesem Dialogfragment sichtbar, wenn das betrachtende Auge, aus der Dämmerung der eine Bewegung der Seele erstrebenden subjektbeherrschten Dichtung kommend, sich an die allgemeine, gleichmäßige Helle und ihre optischen Gesetze gewöhnt hat, — an die sachliche Helle, die über aller objektivistischen Poesie und so auch über der G.s liegt.

Vgl. hierzu auch den großen Dialog Leos und Theodosias:

Th.: „Durch blut wird unser thron befleckt und glatt gemacht."
L.: „So trägt ein frembder scheu, denselben zu besteigen."
Th.: „So muß er endlich sich auf nassem grunde neigen."
L.: „Die nässe trucknet man mit flamm und aschen aus."
Th.: „Die leichtlich unser hauß verkehrt in staub und grauß."

Leo 2, 450 ff. -

4. Die allgemeine Struktur und die ästhetische Funktion des Bildes bei G.

Der Versuch, die bisher gewonnenen Ergebnisse zu grundsätzlicher und zusammenhängender Erkenntnis weiterzuführen, sei wieder interpretierend einem Beispiel angeknüpft.

G. und sein Jahrhundert bevorzugten den bis auf die Psalmen zurückgehenden Vergleich des Menschen mit der Blume. In Kath. (1, 301) heißt es einmal:

„Da fand ich ongefähr die neuen sommers-zeichen."
„O blumen, welchen wir in wahrheit zu vergleichen!
Die schleußt den knopff kaum auf, die steht in voller pracht,
Beperlt mit frischem thau, die wirfft die welcke tracht
Der bleichen blätter hin. Die edlen rosen leben
So kurtze zeit und sind mit dornen doch umgeben!
Alsbald die sonn entsteht, schmückt sie der gärte zelt,
Und wird in nichts verkehrt, so bald die sonne fält.
So küssen wir den tag, benetzt mit eignen thränen,
Und schwinden, wenn wir uns erst recht zu leben sehnen...
So fleucht die lust der welt, so bricht der güldne thron...
So, wie die rose liegt, mußt auch mein scepter brechen" usf.

Kath. 1, 301 f. -

Wenn wir den Vergleich des Menschen mit einer Blume als poetisch wirkungsvoll empfinden, so deshalb, weil die lebendige, werdende und zugleich das Schicksal des Vergehens enthaltende Schönheit der Blüte der beseelenden Kraft symbolisierender Phantasie einen denkbar geringen Widerstand entgegensetzt, weil sie kraft ihrer schon in sich „poetischen" Erscheinung mühelos das Gefühl beschwingt und jene, alle festen „realen" Konturen verwischende, geheimnisvolle Dämmerung herstellt, in der Schönheit und Schicksal der Blume und des Menschen verschmelzen: der Mensch empfängt jene Kräfte fehlloser und dem Tode zusinkender Schönheit, die sich in der Blume gleichsam rein darstellen, und die Blume erhält den unendlichen Wert der lebendigen Seele; beide werden eins, aber in dieser Einheit vollzieht sich jene fruchtbare „ästhetische" Durchdringung, die das Gefühl in eine unendliche Bewegung versetzt.

Das angeführte Beispiel zeigt jedoch, daß der ästhetische Vorgang, den das Bild bei G. beabsichtigt und hervorruft, wesentlich anders ist. Die Distanz des Betrachters zur Blume wird nicht vom Gefühl in irgendeine dämmernde und beseelend-verwandelnde Unmittelbarkeit aufgehoben. Sie bleibt nüchtern und klar bestehen, und die auf das Erkennen eines Objektes gehende konkrete Gerichtetheit des Sehaktes wird nicht entspannt: Die betrachtende Katharina faßt mit sachlicher Exaktheit das Blumenbeet ins Auge und stellt die verschiedenen Verhalte (knospende, volle, betaute und verwelkende Blüte) in gegenständlicher Helle fest. Schon der Aufbau des Ganzen ist bezeichnend und stimmt mit der Art überein, mit der die barocke Theorie das „Finden" der Bilder lehrt. Katharina kommt nicht aus sich heraus auf den Vergleich. Sie „stößt" auf einen wirklichen Gegenstand, der sich nunmehr ihrem Geist thematisch als ein Gleichnis für ihr eigenes und für des Menschen Los aufdrängt. Nicht die Tiefe der Subjektivität, sondern das gegenständliche Sein der objektiven Sachenwelt gibt den Anstoß zum poetischen Bild. Es stellt gleichsam die Aufgabe. Ihre Lösung erfolgt wiederum nicht von der das Sein beseelend-verwandelnden symbolisierenden Kraft des subjektiven Gefühls aus, sondern sie wird von der Sache, vom Sein des Gegenstandes bestimmt. Und daher ist der nächste Schritt, den Katharina tut, daß sie diesen Gegenstand scharf ins Auge faßt. Sie vereint nicht verinnerlichend Schönheit und Schicksal dieses Blühens und Vergehens zum anschauungsstarken Symbol „der" Rose, sondern sie zerlegt, alles Subjektive ausschaltend, veräußerlichend den Gegenstand in seine sachlichen Teile. Nicht die Blume als solche, als eine lebendige Ganzheit, wird dem Menschen, wiederum als einer Ganzheit, verglichen, sondern eben jene sachlich festgestellten Teile, Phasen, Attribute der Rosen stellen das Material für die

gleichnishaften Beziehungen. Das wird vollends deutlich, wenn
Katharina es sich, — wegen der allzu erprobten Wirkung, —
nicht versagen kann, auch die „Dornen" einzubeziehen, die gar
kein „Teil" der Blüte, also des eigentlichen Vergleichsträgers,
mehr sind, sondern bereits in einen ganz neuen Sinnbereich hinüberführen. Wohl stellt dann die Vergänglichkeit vor allem die
gleichnishafte Beziehung her, — aber doch wiederum so, daß sie
abstrahierend vom Gesamtsein des Menschen und der Rose isoliert
wird. Als ein Attribut, als ein Teil des Seins der Rose, stellt sie
eine allegorische, sinnbildliche Parallele zu einer — ob auch noch
so wichtigen — Eigenschaft des Menschen dar. Die gemeinsame
Subsumierung unter den gleichen sachlichen Begriff schöner Entfaltung und raschen Hinsinkens befähigt die Blume zur metaphorischen Funktion, zum „Emblem" des Menschen — oder besser
eines entscheidenden menschlichen Attributes, das sie isoliert, versachlicht, verselbständigt darstellt: der Vergänglichkeit. Nicht
Individuen, sondern Komposition objektiver Eigenschaften, Teil-
haber an den allein wesenhaften, wirklichen und gültigen Begriffen sind die Menschen in der Art, wie sie auch noch G. poetisch
formt, so sehr seinem tragischen Erleben der Welt und dem, was
sein Dichten bewegt und hervorbringt, schon ein neues Lebensgefühl zugrunde liegt. Diese noch selbstverständliche und un-
erschütterliche Höchstschätzung des Allgemeinen, des Begriffs,
die alles, was seine Gültigkeit und also Realität nicht erreicht,
als privat und interesselos verachtet, gibt auch der Bildlichkeit
jenen Zug auf das Objektive, der jede schöpferische Beteiligung
des Gefühls als unrein und verwerflich ausschließt. So erklärt
es sich, daß jedes Bild sich zum mindesten a u c h begrifflich-
sachlich auflösen läßt — die symbolische Bildfunktion läßt eine
adäquate Auflösung niemals zu — und daß G. mit seinem Jahrhundert darin gerade die Aufgabe, den Vorzug sah, nicht eine
Schwäche. Und schließlich liegt hier der Grund, weshalb diese
objektivistische Dichtung niemals zu Ganzheiten gelangen und
mit Ganzheiten wirken kann, sondern weshalb sie notwendig und
augenblicklich die entgegengesetzte Richtung auf die Analyse, die
Auflösung in sich verselbständigende Teile einschlagen muß.
Denn die Herstellung der Ganzheit ist nur möglich, wenn das
Ich, die innere Mitte und Einheit der Subjektivität, nicht aus-

geschlossen, sondern konstitutiv und mit der Möglichkeit, das
Ganze zu gestalten, mitgesetzt ist.

Wie dem objektivistischen Dichter auch das „symbolischste"
Bild unweigerlich in allegorische Stücke auseinanderbricht, das
lehrt schließlich ein Blick auf den Schluß unseres Beispiels, der
sich bemüht, noch möglichst viel Seinsfragmente allegorisch in
Sinnfragmente aufzurechnen: der Morgentau bildet die Tränen
ab, die schon der Jugend nicht erspart werden. Der Ausgang des
Bildes aber gibt die Beziehung zum Menschen überhaupt preis,
häuft Allgemeineres (die Lust der Welt) zu Speziellerem (das
Königtum der Heldin) und schränkt damit vollends die Gleichnis-
funktion der Rose auf die Versinnlichung lediglich des Vergäng-
lichkeitsbegriffes ein.

Der gleiche Vorgang läßt sich von der anderen Seite her dahin
bestimmen, daß die „Sachen" jeder wirklich v e r w a n d e l n -
d e n Kraft des Poeten noch einen unermeßlichen Widerstand
entgegenstellen. So wenig fruchtbar es ist, ohne stärkste Vor-
behalte Formeln wie „Rationalismus" auf das 17. Jahrhundert
anzuwenden, — da es mindestens in dem gleichen Maße als
„sensualistisch", „mystisch" usf. zu bezeichnen wäre, — so irre-
führend ist die Charakterisierung als „Subjektivismus", die sich
vor allem auf die selbstherrliche Willkür stützt, mit der sich der
Mensch als Sinn und Mitte der Welt fühlt, mit der er alles Seiende
zur Sache macht und rücksichtslos zur Spiegelung und Verklärung
des Menschen verwendet. Aber diesen Vorgang mit einer Formel
zu benennen, die mit weit größerem Recht auf jenen eigentlichen
Durchbruch des „Subjekts" in der zweiten Hälfte des 18. Jahrhunderts festgelegt ist, geht nicht an. Denn wo findet sich
etwa in der Lyrik des 17. Jahrhunderts, selbst bei G., die „Subjektivität", das „Ich", das sich selber offenbart, das sich die
Dinge anverwandelt, um sich selber zu manifestieren? Wo kommt
es dem Dichter auf das Konkrete an, nicht auf das Allgemeine,
wo auf das Subjektive, nicht auf das Objektive, — auf die Person,
auf Erlebtes, auf Gefühl, — statt auf die Sache, den Begriff, das
Gesetz? Wie weit die Kräfte einer erwachenden, schwermütig,
leidenschaftlich und dunkel sich selber suchenden Subjektivität
unter der Decke der objektivistischen, überkommenen ästhetischen
Formenwelt zerrend und verzerrend wirksam sind, ist eine andere

Frage. Aber die Macht des objektivistischen Gefüges der geistigen
Welt zwingt die neuen, ringenden Kräfte nur um so intensiver
in den Dienst der gültigen Formen und Gesetze.

Noch ist der Mensch nicht genügend „er selber" geworden,
noch liegt ihm der Glaube an die Wirklichkeit der Subjektivität
viel zu fern, als daß er verwandelnd, beseelend, schöpferisch ge-
staltend in das Sein der Dinge einzugreifen auch nur sich versucht fühlte. Vermessen und unausführbar erschiene es ihm, die
Welt vom „Subjekt" aus zu formen und den Sachen zuzumuten,
Persönliches zu symbolisieren. Das Sosein der Dinge, ihre unabsehbare disparate Vielheit, ihr objektives Fürsichsein und ihre
natürliche Verknüpftheit sind Voraussetzungen, die nicht angetastet werden. Der Poet aber baut über der Realität dieses
objektiven Seins ein anderes, ästhetisch illusorisches Reich, in
dem er die Gültigkeit der geistigen Sachen, des mundus spiritualis
mit Hilfe der Wörter in die Farben des mundus sensibilis kleidet.
Die Dichtung wird zum sprachlichen Kostümfest, das sich die Bedeutungen in den poetisch übergehängten Kleidern der Dinge im
magisch überrealen Raum der Sprache geben. Anordnung und
Auswahl der Kostüme bleiben bis zu einem gewissen Grade Aufgabe des einzelnen Dichters.

Die Dinge selbst aber werden durch diesen ganzen Prozeß
in ihrem Sein nicht angetastet. Denn sie dichterisch verwandeln
würde heißen: sie entsachlichen, — das aber vermag nur das Ich
und das Gefühl. So beläßt der Dichter Sache und Bedeutung in
unverbundenem Nebeneinander, aber sein Reich ist die Welt der
Wörter. Mit ihrer Hilfe vermag er im fiktiven Raum der Sprache
zu verbinden, was in Wirklichkeit immer getrennt bleibt, vermag
er, seine Souveränität als Poet genießend, jene Sensualisierung
der geistigen und Spiritualisierung der sinnlichen Welt vorzunehmen, die die tiefe Kluft, die durch das Sein geht, allegorisch
ästhetisch schließt. So wählt er bedachtsam Sachen, die er, Wörter
mischend und verkoppelnd, mit Bedeutungen verbinden oder für
sie einsetzen kann und die nun dieser Bedeutung ihr sinnliches
Kostüm leihen: ihre Farbe, ihren Geruch, ihren Geschmack, ihren
Ton, ihre Härte. Mit Hilfe des Wortes wird der sinnliche Reiz
gleichsam isoliert und nun der Bedeutung, den Begriffen zugefügt,
während die Sache selber — die Rose, das Gewitter — in ihrem

Sein unangetastet bleibt. Das Mittel, mit dem die Poesie arbeitet und wirkt, ist das „bloße Nennen". So entspricht der vollendeten Willkür, mit der der Dichter sprachlich die Sachen behandelt, seine tatsächliche persönliche Ohnmacht gegenüber der Wirklichkeit. Unpersönliche Gebundenheit und unpersönliche Willkür gegenüber dem Sein enthüllen sich als zwei Seiten derselben Geisteshaltung. Hineingestellt zwischen das gültige Sein der geistigen und der dinglichen Welt bleibt die Tätigkeit des Poeten beschränkt auf die Herstellung sprachlicher Beziehungen.[14]) Das spielerisch willkürliche Experimentieren, das tüftelnde Wenden und Drehen der Sachen, etwa bei den Nürnbergern, macht diese reale Ohnmacht des Poeten, die Unwirklichkeit seines bloßen Nennens nur noch deutlicher.

Dieses Bild-Denken, das an der gegenseitigen allegorischen Durchhellung der geistigen und sinnlichen Welt arbeitet, eine wunderbare, erleuchtende Korrespondenz beider Sachbereiche auf sprachlichem Wege durch Versinnlichung des Begriffes und Durchgeistung der „Sachen" herstellt, dieses nicht eigentlich schöpferische, sondern in Methode und Ergebnis auf die Herstellung oder die deutende Enträtselung bestehender sachlicher Beziehungen gerichtete Verfahren kann nicht einfach von unserer Entfernung vom allegorischen Weltbild her als „rational" oder „intellektuell" abgewertet werden. Setzt doch auch der Rationalismus bereits eine subjektivistisch fortgeschrittene Geisteslage voraus, da er den Verstand als charakterisierenden und wertgebenden Besitz des M e n s c h e n über alles schätzt. Ihm kann nun auf der gleichen Bewußtseinsstufe konkurrierend der Sensualismus gegenübertreten. Im 17. Jahrhundert aber müßte man das unlösliche Ineinander von „Rationalismus", „Mystik" und „Sensualismus" feststellen, und selbst mit diesen Widersprüchen wäre die Epoche nicht vollständig umschrieben. Diese

---

[14]) A. K o l l e w i j n , Über den Einfluß des holländischen Dramas auf A. Gryphius, Heilbronn o. J., S. 70 — bringt das für die tatsächliche Unantastbarkeit der „Dinge" charakteristische Wort Vondels aus seiner Widmung der „Gebroeders": „Het gelijken der dingen tegens malkanderen is van groot vermogen, en geeft de zaack, die in zich zelve de zelve blijft, terstond een ander aanzicht."

Begriffsschlüssel passen noch nicht; sie schließen weder einzeln noch in einer Kombination wirklich etwas auf.

Die Distanz der von der Sache zur Bedeutung hin- und hergehenden, nachprüfenden Reflexion wird an keiner Stelle in irgendeine subjektbestimmte Unmittelbarkeit aufgehoben, in der das ahnende Gefühl von der geheimnisvollen Kraft des Symbols in unendliche Schwingung versetzt wird. Das Ergötzen am allegorischen Bild setzt immer die geistreiche Beherrschung eines Systems von Beziehungen voraus, auch das ästhetische Vergnügen bleibt sachlich strukturiert: es ist kein persönliches Hingerissensein, sondern eine Freude über die sinnreiche Richtigkeit der hergestellten Bildbeziehung.

G. gebraucht gelegentlich als Synonym für „Abbild" den alten Begriff des „Spiegels". Tatsächlich ist der Spiegel ein treffender Ausdruck für das Bild noch des 17. Jahrhunderts, denn er stellt nicht ein durch die schöpferische Beteiligung des Subjekts zur inneren symbolischen Einheit geformtes Ganzes dar, sondern vermittelt die wirklichkeitsgetreue Wiedergabe des Gegenstandes. Die Sache, die zum „Spiegel" für eine Bedeutung wird, — wie etwa der Rosenstrauch, der Schiffbruch, der Gewittervorgang — bleibt unverändert in ihrem sachlichen, mittelpunktlosen Sein erhalten, nur daß sie gleichsam durchsichtig wird und in ihren einzelnen Teilen und Beziehungen einen, völlig heterogen bleibenden, Sinnzusammenhang sichtbar werden läßt. Dem dichterischen Symbol entspricht die Koinzidenz von Seelischem und Leiblichem an einem Punkte; der dichterischen Allegorie entspricht die möglichst allseitige Kongruenz, die Parallelität zweier an sich ewig geschiedener Verhalte des Seins.

Dieser objektivistischen Ästhetik entsprechend ist auch der Begriff des Schönen wesentlich sachlich zu verstehen, im Unterschied zu dem, was die „Goethezeit" als „schön" erkannte und was, ausgesprochen oder nicht, immer wieder den Maßstab für die ästhetische Beurteilung des 17. Jahrhunderts abgab. Dann ist ein Bild für G. schön, wenn es seinen Zweck möglichst vollkommen erfüllt, wenn es einen Dingzusammenhang möglichst in allen Teilen durchgeistet und zur viellinigen richtigen Entsprechung eines Bedeutungszusammenhanges gemacht hat — und wenn ein unsinnlicher Verhalt die verdinglichende Sensualisierung

erhalten hat, die ihm entspricht, und gleichzeitig in ein Höchstmaß affektsteigernder Reize umgesetzt ist. Die Tränen dessen,
der bereits im Übermaß gelitten und geweint hat, sind dann
poetisch schön dargestellt, wenn es gelingt, sie mit den Mitteln
der versinnlichenden Sprache so zu vergegenständlichen, daß die
Darstellung den Vorgang in seiner Furchtbarkeit möglichst erreicht. So isoliert G. den Vorgang des Weinens vom Weinenden
und stellt ihn komprimiert und naturalistisch gesteigert für
sich hin:

> „Der ausgeweinten augen röhr
> Fuhr fort sich zu ergießen." 221, 10, 28 ff. –

Der Vorgang des Weinens wird, von allem Menschlichen und
Persönlichen entkleidet, gleichsam am Skelett in seiner bloßen
Mechanik demonstriert. So kann das Ziel des „schönen" Bildes
ebenso auf dem Wege des grellen Naturalismus wie, wenn es der
Sache entspricht, eines zarten und verklärenden Idealismus er-
reicht werden. Und ebenso erklärt sich aus dieser ästhetisch vor-
urteilslosen Anerkennung der dinglichen Welt und ihrer Zweck-
mäßigkeit für die affektsteigernde Sensualisierung geistiger
Verhalte die unbedenkliche Verwendung auch der profansten
Realia.

Der Umstand, daß das Bild nicht Träger persönlicher, sondern
sachlicher Ausdruckswerte ist, erklärt das breite Erbe anerkannter
traditioneller allegorischer Beziehungen, das der Poet vorfindet,
in das er hineinwächst und dessen er sich mit voller Selbst-
verständlichkeit bedient. So liegt, um nur ein Beispiel zu nennen,
schon seit Seneca die allegorische Bestimmtheit des Bildes von
der Seefahrt ganz fest. Alle entscheidenden Punkte sind in ihrer
sinnbildlichen Bedeutsamkeit gültig durchhellt: Immer besagt das
Meer das irdisch-zeitliche Dasein, das Schiff die menschliche
Existenz, die Klippen heimtückische Gefahren, Sturm und Wogen-
drang Not, Bedrängnis und Gefahr, die Kunst geschickten Aus-
weichens und Kreuzens Lebensklugheit, der Hafen die Errettung
und häufig das Ende der Lebensfahrt, den Tod. Der Reichtum
allegorisch verwendbarer Momente, die Fähigkeit, eine Summe
von Bedeutungen durch die im sachlichen Vorgang selber liegende
Einheit zusammenzuhalten und schließlich die der ausmalenden
effekterstrebenden Wortkunst gebotenen sprachlichen Möglich-

keiten sind die Gründe für die Beliebtheit der Seefahrt-Allegorie
im 17. Jahrhundert.

Variationen können sich innerhalb des grundsätzlich festliegenden Gesamtbildes nur aus Akzentverschiebungen ergeben,
— etwa ob der Tod erwünscht ist oder ob er unvermutet und be-
klagenswert kommt, ob die Gefahr überwunden, ob geschicktes
Lavieren empfohlen wird, ob der Nachdruck auf der Schilderung
der Not und des Unglücks liegt usf.

So erscheinen als sinnliche Vergegenständlichungen des leid-
vollen Wesens der Welt immer wieder Kerker, Folter, Tränen,
Stock und Block, während Blume, Funke, Tau, Pfeil usf. die
Vergänglichkeit in gültiger Weise illustrieren. Selbst noch bei
den Vertretern des schlesischen Hochbarock, vollends aber bei G.
sind so dem Streben nach „Originalität", nach „Erfindungen" auch
auf dem Gebiete des Bildes durch die übernommenen anerkannten allegorischen Zuordnungen gerade repräsentativer Verhalte schnelle, unüberwindliche Grenzen gesetzt. Das „Neue" ist
nur auf einer so starken, unverrückbaren Grundlage des „Alten"
möglich, daß dieses uns heute fast allein noch in die Augen fällt.
Dichter und Publikum empfinden es in keiner Weise als störend,
wenn ein repräsentatives Bild, das von einer bestimmten Bedeutung gleichsam beschlagnahmt ist, und von jedermann sofort
identifiziert und „durchschaut" werden kann, sich selbstverständlich überall da einstellt, wo der gleiche Sinnzusammenhang
wiederkehrt. Das Wechselverhältnis von Bild und Bedeutung
läßt dem subjektiven Belieben des Einzelnen ebensowenig Spiel-
raum wie die Zuordnung bestimmter Figuren und Begriffe innerhalb der emblematischen Bildsprache. Auf der Objektivität und
„Richtigkeit" dieser Zuordnungen ruht ja gerade ihr Wert und
ihr Ansehen. Und so gehört auch wegen der Beherrschung dieses
übersubjektiven Systems geist-dinglicher Entsprechungen das
Lernen und Wissen zu den selbstverständlichen Voraussetzungen
der Poesie. Wenn dieses Gut überpersönlicher Formen, das die
gesamte poetische Gestaltgebung bestimmt, die dichterische Aus-
bildung individuell höchst verschiedener Lebenshaltungen nicht
ausschließt, so hat das seinen Grund gerade in der Atomisierung,
der Zerstücktheit der Sach- und Bedeutungswelt. Hofmannswaldau wie G. können für ein Gedicht, in dem sie die Vergäng-

lichkeit des Lebens darstellen, um daraus höchst verschiedene
Folgerungen zu ziehen, für einen großen Teil der gedanklichen
Einzelglieder die gleichen Bildformen verwenden, auch wenn
ihre Verschiedenheit bis in die Einzelheiten der sprachlichen und
rhythmischen Prägung reicht.[15])

Aber diese barocke Technik der Sprache, welche die Wörter
zu immer künstlicheren, unwirklicheren Verbindungen zusammen-
zwingt, die Sachen zur Steigerung des Effektes zu immer chaoti-
scheren Haufen ballt — dieser leidenschaftliche Versuch noch
anonymer subjektiver Seelenkräfte, sich um jeden Preis in einer
ihnen völlig inadäquaten Formschicht zu verwirklichen —, bleibt
nicht ohne tieferen und gefährlichen Einfluß auf das Leben der
Sprache selber. Wir gehen wieder von einem Beispiel aus. Im
Papinian heißt es:

> „Sie speyn auf fürsten offt stank, rasen, gifft und gallen...
> Und bringen in den rath geklärtes honigseim, —
> Das sich in wermuth kehrt, wenn iemand sie entzündet."

Der Gedanke: die äußere Ergebenheit fürstlicher Ratgeber
verbirgt oft Tücke und schlägt leicht in Bosheit um, — ist hier
zu hoher sprachlich-metaphorischer Kunstform gestaltet. Alle
moralischen Begriffe, alle Realitäten des seelischen Seins sind
bis auf das nur dynamische „rasen" umgesetzt in dingliche isolierte Konkreta mit sinnlich bedeutungsvollem Effekt. Be-
herrschend bei dieser Übertragung psychischer Verhalte vor allem
in Geruchs- und Geschmacksreize ist der repräsentative allegorische Grundgegensatz „süß" und „bitter". Die typische Haltung
des Höflings: Haß und Verleumdung — entfaltet sich in das

---

[15]) Etwas anderes ist es, wenn es sich um eine gestellte Aufgabe,
um das, was Harsdörffer „gebunden Gleichnisse" nennt, handelt. Bei G.
ist an dieser Stelle nur der „Weicher Stein" zu erwähnen, hier versucht
er als „Meletomenos" (441 f.) die allegorischen Entsprechungen zwischen
dem Stein und der Welt und zwischen dem Kartenspiel und dem Leben
mit allem Aufgebot seines kombinatorischen Vermögens nach allen
Richtungen zu größter Vollständigkeit zu bringen. Hier findet sich einmal Gelegenheit, ganz auf eigene Kosten geistreich und erfinderisch zu
sein, aber auch hier nur in der Form, daß zwischen den objektiven Gegebenheiten Stein und Welt gleichsam latente Beziehungen aufgedeckt
werden.

vierfache „stanck, rasen, gifft und gallen". Jedes ist für sich
scharf abgesetzt, beharrt in seiner eigenen Dinglichkeit und gibt
seinen bestimmten sinnlichen Reiz zu der Symphonie von Reizen,
in die sich der Begriff kleidet. Aber wieweit sind diese Reize
überhaupt noch eine Wirkung der angerufenen Dinge? Wie weit
stößt der Vorgang überhaupt noch bis in den Bereich der Dinge
selber herab, und wie weit bleibt alles bereits rein innerhalb
des sprachlichen Bezirkes, eine Angelegenheit der „Wörter" und
des „Nennens"? „Honig", „Wermuth", „Galle", „Gifft", — das
führt zu keiner wie immer gearteten Realisierung des Konkretums, sondern es bleibt bei dem allgemeinen Gegensatz von bitter
und süß, schädlich und angenehm, der sich sprachlich in eine
„donnernde" und prunkvolle Abfolge von Wörtern auseinanderlegt. Die Zugehörigkeit zum gleichen sensuellen Bedeutungs-
komplex hält die unter sich bedeutungslosen Gegenstände zusammen, deren Anzahl und Reihenfolge ganz beliebig ist. Diese
von den Dingen abgezogene, der Kompositionskunst des Rhetors
und Poeten überantwortete Mannigfaltigkeit, diese mit Gefühlen,
Gerüchen, Geschmack, Empfindungen aller Art befrachteten
Wörterscharen sind das reiche Material der Dichtung, ein Material, das nicht aus einer organischen Sprachmasse zu organischen Gestalten, zu individuellem Ausdruck schöpferisch geformt wird, sondern das in unzähligen, kaum überblickbaren
und daher durch riesige Kataloge gebrauchsfertig gemachten
Bausteinen daliegt.

Voll Unsicherheit sind die Meinungen des 17. Jahrhunderts
über das Verhältnis des Wortes zum Ding, hin und herschwan-
kend zwischen fast „rationalistischen" Thesis- und „mystischen"
Physis-Spekulationen. Innerhalb der Poesie und Poetik kommt
die beherrschende Bedeutung der Thesislehre voll zum Ausdruck.
Die Wörter, dieser mit bewußter Technik gehandhabte Stoff des
Dichters, schweben als die künstlichen Benennungen, als ein
Erzeugnis des menschlichen Geistes, merkwürdig lose und beweglich über den Dingen. Sie lassen sich vertauschen, häufen,
durcheinanderschütteln, während die Dinge selbst in ihrem un-
veränderten Fürsichsein ruhen bleiben. Im Wort wird das Ding
schon seiner letzten Konkretheit beraubt und ist auf dem Wege,
sich in ein Allgemeines des Begriffs oder der Empfindung aus-

zuweiten. „Gifft", „Galle", „Wermuth", — diese Wörter enthalten in ihrer poetischen Verwendung nicht eigentlich mehr das Sein der jeweiligen Sachen, sondern das sie alle verbindende Allgemeine der Empfindung: das Bittere, Reinigende, — eine Empfindung, die in ähnlicher Weise nicht nur eine, sondern viele Sachen mitführen. Es ist für das Sprachgefühl, in dem wir heute leben und das uns trotz aller historischen Einfühlungsversuche wie mit unsichtbaren Wänden einschließt, kaum noch möglich, sich auf jene Stufe zurückzuversetzen, in der etwa das Nebeneinander von Gift, Galle, Wermut, Honigseim als ein widerspruchs- und mühelos wirkendes Sprachbild erschien, weil die Wörter innerhalb des dichterischen Anwendungsgebietes gar nicht die Dinge selber meinten, sondern weil das vielfältige und bunte Sprachkleid der Dinge doch nur die allgemeinen und verbindenden E m p f i n d u n g e n versinnlichte.

Die Kraft der die Einzelwörter „stanck, rasen, gifft und galle" zusammenbindenden Emotion, die Identität der Empfindung, die sich in ihnen in ein Bündel sprachlicher Einzelreize auseinanderlegt, ist weit stärker als die Tendenz dieser Reihe zur Auflösung in ihre isolierten Glieder. Sie verhindert das Auseinanderfallen in unvereinbare Atomhaufen, als welche uns die barocken Bildballungen heute leicht erscheinen. Es war geradezu ein Geheimnis barocker Sprachkunst, daß sie auf Grund dieser Lockerung des Verhältnisses von Wort und Ding die Begriffe der physischen und moralischen Welt in eine schillernde, riechende, schmeckende, tönende Fülle von Worten hinüberzutragen vermochte, deren disparate dingliche Vielheit von der verbindenden Kraft des gemeinsamen Gehalts an Reiz und Affekt beherrscht wurde. Aber die Folge dieser poetischen Worttechnik ist die wachsende Tendenz zum uneigentlichen Sprechen, das etwas anderes meint als es sagt. Das Konkretum „Gifft", „Honig", „Krachen" nutzt sich rasch ab, büßt seinen Gehalt an dinglicher, anschauungskräftiger Substanz zusehends ein und wird zur bloßen Hieroglyphe für etwas wesensmäßig anderes, das der Kenner schnell und mit einem immer kleineren Umweg über die selbständige Gegenständlichkeit des Bildes entziffert. Das Wort wird transparent und läßt je länger desto stärker den Begriff, den es umschließt, durchscheinen. Der Weg über das

Bild zur Bedeutung wird immer kürzer, die Empfindung für die
Indirektheit des Ausdrucks immer geringer, bis der letzte bildhafte Rest verzehrt, die Metapher verbraucht und selber „Begriff" geworden ist. Die übermächtige Bedeutung saugt gleichsam den spezifischen Gehalt des Bildes, in das sie sich kleidet,
langsam aus. Es kommt immer weniger zu einer wirklichen
Konkretisierung des Bildes. Und gerade den gesteigertsten Metaphern wohnt am stärksten die Neigung inne, in das gedanken-
lose Abstrakte, nur noch „Donnernde" eines reinen Intensitäts-
ausdrucks abzugleiten. Die Sprache hält die gewaltsame Spannung von extrem konkreter Gestalt und allein werthaftem, all-
gemeinem, „abstraktem" Gehalt auf die Dauer nicht aus und
erschlafft wieder zu leeren Worthülsen und aufgetürmten Sprach-
leichen. Die Wörter verlieren ihre spezifische Farbe und Dichte
und werden nur mehr zu durchsichtigen literarischen Bedeu-
tungszeichen. So tritt durch diese metaphorische Technik nicht
eine Bereicherung der Sprache ein, sondern vielmehr eine Ver-
armung. Bilder wie „Licht", „trübe", „Dornen", „schwarz"
fassen eine Fülle möglicher Nuancen in eine uniforme, konven-
tionell gültige Versinnlichung zusammen. Zugleich droht die
Gefahr, daß durch diese systematisch betriebene Uneigentlichkeit
des Sprechens das individuelle Eigenrecht und das sinnliche
Eigenleben der Worte vernichtet und damit das Sprachleben
von innen heraus zerstört wird. Hier tut sich die negative Bilanz
der barocken Spracharbeit auf, die neben ihrer wichtigen positiven Leistung nicht vergessen werden darf.

Wenn G. von „donnernden beschwerden", vom „donnerkeil
der schmertzen" spricht, so ist die akustische Metapher bereits
zum reinen Intensitätszeichen geworden. Das Bild, das innerhalb der symbolischen Ästhetik dem Spezifischen einer Erscheinung, dem Individuellen eines Vorgangs unwiederholbare Gestalt
verleiht, wird zur Gattungsmetapher, deren konkreter, sensueller
Gehalt kaum noch empfunden wird. Hier liegt die Ursache dafür, daß das barocke Bild trotz seiner sinnlichen Konkretheit
uns immer wieder so seltsam abstrakt anmutet. Man bevorzugt
von vornherein solche Bildfelder, die, in sich schon unbestimmt
und allgemein, wie Donner, Sturm, Licht, Finsternis, Meer, Haus
— ihren sensuellen Gehalt zur Umschreibung möglichst zahl-

reicher Bedeutungsgruppen verwendbar sein lassen. Infolgedessen ist der Dichter genötigt, das Besondere gerade dieses Donners, Sturmes, Lichtes zu nennen, d. h. es kommt zu dem so verbreiteten Nebeneinander von Bild und Bedeutung, bei dem die Bedeutung als das Speziellere dem Bild als dem Allgemeineren kommentierend beigefügt ist, und zwar meist in jener attributiven Unterordnung, die dem Besonderen vor dem Allgemeinen zukommt.[16])

Besonders auffallend wird der Vorgang dort, wo die Bedeutung nicht ein Abstraktum ist, sondern ein Gegenstand von weit stärkerer Konkretheit als das daneben gestellte affektsteigernde Bild, wenn z. B. die Folterwerkzeuge als „die pest der dinge" (Pap. 3, 582) bezeichnet werden, oder wenn es vom Trübsalsfeuer heißt, daß es „wann du hartes eisen, deine pest, den rost verzehret" (415, 18, 84). Und auch die Wendung „der seuchen pest" spielt zwar offensichtlich mit der sachlichen Tautologie, wäre aber dennoch nicht möglich, wenn man bei der Pest nicht bereits von der Pest abstrahierte und das Bild sofort als poetisches Zeichen für „Verderben" überhaupt durchschaute. Daher setzt die Empfindung für die Katachrese trotz aller unaufhörlichen Warnung vor diesem Kunstfehler erst an einer sehr späten Stelle ein, und man genießt es geradezu, wenn die Sprache zwei Dinge zu einer außerhalb aller Vollziehbarkeit liegenden Einheit verknüpft oder zwei sensuelle Reize zu einer widerspruchsvollen Empfindung verbindet.

Die Anrede: Ihr Alten! — erscheint in poetischer Umkomponierung einmal folgendermaßen: „Ihr, die ihr euch dem schnee der rauhen zeit vermählt" (216, 1, 32). Der höchst gegenständlich konkrete Begriff des weißen Haares als dinglicher Teilgegenstand des Alters muß dem viel allgemeineren, wenn auch sinnlich stärkeren Farbreiz „schnee" weichen, das Alter wandelt sich entsprechend um in den Winter, der aber ebenfalls entkonkretisiert als „rauhe zeit" umschrieben wird. Wenn uns das

---

[16]) Im Einzelnen werden hier drei Möglichkeiten verwandt: das Doppelwort (Unglücksblitz, Sorgensturm), die attributive Beziehung (Nacht der Schmerzen) oder das asyndetische Nebeneinander („Streich, hunger, zagen, weh' — plitz, krachen, donner-keile" 560, 37).

Ganze heute Schwierigkeiten bereitet, so zunächst deshalb, weil
wir sofort eine Einheit herzustellen versuchen, wo der Leser des
17. Jahrhunderts einzelne, nacheinander eingekleidete und wieder
aufzulösende Begriffe erblickt. Er gerät gar nicht in Versuchung,
die in der Metapher „vermählen" liegende innere Anschauung
zu vollziehen, sondern er durchschaut sie sofort als poetisch erhöhte Gattungsformel für ein Verbundensein, als Ersatz des all-
täglich prosaischen Wortes durch ein farbiges. Je poetisch ge-
schulter der Leser ist, um so uneigentlicher nimmt er das Bild,
das der Dichter in Gestalt des von seinem ursprünglichen Gehalt
fast ganz gelösten Wortes wie ein den Blick angenehm auf-
haltendes und das zu Betrachtende verschönendes buntes Glas
vor die Bedeutung schiebt, — um so größer wird sein Anspruch
auf Prunk, Gedrängtheit und Kompliziertheit, um so höher aber
auch sein ästhetisches Wohlgefallen am freien Schein dieses
sprachlichen Spieles. Das Doppelgefühl der schnell durch-
schauten Bedeutung und des bunten sinnlich reizsamen sprachlichen Scheingewandes, die Freude, mit den Worten, diesen be-
weglichen Namen der unbeweglichen Dinge eine zweite, phan-
tastisch prächtige, sinn- und beziehungsreiche Welt aufzubauen
und sich ihrem selbstgeschaffenen Glanz hinzugeben, das Entzücken über die Vertauschung der Dinge, das Versprühen ihres
eigentlichen Inhaltes und das Hervorschimmern des Gemeinten
hinter den bunten Nebeln der in eine spannungsvolle Bewegung
geratenen Einzeldinge, — so findet sich die alte Zweieinigkeit
von Illusion und geheimer Desillusioniertheit, die das ästhetische
Vergnügen konstituiert, in diesem Jahrhundert wieder.

E x k u r s II.

Textgeschichte und Bildwandel.

V. Manheimer hat in seinen Studien zur Textgeschichte der Lyrik G.s[1]) mit Recht darauf hingewiesen, daß die Motive zu den sorgfältigen Redaktionen, denen der Dichter seine Verse bei jeder neuen Ausgabe unterwarf, keineswegs einheitlich waren. Wenn im Folgenden ein Überblick über die wichtigsten aus der Prüfung der Textgeschichte sich für die Entwicklung des metaphorischen Stils bei G. ergebenden Tendenzen versucht wird, so scheiden alle die Fälle von vornherein aus, in denen die Überarbeitung offenbar aus G r ü n d e n d e r M e t r i k , d e r s p r a c h l i c h e n G l ä t t u n g u n d R e i n i g u n g usf. erfolgte, in denen die Änderung des B i l d e s also nur eine sekundäre Folge des eigentlichen Motivs zur Korrektur war.

Aus einer großen Anzahl von Änderungen, die ganz oder hauptsächlich der Modifikation des bildlichen Ausdrucks dienen, lassen sich s t i l i s t i s c h e u n d p o e t i s c h e M a x i m e n deutlich erkennen, denen der Dichter bei der metaphorischen Gestaltung bewußt nachstrebte. Durch verhältnismäßig zahlreiche und eingreifende Änderungen erweisen sich für diese Untersuchung die ersten Sonettbücher sowie die erste Tragödie, der „Leo Armenius“, am ertragreichsten.[2])

---

[1]) Die Lyrik des Andreas Gryphius, a. a. O. S. 59 f.

[2]) Für die L y r i k bezeichnet

A die Ausgabe von 1639, „Son undt Feyertags Sonette.“ Leyden.
B „   „   „ 1643, „Sonette.“ Das erste Buch.
C „   „   „ 1650, „Teutsche Reim Gedichte.“ Frankfurt.
D „   „   „ 1657, „Deutscher Gedichte Erster Theil.“ Breslau.
E „   „   „ 1663, (Letzter Hand) „Freuden- und Trauer Spiele auch Oden und Sonette.“ Leipzig.
F „   „   „ 1668, „Teutsche Gedichte, hrsg. v. Christian Gryphius.“ Breslau/Leipzig.

Für „L e o A r m e n i u s“ bezeichnet

A die Ausgabe von 1650,
B „   „   „ 1657,
C „   „   „ 1663.

Da Palm seiner Ausgabe überall unbegreiflicherweise die posthume Fassung F des Chr. Gryphius zugrunde gelegt hat, so ist bei den folgenden Vergleichen immer die Fassung letzter Hand, E, in den Trauerspielen C, bzw. B, mit dem Text Palms verglichen. Wo sich Abweichungen zeigen, ist in Fassung und Orthographie E zugrunde gelegt. N bezeichnet den von Manheimer[3]) erstmalig besorgten Neudruck des Lissaer Sonettbuchs von 1637, der wegen seines eingehenden und zuverlässigen textgeschichtlichen Apparates mit herangezogen wurde.

A.

Eine deutliche Linie der Entwicklung führt zur S t e i g e r u n g d e s b i l d l i c h e n A u s d r u c k s, bzw. zur V e r w a n d l u n g d e s b i l d l o s e n u n d d i r e k t e n B e g r i f f s i n e i n e n m e t a p h o r i s c h e n u n d u m s c h r e i b e n d e n.

Aus:
„Die aufgeschwellte see wil schier den bergen gleichen" A
wird, zweifellos auch zwecks Fortschaffung des fatalen „schier":
„... wil über berge reichen." 22, 2, 5 - E S. 722. -

Aus:
„... Der keine frevelthat
Wie schwer sie immer war, ie unterlassen hat" A
wird in bildlicher Verwandlung:
„... Der rasend eh und ie
In lastern sich gewältzt, als ein unsinnig vieh."
56, 48, 2 - E S. 746. -

Doch darf man dieses Beispiel schwerlich als einen Beweis gegen die noch zu erörternde Abkehr von allzu Drastisch-Naturalistischem ansehen, denn die Formeln für die absolute religiöse Geringschätzung des Menschen durchbrachen jedes Stilgesetz. Vgl. dazu auch:

„Schau! liebster! schau! wie ich mit blutschuld sehr beflecket." A
„Schau! Jesu! schau! wie ich mit blut und stanck beflecket."
66, 61, 1 - E 754. -

Für „C a r d e n i o u n d C e l i n d e", „K a t h a r i n a v o n G e o r g i e n", „C a r o l u s S t u a r d u s"
A die Ausgabe von 1657,
B „   „   „ 1663.
[3]) A. a. O. S. 257 ff.

Das blasse, im Verdacht des Füllwortes stehende „sehr" ist durch
ein gewichtiges sensuelles Nomen ersetzt.

> „Und der, o unverstand', o blind- ! o eitelheit
> Empfindt von ochsen mehr als Gott behäglichkeit" A

ergibt, zugleich mit einwandfreier Klärung der grammatischen
Beziehungen des zweiten Verses:

> „Und der, o vieh! o schmach! hohn über alles leid,
> Schöpfft aus den ochsen, nicht aus gott behäglichkeit."
> > 49, 39, 6 f. - E 741. -

> „O gar unschatzlich blut, das mich von blutschuld not
> Franck, frei und ledig macht ..." A

> „O blut! das mich von fluch, von blutschuld, ach und koth
> Der sünden ledig macht." 39, 26, 7 - E 734. -

Wie gering trotz aller theoretischen Warnungen der Sinn für die
K a t a c h r e s e ist, beweist die Umwandlung der Verse:

> „Der tod spannt schon die sehn und will dies schwache haus
> Den leib den augenblick zubrechen und zustören." A

G. mißfielen die beiden unschön aufeinander folgenden Akkusative
schon rein äußerlich, dazu kam die farblose Nüchternheit, die der
ganze Vers dadurch erhielt. Er beseitigte beides, indem er das
im Verhältnis zu Sehne und Pfeil ohnehin katachretische „Haus"
durch den „Kahn" ersetzte, der ihm gestattet, für den „augenblick" „auf dieser klipp" zu setzen. 63, 58, 3 - E S. 752. -
Die harte Katachrese erschien ihm belanglos. Vielleicht kam sie
ihm gar nicht zum Bewußtsein.

Die K a t a c h r e s e war ein unmittelbares Produkt des anorganischen Denkens und Sprachempfindens des Barock. Bei
der barocken Gerichtetheit auf das Einzelding, seine bedeutsame Versinnlichung und seine augenblicklich auf den „Sinn"
hin vollzogene Entzifferung, bei dem objektivistischen Preis-
gegebensein an die auseinanderfallenden Vielheiten von Sachen
und Wörtern, die durch die naive Einheit des „Äußern" nicht
mehr, durch die subjektive Einheit des „Innern" noch nicht
verbunden werden konnte, — war das Gefühl des 17. Jahrhunderts für den Vorgang der Katachrese naturgemäß ein von
dem unsrigen ganz verschiedenes. Vgl. etwa:

„... eh sie das licht gefunden,
Das unsre nacht vertreibt, das diese thor auf bricht,
Das von der bahr uns reißt und ledig-freie spricht." Kath. 4, 14 f. -
ferner:

„... Was ist's,
Daß er, indem er schied, die Kinder dir befahl
Und baut auf deine brust sein höchstes ehren-mahl,
Wenn eben diß die klipp, an der dein schiff wird brechen."
                                                        Pap. 1, 29. -
„Wie mancher steigt durch rauch des falschen ruhms verblendet."
                                                        Kath. 1, 43. -

Der Gedanke: „mir meine Ruhe in Gott suchen" — erhält zunächst die konkretisierende Hinzufügung „Gottes schoß".

„Mir Gottes schoß ..."

Nun aber genügt es stilistisch nicht, wenn der Dichter fort-
fährt:

„... zur wahren ruh erkohren." -

das Abstraktum verlangt ebenfalls nach einem dinglichen Konkretum, zu dem es in attributive Abhängigkeit treten kann,
und so heißt das Ergebnis:

„Mir Gottes schooß zum schloß der wahren ruh erkohren."
                                                        182, 42, 4. -

Ähnlich das „Feuer der Trübsal", das,

„... wann du hartes eisen, deine pest, den rost, verzehret."
                                                        415, 84. -

Steigert sich die Katachrese bis zur bewußten Selbstauf-
hebung des Bildes, so entsteht das als geistreicher Ausdruck
für paradoxe Tatsachen und Vorgänge geschätzte O x y m o -
r o n, das natürlich ebenso durch b i l d l i c h e Z u s a m m e n-
z i e h u n g d e r A n t i t h e s e zustande kommt:

„Der mutter thränen-fluth erhitzt den grausen brand." 180, 37, 7. -
„... in flammen frieren." 63, 57, 13 f. -
„Barmhertzig grausam sein! geschmückte tyranney!
Mit gold verdecktes gifft! gelinde barbarey!" Leo 5, 317. -
„... dunckel-lichter brand" 565, 8, - u. a. m.

„hart versehret" A — die Ellipse des Hilfsverbums wird
beseitigt, da äußerste Steigerung des Hauptverbums das steigernde Epitheton überflüssig macht. „hat verzehret" 77, 10, 6 -
E 764. -

In dem Vers:

„Wenn der morgen-glantz der erden
Tausendfaches leid entdeckt,
Ruf ich: Ach! wie wird es werden,
Ach! wie wird mein hertz erschreckt ..."

erscheinen die beiden letzten Zeilen als poetisch ganz ungeform-
tes, direktes Aussprechen des Verhalts. G. ändert sie deshalb in:

„Wird von donnernden beschwerden
Mein bestürtztes hertz erschreckt!" 233, 2, 65 f. - E 549. -

„Sein untreu, grim und schuld
Bricht offentlich hervor ..." Leo 2, 225 A, B -

lautet in C mit Steigerung des Verbums und Beseitigung des
prosaischen Adverbs durch dingliche Nomina:

„Brült auch in kett und band."

„Ich bins der neuer schuld aufs neu sich unterwande" A

kleidet die Überarbeitung unter Beseitigung der gezwungenen
Verbalform und Vermehrung des einen Nomens auf vier — in:

„Herr! meiner sünd ist mehr als sand ans meeres strande."
56, 48, 4 - E 746. -

Die ursprüngliche Fassung:

„In dem kan auch ein Funck leicht großes Feur erregen"
N XXV (= Palm 113, 26, 11) -

wenden B, C, D unter Beseitigung des Leerlaufs im ersten Takt
in sentenziöser Abrundung mit nominaler Belastung in das
Praktisch-Konkrete:

„Man kan zu stro vndt holtz bald flam' vnd fewer finden."

E aber vollendet durch ein unerwartetes Arrangement der vier
„Sachen", nämlich durch ihre kreuzweise Verschränkung, die
Künstlichkeit des ganzen Ausdrucks:

„Man kan zu Glutt und Stro leicht Holtz und Schwefel finden."

Die Anrede an die Sterne:

„Ihr fackeln, die ihr stets das weite firmament (B, C, D)
Mit euren flammen ziert ...", C, D

erscheint, in dem explikativen Relativsatz, als zu unsinnlich, zu
farblos. G. konkretisiert ihn und verkürzt ihn gleichzeitig, um

für den Beginn des nächsten Verses Raum für ein neues Bild
zu gewinnen:

> „Ihr fackeln, die ihr nacht und schwartze wolcken trennt,
> Als diamante spielt ...“ 118, 36, 2 - E 681. -

Die Fassung:

> „Ein jeder Wort auß dir schmertzt als ein schneidig Schwert“
> N 30, 9 - vgl. Palm 116, 31, 9 -

schien G. schon bei der ersten Redaktion bis auf das Bild selber
poetisch ganz unmöglich. An die Stelle des Wortes setzte er
das gegenständliche Werkzeug der Rede: die Zunge. Zur Füllung
eines Alexandriners reichte dieser eine Bildvollzug jedoch nicht
aus. Daher ergänzte ihn der Dichter durch eine Parallele: neben
die Zunge tritt das Auge, das Verbum schrumpft zum minimalen,
kraftlosen Hilfsverbum zusammen, das in einer Verssenkung
verschwindet; an Stelle der ursprünglichen zwei Nomina erhalten
wir vier:

> „Dein aug ist flam vnd pest / die zung ein schneidendt schwerdt“
> B, C, D, E. -

Interessant ist, wie der Drang nach E i n s p a r u n g jedes
entbehrlichen Wortes, nach zusammendrängender Belastung
einer Vershälfte mit dem M a x i m u m a n W o r t - u n d B e -
d e u t u n g s g e w i c h t durch die partizipiale Verwandlung des
Epithetons und durch die Pluralbildung des vorgesetzten attributiven Abstraktums erreicht wird: Durch Voranstellung des
überlasteten Attributs vor das metaphorische Beziehungswort
wird zugleich der Artikel zugunsten lastender Nomina eingespart:

> „der blitz zaghaffter furcht“ Leo 2, 37 A

wird:

> „Verzagter furchten blitz“ C[4])

Die frühe Fassung:

> „Den wahre Tugend hat mit Trost im Creutz gerührt“ N 17, 6 -
> vgl. Palm 106, 15, 6 -

---

[4]) Über die Tendenz zur Ausdehnung der Partizipia im Allgemeinen
bei G. vgl. M a n h e i m e r a. a. O. S. 76. Auch auf die Neigung zur
Pluralbildung bei den Substantiva weist M. S. 93 hin, ohne jedoch den
oben zitierten charakteristischen Beleg zu erwähnen.

erweist sich wegen der Unbildlichkeit von Trost und Tugend
als poetisch unbrauchbar. B, C, D geben dem Gedanken eine
geläufigere, trivialere Wendung, um auf diese Weise das her-
kömmliche Gleichnis vom geläuterten Golde einzufügen:

„Den tugend hatt wie gold durch so viel pein probirt."

E beseitigt das unselbständige, flickwortverdächtige „so viel" und
ermöglicht dadurch die scharf pointierte, dem Alexandriner auf
den Leib geschnittene Herausarbeitung des gleichnishaften Parallelismus:

„Den tugend hatt durch pein / wie Gold durch Glutt gezihrt."

Die gleichzeitige T i l g u n g   d e s   F r e m d w o r t s steht im
Zusammenhang mit der allgemeinen Bemühung des Dichters, bei
den späteren Korrekturen die Fremdwörter nach Möglichkeit zu
ersetzen.[5])

Weitere Beispiele steigernder Verbildlichung:

„... wer durch den zwang der schlacht
In thron zu dringen meint ..." Leo 1, 338 - A, B
„... wer auf den satz der schlacht
Um throne spielen wil ..." C -

„Was kan er sagen ..." A, B
„Was kan er bellen ..." C - Leo 2, 97

„Der höchste straft nicht bald ..." A, B
„... blitzt ..." C - Leo 2, 470. -
„Des gesichtes edles prangen
Heist ein schlechtes feber fliehn." A, B
„ — — — — — — — —
Heist ein schlechter frost verblühn." C - Leo 2, 659. -

„Wenn man die salben sich schawt vmb die Runtzeln trennen"
                                                N 28, 8 -
„Wenn sich der salben eys will bey den runtzeln trennen"
                                    Palm 115, 29, 8 - B, C, D, E. -

„Durch schön geschmücktes nichts" A
„Durch prächtig auffgeschmücktes nichts" 36, 20, 10 - E 731. -
„Die H ̅a d / durch welcher Krafft / das Weltgebäw gemacht /"
                                    N 2, 6 = Palm 100, 4, 6 -
„... das werck der welt erkracht." B, C, D, E. -

---

[5]) Vgl. M a n h e i m e r a. a. O. S. 68 f.

Der antithetisch durchstilisierte, aber allzu abstrakte Gedanke

> „Mir kan dein leben ruhm, dein sterben haß aufladen" A, B

erhält die dem Gehalt nach primitivere, der Form nach viel
poetischere Gestalt:

> „Die natter dräut umsonst, der haupt und gifft benommen." C
>
> Leo 5, 404. -

Dabei ist das scheinbar pleonastische „haupt und gifft" nur die
parataktische Kontraktion des Gedankens, daß Theodosia, die
„Schlange", mit Leo ihr „Haupt" und damit ihre Giftwaffe verloren hat.

Den Satz

> „Ich wil entgegen gehn
> Den feinden, die gerüst auf unsern gräntzen stehn." A, B
>
> Leo 2, 217 -

zerschlägt G. in zwei Sätze, in denen die Subjekte „die Feinde"
und „ich" korrespondieren. Er tilgt dadurch das seinem harten
und wuchtigen Stil widerstrebende Enjambement und ersetzt das
sprachlich anfechtbare „gerüst" und die prosaischen „gräntzen"
durch sinnliche Konkreta.

> „ ... Der feind mag auf mich gehn!
> Ich wil für euch in stahl beym schwartzen Pontus stehn." C.

> „Vielleicht hastu bisher ein tröstlin mir versagt" A

lautet nach Verwandlung des unerwünschten abstrakten Diminu-
tivs[6]) in ein Konkretum:

> „Vielleicht wird mir bisher ein bissen brods versagt."
>
> 36, 21, 12 - E 732. -

Um der von G. so bevorzugten Anlage des Sonetts auf innere
und äußere Steigerung bis zu dem oft p o i n t e n h a f t z u g e -
s p i t z t e n S c h l u ß g i p f e l willen kann auch einmal nominale Bildhäufung durch einen eingeschobenen unbildlichen Superlativ verkürzt werden:

> „Bei deinem hochzeit mahl, wenn man der schnöden welt,
> Die voll von glück itz stets ihr fraßfest hält,
> Wird hefen, wermut, gall und feur und pech vorsetzen" A

---

[6]) Über die Tendenz zum Ersatz der Diminutiva vgl. M a n h e i m e r
a. a. O. S. 71 f. -

lautet überarbeitet:

> „Wenn man des teuffels braut, der rohen tollen welt,
> Die truncken von dem glück anitzt ihr fraßfest hält,
> Das ärgste wird zuletzt mit gall und pech vorsetzen."
>
> 29, 12, 12 - E 727. -

Durch Personifikation des Abstraktums wird mehrfach eine sinn-lich-kräftige verbale Metaphorik ermöglicht.

> „Als uns Hippolyte, umringt mit höchster not
> Und grimmer sterbens-angst, die hand zum letzten bot" B
> „Als uns Hippolyte zu guter letze grüste
> Und den zwar schnellen tod doch ohn' entsetzen küste" 396, 73 f. -

Ähnlich:

> „freundschafft, welcher zeit und sterben unterthan" B, C
> „freundschafft, welche zeit und sterben keck verlacht"
>
> 120, 39, 13 - E 683. -

Der Vers:

> „Wo Preußens Crone gläntzt / die wunderschöne Stadt /
> Die aller Völcker Zier vnd Gaben an sich hat"
>
> N 14, 2 f. - vgl. Palm 108, 19, 2 f. -

ergibt:

> „Vnd suche Preußens haubt / die Stadt / die Land vñ See /
> „In Fried' vnd Krieg vermählt / als in verknüpfter Eh'" D, E

Manheimer[7]) hebt diesen Fall als ein Beispiel für das Frostig-Pretiöse solcher Verbesserungen heraus. Aber dies Urteil be-schränkt sich darauf, modernes Empfinden auszusprechen und bemüht sich noch wenig um die Frage, was denn dem Dichter und seinem Jahrhundert solche Änderung gerade wertvoll machte. Hier liegt ganz allgemein eine Grenze der von so gediegener Sachkunde getragenen, ausgezeichneten Beobachtungen Manhei-mers.

Die matte Schlußantithese eines Straf-Sonetts

> „Daß der so sanfte Gott dir schrecklich abgelohnet" B, C

ändert der Dichter in den vollen, alles Einzelne zusammen-fassenden und zu einem gegenständlichen Maximum steigernden Satz:

> „Daß wesentlich in dir die gantze hölle wohnet." 116, 31, 14 - E 679. -

---

7) A. a. O. S. 96.

Durch Zusammendrängung des Gedankens auf ein Minimum von Silben gelingt es dem Dichter, Raum für konkretisierende Beispiele zu gewinnen. Gleichzeitig tritt die s y n t a k t i s c h e T e n d e n z   z u   k u r z e n,   a s y n d e t i s c h e n   A u f e i n - a n d e r f o l g e n hervor und ebenso die Bevorzugung der Personifizierung, hauptsächlich, weil sie zumeist eine weit kräftigere verbale Dynamik gestattet als die bloße Metapher:

> „Nichts ist / das auff der Welt könt vnvergänglich seyn /
> Itzt scheint des Glückes Sonn ...“ N 6, 7 = Palm 102, 8, 6 -
> „Nichts ist, das ewig sey / kein ertz kein marmorstein /
> Itzt lacht das gluck vns an / ...“ B, C, D, E. -
> „Ewr Tugend / der vmbsonst des Todes stachel drewt /
> N 15, 7 = Palm 108, 18, 7 -
> „Und tugend / die vmb sonst der blasse todt bestreit“ B, C, D, E.

Die oben hervorgehobene Vorliebe, alles P e r s ö n l i c h e   z u v e r s a c h l i c h e n, statt des Ganzen das Stück zu nennen, zumal, wenn sich damit eine verdinglichende Wirkung verbindet, zeigt folgende Korrektur:

> „Wer hat mit Geißel-streichen
> Dich also zugericht?“ N 4, 5 = Palm 100, 5, 5 -
> „— — — — — —
> Gewüttet auff dis fleisch?“ B, C, D, E.

Der schon rhythmisch unmögliche Vers

> „So muß Ich lebendig vergraben sein mit Erden“
> N 15, 14 = Palm 108, 18, 14 -

wird, gleichfalls unter synekdochischer Verdinglichung des Personalpronomens, sowie mit umständlicher Periphrase des Begriffs „Atmen“ konkretisiert:

> „... so verdeck / in dem sich noch die luft
> Durch hertz und glider rührt mein lebend fleisch die erden.“
> B, C, D, E.

Die S y n e k d o c h e, die es vermeidet, die Dinge bei ihrem gewöhnlichen Namen zu nennen, sie dadurch umschreibt, daß sie ein besonders sinnenfälliges Fragment für das Ganze, eine besonders hervorstechende Wirkung für die Ursache, ein äußeres Mittel für die innere Absicht usf. einsetzt, kommt der zerstückelnden, sensualistischen, vergegenständlichenden Tendenz der barocken Poesie entgegen. Einige charakteristische

Zusammenstellungen für die metonymische und synekdochische Form der Periphrase:

Will der Dichter sagen, daß Furcht den Vornehmen nicht minder als den Geringen verfolgt, so drückt er drei Standesstufen durch synekdochischen Einsatz einer charakterisierenden „Sache" aus:

„Furcht schwebt sowohl um stroh und leinwand, als scarlat"
Leo 1, 421. -

Das Meer ist:

„Das rauhe saltz der wellen" 194, 65, 7. -

Der Greis:

„Was legte man nicht auf die grauen haar" Carol. 2, 87. -

König und Fürsten:

„Wir wolen länger nicht die güldnen scepter grüßen" Carol. 3, 633 -
„Der himmel selber wacht vor die gekrönten haare" Leo 1, 343. -

Für die Soldatenabteilung:

„Daß man zu herrschen dich setzt über siegend eisen" 513, 36. -

Betrug, Wucher, Bedrückung:

„Dein überprächtig grab, was schwer erschunden geld
Und armer leute schweiß und thränen auffgestellt." 421, 217 f. -
vgl. „Durch tugend-vollen schweiß die ewigkeit zu kauffen" 441, 2. -

Bei menschlichen Tätigkeiten tritt vor allem das Glied, das besonders als Werkzeug dient, für die Person ein:

„Auf den die schlaue zung den Bassian vergifftet Pap. 3, 301 f. -
„Wenn die erzürnten stürm untreuer zungen rasen" Leo 2, 140 -
„der fürst ist hin durch zorn erhitzter hände" Pap. 2, 283 -
„... Kan eure faust gestehen,
Daß reich und land und stadt so wil zu grunde gehen." Leo 1, 19 f, -
„Doch die zu freye faust verdunckelt alle sachen." Card. 1, 97. -

Metonymisch erscheinen die Himmelsrichtungen, das Land, der Hauptstrom für die Menschen, die Nation, die Völker.

„Der Britten großes land ist ob dem stück erschrocken"
Carol. 3, 177 -
„Genung, wenn well und wind den Iber nicht bekrieget."
Carol. 3, 237. -
„Hat nicht Iberien die weite see bedecket..." Carol. 1, 173. -
„Daß dich sud, ost und west und rauhe Scyth' erkennt" Pap. 1, 26. -
„Sol Tyger denn und Rha auf unsern meineyd fluchen?"
Kath. 3, 425. -

B.

Die oben herausgestellte Richtung der Korrekturen auf eine Steigerung und Verdichtung des Bildgehalts tritt bei der Überprüfung der Textgeschichte am wahrnehmbarsten heraus. Neben ihr läuft eine zweite Linie, die auf eine A b s c h w ä c h u n g a l l z u d r a s t i s c h e r u n d n a t u r a l i s t i s c h e r B i l d e r, auf eine V e r b e s s e r u n g d e s s a c h l i c h e n I n h a l t s und auf T i l g u n g u n g e e i g n e t e r s c h e i n e n d e r Metaphern hinausläuft.

Der Vers

„Du must den rauhen pfadt, du must der nebel dunst" (ertragen) A

ist dem Dichter zu unbestimmt; er streicht das zweite Bild, um die direkte, gedanklich schärfere und steigernde Vorstellung einzusetzen:

„..., du mußt gefahr des lebens..." 86, 25, 10 - E 771.

„Adams fraß, holt ein sein werthe lehr und tauff" A

mäßigt G. unter gleichzeitigem Ersatz des Adjektivs durch ein Nomen, durch Herstellung also des hochgeschätzten T r i k o - l o n s, zu:

„Adams biß, holt ein sein blut und lehr und tauff." 45, 34, 7 - E 739. -

Das bedenkliche Bild

„...o tewre Gnaden-Quell
Die du den zarten Leib Mariens hast befeuchtet" N 1, 10 - vgl.
Palm 98, 1, 10 f. -

ändert G. in

„O teure gnaden quell / o trost in herber last!
O regen der in angst mitt segen vns befeuchtet!" B, C, D, E.

Das den Menschen als Wanderer, den Heiligen Geist als Beschützer darstellende Sonett — 44, 32, 6 — lautete:

„Wenn mir mein könig selbst, der rechte wandersmann
Den großen tröster schickt..." A.

Die Erwägung, daß Gott als vorbildlichen Wanderer hinzustellen wenig sinnvoll ist, veranlaßte den Dichter, das Bild zu streichen:

„..., der alle trösten kan..." E 738. -

Unpassend erschien es G. auch, den Ausdruck „schreien" auf Gott anzuwenden:

„So schrei mir frieden zu und mach mich jammersfrei!" A

wird:

„So steh! o höchster trost! der schwachen seelen bey!" 79, 13, 14 - E 765 - vgl. 88, 28, 14. -

Der anstößige Vers

„Diß werthe himmelsaas reitzt nur die adler an ..." A

erhält die neue Fassung:

„Diß unser osterlamm geht nur die reinen an." 40, 26, 9 - E 734. -

Der allzu katachretische „schnee der schon verbrannten kertzen" B, C, D wird zum „schein" der ... 124, 45, 6, - E 685. -

„Biß mich ein fremder mann nicht ohne pein anlieff
Und als mit einem sturm um beide brüst' ergriff" A

wird:

„Biß mich...
Und mehr denn etwas rau..." Kath. 1, 343 - B

„Die Wasserblaß / der leichte Mensch..." N 6, 10 = Palm 102, 8, 10 -

wird:

„Das spiell der zeitt..." B, C, D, E.

„Der leichten jahre raum
Rennt mit uns nach der schwartzen baar" C

wird:

„... schaum
Zerschlägt sich an der schwartzen baar" 233, 2, 46 f. -

Der Schluß eines Scheltepigramms

„Du meinest über uns zu steigen und zu schweben;
Steig! steig! bleib aber nicht am höchsten sprossen kleben!" B

erhält eine glückliche Pointe:

„— — — — — — — — —
Wer so steigt, muß zuletzt der leiter sich begeben." 400, 149 f. -

Eine sachliche Verbesserung führt G. in einem der Dädalussage entnommenen Bilde aus:

„Der sich ins weite feld der leichten lüffte wagt
Mit flügeln, die ihm wahn und hochmuth angebunden,
Ist, eh er sich im thron der heißen sonnen funden,
Ertruncken in der see..." A, B.

Die Bedenken gegen diese Fassung entspringen der Erwägung,
daß Ikarus ja gar nicht vorhatte, den „thron der sonnen" zu
erreichen. C formuliert daher:

> „... ist, eh als er das ziel, nach dem er rang, gefunden" Leo 1, 406 f. -

Der Gedanke, daß der zu spät ruft, der wartet,

> „Biß daß es umb sein dach und gantzes haus geschehn" A, B

erscheint G. unscharf, da es ohne weiteres klar ist, daß es zu
spät ist, wenn bereits alles verloren ist. Er verbessert:

> „Bis es um gibell schon und höchstes dach geschehn" C - Leo 1, 214 f. -

Aus ähnlichen rationalen Erwägungen stellt er

> „Was durch die zeit verfiel, was in der blüthe steht" A

um:

> „Was in der blüthe steht, was durch die zeit verfiel" B, C - Leo 1, 520. -

Das Wort des verhafteten Nicander zu Michael:

> „... Was du dir vorgenommen,
> Ist nunmehr, zweifle nicht, auf deinen scheitel kommen." A

erscheint G. ebenfalls unbrauchbar, da Michael ja die Krone erstrebte. Er ändert es in:

> „— — — — — — — — — — —
> Ist nunmehr, zweifle nicht, zu letztem ziele kommen." B, C
>   Leo 1, 475. -

Ein seltenes Beispiel, wie neben der Tendenz zu stärkerer
und eindrucksvollerer Bildlichkeit, zu Schmuck und Künstlichkeit auch die entgegengesetzte Neigung zur A b s c h w ä c h u n g,
zur allmählichen R ü c k f ü h r u n g i n d e n a b s t r a k t e n
A u s d r u c k sich nachweisen läßt, ist das Sonett des Dichters
auf seine verstorbene Mutter. Die erste Fassung lautete:

> „O spiegel der gedult / durchs Creutz poliret rein!" N 12, 3 =
>   Palm 105, 13, 3. -

Nun war es zweifellos nicht die abstrakte Unvollziehbarkeit des
Bildganzen, die G. dazu veranlaßte, die zweite Vershälfte zu
ändern, sondern vielmehr das Gefühl, daß die durch das Kreuz
bewirkte Reinheit eine vorangehende Unreinheit involviert. B, C,
D streicht daher das Bild und setzt dafür ein:

> „... o Schauplatz höchster pein."

Auch diese Wendung mißfiel dem Dichter und E lautet ganz unpoetisch direkt:

„… in ungemeiner pein!"

Vgl. auch:

„Eh der ruhm euch recht erblickt,
Muß sich ewre blume neigen" A, B

„— — — — — — — — — —
Müßt ihr haupt und augen neigen …" C - Leo 2, 646 f. -

In dem Vers:

„Und willig, wenn du ruffst, verlaß schiff, haus und erden" A

störte G. die sprachliche Härte „verla ß s c h iff …", ferner die völlige Synonymität der Bedeutung von „schiff" und „Haus". Er ändert:

„… verlasse kahn und erden". 51, 42, 14 - E 743. -

Weiter ergibt sich aus der Vergleichung der Redaktionen die Beobachtung der N o m i n a l i s i e r u n g v o n G.s S t i l.

„Ins auffgestalte Netz / gantz blind vnd vnbedacht / N 2, 2 =
Palm 100, 4, 2 -

wird:

„In seine jägergarn' vnd harter ketten macht" B, C, D, E.

„Theilt kuhle schatten aus" A

wird:

„Des schattens lust austheilt" 32, 16, 5 - E 729. -
„… freylich ja / Gott wolt Euch nicht mehr trawen
Hienieden …" N 12, 8 f. = Palm 105, 13, 8 f. -

G. beseitigt zunächst das Enjambement und das Flickwort des Einsatzes.

„Ach! solte Gott der welt euch länger nicht vertrawen?"

Dann aber gibt der Dichter dem allzu glatten und mühelosen Verse dadurch Ansehen und Gewicht, daß er die Mitte des Verses durch drei hart aneinander gestellte Nomina belastet:

„Nach dem der Tod den Geist euch Gott hiß anvertrauen" D, E, F.

Sodann findet im gleichen Sonett Vermehrung der Nomina eines Verses von zwei auf fünf statt.

„Kurtz eh denn er die Welt mit harter Angst gestrafft" N 12, 10
„Als seelen noth vnd krig verheerten kirch vnd landt" B, C, D, E.

Und von drei auf fünf:

> „...wir sehn Fewr / Mord / vnd Schwerd /" v. 12
> „Wir schawen glutt vnd mordt vnd Pest vnd sturm vnd Schwerd"
> C, D, E.
> „Nicht eines menschen mundt, nicht zwei, nicht drei paar ohren
> Erweisen ..." A
> „Man glaubt nicht falscher zung und umbgekaufften ohren,
> Daß ..." B
> „Was zung! verläumbdung! list! welch umgekauffter ohren!" C
> Leo 2, 147. -

Aus der Neigung zum Sach-Nomen erklärt sich die A b -
n e i g u n g   g e g e n   N e b e n s ä t z e. Der Dichter gibt ihnen
lieber ein neues dingliches Subjekt, verselbständigt sie also und
knüpft sie, anstatt mit einer blassen Konjunktion mit einer
klingenden Anapher an den Vordersatz an:

> „Komm eilend, ehr der tod mich mit dem pfeil durchschmeißt,
> Und aus dem krancken fleisch die müde seel ausgeußt." A
>
> „Komm eilend, ehr der tod die scharffen pfeil abscheust,
> Ehr als das sieche fleisch die müde seel ausgeußt." 64, 58, 12 - E. 752. -

(In der letzten Fassung ist außerdem in der ersten Zeile das
Personalpronomen beseitigt.)

> „Das haar, der geilheit netz, drin vieler laster chor
> Manch hertz verwirrt ..." A

ergibt unter Beseitigung des Enjambements und asyndetischer
Nebeneinanderstellung von Eigentlichem und Bild:

> „Das haar, der unzucht netz, der mund, des hertzens thor,
> Das geile fieng ..." 83, 20, 7 f. - E 768.
>
> „...Und laß nach diesem tod
> Mich unerschrocken, herr, für deinem antlitz stehn! ..." C
>
> „Wenn hin dunst, phantasie, traum, tod mich ewig stehn."
> 237, 3, 35 f. - E 552. -
>
> „...o eitel nichts, o traum" A
>
> „...o nichts! o wahn! o traum! 48, 38, 1 - E 741. -
>
> „Was traur ich? Hat der feind gleich für und für gesponnen
> Mir zum verderb und netz ..." A
>
> „— — — — —
> Zu meinem jägergarn". C, D

„— — — — — — —
Mir fallstrick, netz und garn" 41, 29, 1 f. - E 736.

„(Durch Schwindsucht gātz verwelckt / verdorrt in Feberspein)"
N 12, 7 = Palm 105, 13, 7 -

„Die / durch leid / schwintdsucht angst / vnd schmertz verzehrten
Bein." C, D, E.

„Nichts als ein trube wolck! nichts als ein sturm des Mertzen" A

„Es ist nur eine wolck, ein dunst, ein sturm des Mertzen".
44, 32, 5 - E 738. -

„... Hat alles diß hinweg / was mancher sawr erworben / ..."
N 26, 4 = Palm 113, 27, 4. -

„Hatt aller schweis / vnd fleis / vnd vorrath auff gezehret." B, C, D, E.

„Doch mag ihn dar kein wind, kein jäger-garn verletzen." A

„Ihn kan kein wind, kein sturm, kein jäger garn verletzen."
32, 16, 8 - E 729. -

C.

Damit sind die Hauptrichtungen, in denen sich die redak-
torische Korrektur des dichterischen Bildes bei G. bewegt, ge-
kennzeichnet. Darüber hinaus läßt sich zuweilen noch die V e r -
f e i n e r u n g   d e r   A n t i t h e s e   und die A u s d e h n u n g
d e r   P e r i p h r a s e   feststellen.

„... soll nach dem sauren krieg
Von freude, ruh und lust, von lohn und jauchzen sagen." A

„... singt nach den sauren kriegen
Von freude, ruh und lust, frey von tod, höll und schuld."
87, 25, 13f. - E 771. -

„Lob sei dir, der du nimbst die sunden burden an
Und zahlst, was nimmermehr die seele zahlen kann." A

„Lob dir! der du von uns die sünden-bürd auffhebst,
Für unser leben stirbst, für unser sterben lebst." 39, 25, 12 f. - E 734. -

Vgl. auch die folgenden, in A und B fehlenden, in C eingeschobenen Verse:

„Der nur auf heißen mord bey kalten nächten dencket,
Den unser tod ergetzt, den unser leben kräncket." Leo 3, 343 f. -

Ein charakteristisches Beispiel ist die Umgestaltung des Eu-
genien-Sonetts (121, 42). Eugenie hatte dem Dichter nach
längerer Pause geschrieben, ihn aber gebeten, den Brief zu verbrennen. Der erste Teil beschrieb, daß dem Dichter, der gleich
einem Wanderer betrübt und zagend im Dunkel umherirrte, Eu-
geniens Brief wie der lichtbringende, tröstliche Mond aufge-
gangen sei. Der Schluß lautete, auf die erbetene Vernichtung des
Briefes anspielend, folgendermaßen:

  9 „Laßt ja den leitstern fest, wol edle jungfrau! stehen.
  10 Laßt ja dies schöne licht mir nimmer untergehen!
  11 Das licht, drin redlichkeit und tugend sich ergötzt.
  12 Werth bin ich nicht, daß ihr mir, was ich will, gewähret;
  13 Doch wärmt der sonnenglanz, was frost und schnee verheeret.
  14 Wie niedrig dies auch liegt, wie hoch sie wird geschätzt." B, C. -

Die Verse 9 bis 11 setzten also das Bild vom Monde, diesem
Wächter über Tugend und Redlichkeit, fort, wobei der Anruf von
v. 10 inhaltlich nur den von v. 9 wiederholt. Dann folgt der
poetisch schmucklose und syntaktisch ungeschickte v. 12, worauf
der Dichter noch einmal die entgegengesetztesten Sphären der
Wirklichkeit zusammenführt: die Sonne erwärmt die frost-
erstarrte Erde, — obwohl keinerlei Vergleich zwischen der Herrlichkeit des Himmelsgestirns (Eugenie) und der Nichtigkeit des
Irdischen (der Dichter) möglich ist, lindert die Sonne doch
freundlich und aus eigenem überströmendem Reichtum die
irdische Kälte. Der letzte Vers unterstreicht, freilich abermals
in abstrakt-ungeschickter Formulierung die in eine solche kos-
mische Antithese verkleidete Huldigung.

G. mißfiel dieser Abschluß des Sonetts. Die Verse 9 bis 11
enthielten nicht die von ihm sonst zur Vollendung entwickelte
Steigerung, sondern bedeuteten einen Stillstand. Den Versen 12
und 14 wiederum fehlte die poetisch-ästhetische Form. Dazu
erschien ihm nach dem Mond-Bild das Gleichnis von Stern und
Sonne zu wenig originell und erfinderisch, zu frostig. Die
konkrete Bitte der Briefschreiberin war nicht pointiert und
nicht künstlich genug zu einem Feuerwerk von Bild und Geist
gestaltet, wie es sich für das Finale eines galanten Sonetts
gehört.

Die Fassung E lautet:

„Doch, warum heißt ihr mich diß schöne pfand verbrennen?
Wolt ihr in meiner nacht mich bey der glut' erkennen?
Diß, meines hertzens feu'r, entdeckt ja, wer ich sey.
Sol, schönste, diß papier nur meine brust berühren,
So wird es alsobald in aschen sich verlieren,
Wo von der flamm' es nicht wird durch mein weinen frey."

G. hat diese Änderung etwa 1½ Jahrzehnte nach der Abfassung des Sonetts durchgeführt. Sie ist erstmalig in der Fassung D enthalten (1657, „Sonette" S. 22).

Es ergibt sich daraus die erstaunliche, für das 17. Jahrhundert jedoch charakteristische Erkenntnis, daß die Fassung, die dem Erlebnis am nächsten steht, ja, vielleicht unmittelbar aus ihm hervorgegangen ist, unpersönlicher, distanzierter, abstrakter und geschraubter ist als die nicht persönlicher Beteiligung, sondern rein sachlich-ästhetischen Erwägungen entsprungene spätere Bearbeitung.

In der ersten Fassung war der Dichter gleichsam noch völlig davon in Anspruch genommen, das faktische Erlebnis zu entpersönlichen und zu versachlichen. Bei der Überarbeitung bestand die Gefahr des Subjektivismus nicht mehr. G. spricht hier den in B C nur angedeuteten Wunsch des Fräuleins direkt aus und macht ihn zur Grundlage der sich überbietenden Schlußpointen. Ungehindert konnte der Dichter sich der technischen Aufgabe hingeben, den Schein äußerster Leidenschaft durch ein virtuoses Spielen mit den durch das Stichwort „verbrennen" aufgetanen metaphorischen Möglichkeiten in der illusorischen Welt der poetischen Sprache zu erregen und den barocken Leser so in die ihm eigentümliche Art ästhetischen Vergnügens zu versetzen. Denn jene Leidenschaft der endgültigen Fassung wurde in keiner Weise mehr real. Die Form war alles geworden, die barocke Form farbenprächtiger Allegorik, eindruckskräftiger und bedeutungsschwerer sensueller Sprachreize und des beherrschten Spieles mit komplexen Sach- und Begriffsbeziehungen in Gestalt einer geschliffenen, wuchtigen und zugleich behenden Antithetik. Die künstliche Dynamik dieser künstlichen Leidenschaft ist unvergleichlich unpersönlicher und sachlicher zu verstehen als die

von aller leidenschaftlichen Subjektivität und Individualität gereinigte Form der deutschen Klassik. —

Mehrfach werden Epitheta als Ersatz für Füllwörter ein-
gestellt:

„Des strengen richters buch, das buch so voll von sünden" B, C
„... voll grauser sünden" 107, 17, 1 - E 671. -
„Was sag ich? wir vergehn gleich als ein rauch von winden" C
„..., wie rauch von starcken winden" 104, 11, 14 - E 663. -
„Der wolberedte mund / der gleich wie eine bach..." N XLX, 5 =
                                                    109, 20, 5. -
„... der gleich der stoltzen bach" C, D, E
„Ach hat Euch denn die Seenß des Todes weggehawen?" N XII, 5 =
                                                    105, 13, 5 -
„Hat euch die scharfe Seens deß todes abgehawen?" C, D, E.

Exkurs III.

Die rhetorische Prosa. ⟨Leichabdankungen⟩.

Von den zahlreichen Leichenreden des Dichters sind uns nur 12 erhalten.[1]) Sie sind für die Erkenntnis seiner Weltanschauung wie auch seines Stils von unschätzbarem Werte. Hier erst wird vollends deutlich, bis zu welchem erstaunlichen Grade die Energie einer metaphysischen Traurigkeit und eines leidenschaftlich Ewiges oder Nichts verlangenden Ernstes die aufgelöste, zerstiebende Vielheit der natürlichen und geschichtlichen Welt des Barock und den objektivistischen Formalismus des barocken Stiles zu durchdringen vermochte. Der Rhetor G. war stärker als der Poeta. Hier hemmte nicht das quälende metrische Gesetz, nicht die Fessel des Alexandriners, die G. wohl zuweilen gelockert, nicht aber zerbrochen hatte, die weitausholende, königliche Gebärde echter Pathetik und den prächtigen Faltenwurf seiner mühelos beherrschten Perioden. Hier wird der eigene weite Rhythmus, der lange, kräftige Atem des Jahrhunderts spürbar, — des Jahrhunderts, dessen größte Geister in all ihrer Erschütterung doch ihrer selbst noch unendlich gewiß waren. Hier feiert der barocke Geist seine höchsten Triumphe. Mit einer wahrhaft titanischen Anstrengung sucht er das auseinander strebende, sich unendlich verselbständigende Dasein und Gewesensein noch einmal zusammenzufassen, zu beherrschen und sinnvoll zu machen — als Sinnbild und Spiegel einer objektiven, unerschütterlichen Welt der Realia des Geistes, als Exemplum, als Allegorie und als Emblem. Die Tatsache, daß so viele und selbst die bedeutendsten Männer des Jahrhunderts an dieser unbezwinglichen Aufgabe, die in dem Maße wuchs, wie sie gelöst zu werden schien, scheiterten, daß sie in den übermäßigen Stoffmassen versanken und daß ein großer Teil dessen, was sie schufen, aufgetürmte Torsen, Sammlungen, unbewältigte „Sachen"haufen,

---

[1]) Benutzt ist die Aufl. von 1698, „Andreae Gryphii Dissertationes Funebres oder Leich-Abdanckungen", bei V. J. Trescher, Frankfurt / Leipzig. LA = Leichabdankungen. Zahlen beziehen sich auf die Seiten der eben angegebenen Ausgabe der Leichabdankungen.

— Fragment also und Stückwerk — blieben, dieses Mißlingen be-
einträchtigt nicht die geschichtliche Größe des letzten, gewaltsamen Versuchs, die autonom und unendlich werdende Wirklichkeit in die „realistisch" gebändigte Welt des Mittelalters einzufügen, sie nicht von der S u b j e k t i v i t ä t , sondern vom
r e a l e n G e f ü g e d e r o b j e k t i v e n B e g r i f f s w e l t her
durchgeistend und sinndeutend „vernünftig" zu machen. Wohl
steht das, was das Zeitalter geleistet hat, in keinem Verhältnis
zu dem, was es erreichte, denn es arbeitete umsonst, weil es
— trotz alles Zukunftskräftigen, was es enthielt — gegen die
Zukunft arbeitete. Aber noch aus seinen Ruinen sprechen seine
unerhörte Kraft und sein mächtiger Wille.

Im Rhetorischen schließlich tritt uns die zweckvoll, bewußt
und distanziert gestaltende Künstlichkeit noch einmal überzeu-
gend entgegen, mit der die Zeit den elementaren Gewalten des
Chaos, die sie rings bedrohten, mit Hilfe der Durchstilisierung
und Durchformung des gesamten menschlichen Daseins Herr
zu werden suchte. Die Art, wie die großen Stationen des menschlichen Lebens begangen werden, die gesteigerte Kunst der Klei-
dung, des Briefstils, der Devotionsformeln, die eine Rede ein-
leiteten und schlossen, die ganze Zeremonialisierung des Daseins,
— die angesichts der den Stil tragenden und weithin auch bilden-
den breiten bürgerlich-städtisch-akademischen Schichten kaum
ganz zureichend als „höfisch" festzulegen wäre, — all das legt
Zeugnis davon ab, in welch ungewöhnlich hohem Maße die Unmittelbarkeit des Lebensgefühls einer distanzierenden Bewußtheit in allen Äußerungen des Lebens Platz gemacht hatte.
Nur daß in dieser allseitigen Bewußtheit nicht der Mensch
als Individuum, als Subjektivität, als Ich zum Maß und Ziel
der Formen wurde, die sich das 17. Jahrhundert schuf, und
in deren Bereich der Mensch seiner unantastbaren, überlegenen
Würde gewiß wurde, — sondern die Objektivität, die überpersönliche Gültigkeit und Wirklichkeit repräsentativer geistiger Realitäten und sinnlicher Entsprechungen. Es war
das Allgemeine und Objektive, das sich von der geformten
Gebärde bis zur kunstvollen, regelmäßigen poetischen Wendung
manifestierte, an ihm teil zu haben, sich ihm einzuordnen und es
angemessen darzustellen, war die Bildungsaufgabe des Einzelnen.

I.

Die Aufnahme des metaphorischen Bestandes in den LA ergibt hinsichtlich des Bildmaterials wie der Bildträger eine v ö l l i g e Ü b e r e i n s t i m m u n g m i t d e m B e f u n d i n d e r D i c h t u n g. Eine Anzahl beliebig herausgegriffener Beispiele mögen das bestätigen.

W e l t u n d L e b e n sind auch hier ein „Kercker", ein „Jammerthal", „Folterhaus", „Blockhaus" 114, - eine „Folter" 184, 290, 465, - ein „Schauplatz der Eitelkeiten" und der Trauerspiele 465, 55, 239, 114. - Das Leben ist ein „verwirretes Panqvet" 105, - „auf welches uns die Zeit in die Welt eingeladen" 286, - auf dem uns die „mit Creutz versaltzenen und mit Gallen verbitterten Gerichte" vorgesetzt werden 268. - Es ist eine See, vor welcher der Schiffende sich ekelt 262, 239, - ein gefährliches „Glateiß" 668, 692. -

U n g l ü c k und V e r f o l g u n g bereiten dem Menschen „Hertzens-Risse" 3, - verstricken ihn mit „Stricken und Netzen des Elendes" 4, - bewähren ihn aber auch „als ein lauteres Gold in der Hitze schwehrer Anfechtung" 54, - vgl. 664. - Oft wütet „der Donnerstral unvergleichlicher Schmertzen durch die von Angst zurissenen Glieder biß an die Seele" 109, 419, 468. - Oft „verdecket dieses Liecht der Hoffnung eine finstere Wolcke des Traurens" 211. - Stürme und Donnerwetter der Verfolgung 54, - bedrohen den Menschen.

V e r l e u m d e r und N e i d e r sind ein „Schlangen-Geschmeiß", die „mit ihrem natterngifft ... besprützen" 6, 41. - Sie tragen „Zucker auff den Lippen / Honig auff der Zungen ... / stat versprochener Lieblichkeit aber (liefern sie) Gifft und Galle 42. - Das Feuer der Tugend erzeugt den „Rauch des Neides" 241. - Die „Schloßen der Verleumdung / die rauhen Winde des Hohns / die Würmer der Deuteley" 470 f. - peinigen die Reinen, die „von den Natter-Zungen ungerathener Buben täglich vergiffte Stiche erleiden" 567. - Undankbare geben statt Dankbarkeit „gantze Pfudeln Nattern-Galle und Scorpionen-Eyer" 47. - Große Bösewichte sind „Pesten" 677. -

Der M e n s c h , „ein Ball des falschen Glücks", „wird von einem Ort an den andern getrieben und geschmissen" 404. - Den Blumen gleicht er: „Was sind wir? Blumen! Wenn der Wind drüber wehet / so sind wir nimmer da. Was sind wir / als schöne Zeitlosen? die aus Fäule und Verwesung hervor wachsen! als Lilien / die in höchster Zierde daher blühen / auff den Stengeln der Hoffnung prangen / morgen aber abfallen / und mit Füßen zutreten werden? als lieblichste Rosen / die mit auff-gehendem Tage die Sonne anlachen / unter der Hitze des Mit-tags aber verschmachten und welck werden / welchen leicht ein Schwefel-Geruch des Unglücks die Purpur-Röthe hinweg-nimmt / welche die Spinnen der Anfechtung bekriechen?" usf. 405, - vgl. ähnlich 418. -

Des T o d e s Waffen sind Pfeil 183 - und Sense 474. - Im „trüben Thal des Todes" 199 - wandelt der Mensch. „Dannher küste sie den Tod ohne Entsetzen" 337. - Der Teufel aber be-lauert uns als „der höllische Vogelsteller und Nacht Jäger", der „suchet / welchen er in sein Jäger-Garn verstricken möge" 475. -

Diese ganz unvollständige Zusammenstellung genügt, die Feststellung von der wesentlichen Identität des metaphorischen Vorgangs in der Dichtung und in der Rhetorik zu bekräftigen. Noch waren Poesie und Rhetorik ursprungs- und zielverwandte, vom gleichen sprachlichen Kunstwollen beseelte und in den stilistischen Mitteln weithin übereinstimmende Formgebungen. Die metaphorischen Einzelbezüge aber — das hat der Verlauf der Untersuchung immer von neuem ergeben — waren ganz selbständig und für sich gültig. Sie verdanken ihre Entstehung nicht dem individuellen Leben eines einzelnen Gedichtes oder Verses; dann wäre es sinnlos, sie aus diesen ihren einmaligen Entstehungs- und Daseinsbedingungen zu isolieren. Sie sind nicht einmal spezifisch poetisch, sondern sie stellen sich überall da ein, wo die Dinge und Zusammenhänge des ideellen und des natürlichen Seins einen überhöhten, künstlichen Ausdruck erhalten, wo sie in ihrer Dichte bedeutungsvoll durchsichtig, in ihrer Übersinnlich-keit sensuell eindrücklich gemacht werden.

Dennoch tritt bei dem Vergleich der bildlichen Stilmittel in Dichtung und rhetorischer Prosa eine rasch erkennbare Ver-schiebung ein. Metapher und Gleichnis verlieren die beherrschende

Stellung, die sie in der Dichtung infolge deren rhythmischer Begrenztheit und Versgebundenheit innehatten. Sie sind in der rhetorischen Prosa wohl vielhundertmal vorhanden und für die künstliche Überformung im Einzelnen ganz unentbehrlich, aber sie sind dienend eingefügt den beiden wichtigsten Bildformen der rhetorischen Prosa: dem E x e m p l u m und der A l l e g o r i e , denen das weite und freie Gefüge des rhetorischen Satzbaus eine ganz andere Gelegenheit gibt, zur Wirkung und zur Verwirklichung zu kommen als der Vers.

Buchner hatte vom Exemplum gerühmt: „Est omnium illustris hic locus et Oratorius maxime, et plurimum valet ad amplificandam orationem, tum ad rem ipsam illustrandam.“[2])

Im Exemplum bezog der barocke Geist nicht mehr nur den Bereich der N a t u r — wie in der Metapher — sondern auch den der G e s c h i c h t e in den Kreis seiner ästhetischen Stilmittel, verwandte er auch die bedeutendsten historischen Gestalten und Ereignisse unbedenklich zur Herstellung jenes künstlichen, farbigen Nebels von Dingen, der doch nur dazu bestimmt war, die intendierte Sache selber zu verklären, zu vergrößern und eindrücklich zu machen.

Der „B r u n n e n - D i s c u r s“, den der Einundzwanzigjährige als Leichenrede für seinen väterlichen Freund Schönborn verfaßte, zeigt am stärksten die uns heute nur noch schwer zugängliche Verbindung einer fast ununterbrochenen Kette gelehrter Reminiszenzen und historischer (quellenmäßig genau belegter) Verweise — mit dem Ausbruch persönlicher Trauer und Erschütterung, wie er wiederum in keiner der späteren Reden in diesem Maße spürbar wird.

Der „Brunnen-Discurs“ beginnt damit, daß G. drei entlegene geschichtliche Vorgänge darstellt: die Trauer des Herodes um Pacor, der Agrippina um Germanicus, des Caligula um Drusilla als ein „Gemählde höchster Schmertzë“, jedoch nur, um mit der Versicherung zu schließen:

„Ob nun zwar unlaugbar / daß obgenanter Personen Traurigkeit sehr groß und schier unermäßlich / kan doch mit Warheit ich wol darthun / daß diese Hertzens-Risse / so ich diese Tage

---

über und nun den Augenblick empfinde / die ihrigen nicht nur erreichē / sondern noch um ein hohes übertreffen." 3. -

Es ist ein Vorgang, dem in der Lyrik gelegentlich beobachteten ganz ähnlich, wo etwa der Kummer besonders leidverfolgter mythischer Gestalten oder die Leistung der betreffenden Fach-Gottheit nur herangezogen wird, um sich vor der Trübsal oder der Kunst des Besungenen als unwürdig zu erweisen. Es hat auch hier wenig Sinn, die Frage zu stellen, ob der Autor selbst im Ernst an die Berechtigung seines vergleichenden Urteils glaubte, bzw. welchen Trost es ihm gewährte, etwa seine eigene Trauer von der Geschichte schwer oder gar nicht erreicht zu wissen. Der barocke Rhetor empfand weder das sachlich Fragwürdige noch das persönlich Anmaßende, ja Geschmacklose solcher Vergleiche. Für ihn blieb das Ganze wie alles Einzelne eine reine Angelegenheit sprachlicher Formgebung. „Ich selber bin aufs tiefste betrübt" — so läßt sich die Bedeutung der ganzen einleitenden Partie zusammenfassen. Die Aufgabe war gerade, diesen Satz ornando et amplificando zu einem prächtig-festlichen, eindrucksvollen, weithin sichtbaren und für sich gültigen, objektiven Sprachgebäude zu gestalten. Es wäre dem Redner gerade als anmaßend und taktlos, dazu als ganz unfeierlich erschienen, wollte er nur schlicht seine Empfindungen aussprechen. Er vergegenständlicht sie in den Exempeln zu einem objektiven Bilde der Trauer. Und wenn er diese dann vor seinem eigenen Schmerz verblassen läßt, so ist ihm jene Vereinigung von künstlicher Objektivierung und höchster Eindrücklichkeit gelungen, die seine rhetorische Aufgabe ist. (Vgl. z. B. auch den Eingang der „Folter Menschliches Lebens" 344 ff., - wo zwei Märtyrer, darunter Katharina von Georgien, Exempla des drangsalbeschwerten Lebens der Verstorbenen werden.)

Weit häufiger noch als solche Exemplifikation auf bestimmte geschichtliche Gestalten finden wir Aussprüche, Anekdoten, Begebenheiten und Einrichtungen aus der Geschichte, vor allem aus der antiken und frühchristlichen Zeit, fast auf jeder Seite eingeschoben. Denn die Geschichte zerfiel für den barocken Blick nicht minder als die Natur in eine unendliche Fülle v o n G e - s c h e h e n s - u n d A u s s p r u c h s a t o m e n. Aber man wird der ungewöhnlichen Stellung, die der barocke Rhetor der Ge-

schichte einräumte, schwerlich gerecht, wenn man sie nur aus der
Neigung erklärt, das wahllos zusammengeraffte Geschichtswissen
imponierend auszustellen.

Der Geschichtssinn des Barock, wie er sich im
Zitat und Exemplum, im „historischen" Roman und in der antike
Stoffe behandelnden Tragödie kundtut, bedarf einer eigenen
Untersuchung. Er hat mit dem historischen Bewußtsein der
Moderne annähernd nichts zu tun. An Stelle von allen Entwick-
lungs- und Fortschrittsideologien war die Zeit vielmehr noch
beherrscht von dem Gefühl, daß die höchsten Wahrheiten und
Erkenntnisse nicht eine geistige Aufgabe der Zukunft oder der
Gegenwart seien, sondern daß sie zeitüberlegen da seien und
von der höheren Weisheit verflossener Jahrhunderte auch ausgesprochen worden seien. Die Autorität der „Alten" hängt damit
zusammen, daß diese der Höchststufe der Menschheit irgendwie
näher waren. Auch die Bibel, die Autorität der Autoritäten, war
ja ein Werk der Vergangenheit. Alles geschichtliche Geschehen
besaß noch in viel stärkerem Maße seinem Bedeutungswert nach,
auf den es allein ankam, Gleichzeitigkeitscharakter; das „Ge-
schehene" der Geschichte war vom Seienden der Natur noch
nicht qualitativ unterschieden. Beiden, den „Fällen" der Geschichte wie den „Sachen" der Natur eignete jene gegenständlich-
reale zeitlose Faktizität, die sie zur allegorischen Steigerung
und Verbildlichung, zur festlich-repräsentativen Schaustellung
und Entprivatisierung von Gedanken, Empfindungen und Grundsätzen geeignet machte. Das bunte historische Geschehen war
nur das durchsichtige und flüchtige Gewölk vor dem unbewegten
Himmel der Bedeutung, Illustrationsmaterial für die Begriffe,
casus und Gesetze der moralischen Welt.

„Natur" und „Geschichte" also lagerten als riesige Sammel-
kästen metaphorisch-allegorisch-exemplarischer Gegenstände
nebeneinander. Und freilich war dem Rhetor bei dem geschichtlichen Beispiel und der geschichtlichen Allegorie ein weit größeres
Feld eigener Auswahl, origineller und die Gelehrtheit be-
zeugender Bilder gegeben als in der nach Stoff und Bedeutung
so stark gebundenen poetischen Metaphorik. So ist gerade hier
das Bestreben nach selbständigen, eigengefundenen, ungeläufigen
Tatsachen begreiflich.

Einige wenige Zitate müssen für viele genügen:

„Vor Zeiten ward den Königen in Persen / Egypten / und andern Ländern gegen Auffgang / wie auch endlich in unserm Theil der Erden in ihren offentlichen Aufzügen Feuer vorgetragen (Quellenangabe!): Rechte Könige ihrer selber und aller / sind die zu nennen / vor welchen die Flamme der Auffrichtigkeit / der Gedult / der Gerechtigkeit / welche niemand in dem tunckeln verborgen lassen / funckeln und schimmern." 240. -

„Machet nicht Heucheley aus einem geringen Dinge große und unbegreiffliche Sachen / und reitzet den Hochmuth Menschlicher Gemüther so fern / daß Xerxes das Meer geißelt / Alexander eine und andere Welt einzunehmen trachtet: Canutus der See gebieten darff / vor seinen Füßen stille zu stehen. Justiniano in Gedancken kom̄t / er sey unsterblich." 243. -

Im „Winter-Tag Menschlichen Lebens" wird u. a. auch der Schnee als Feind des Menschen und Sinnbild menschlicher Schwäche behandelt. Dabei heißt es: „Unter den Alten erwehnet Strabo, unter den Neuen Majolo, daß in dem Schnee sich eine sondere Art Würme finden solle. Wie viel Sorgen nagen jenige Seelen / die die gemeine Welt hoch und glückselig schätzet?" 246 f. -

„Wie streichet Cicero seine Anheimkunfft nach Rom herauß / in dem er rühmet / er sey auff den Schultern Italiens zu rücke getragen: Dort sind mehr denn Römische Bürger / die auff uns bestelleten Engel / welche uns in die ewige Stadt auf ihren Händen tragen sollen." 255. -

„Cato von Utica hat vor seine höheste Ehre geschätzet / daß ihm der Rath zu Rom erlaubet / in Purpur-Kleidern auff den Renn- und Schau-Plätzen zu erscheinen: Wie viel herrlicher ists / wenn man in der Purpur des unbefleckten Lammes diese Spiele / diese Nichtigkeiten der Erden betrachten / und verachten mag?" 317. -

„Die Weltlichen Geschichte rühmen Hannibals Reise über das Alpen-Gebürge / da er die Felsen mit Feuer gezwungen / und mit Essig zusprenget. Sie stellen des Catons Durchzug durch Africam als ein Wunder Menschlicher Kühnheit vor ... Wer kan die Berge übersehen / die unsere seligst-Erblichene überstiegen?" 322. -

„Der erzörnete Alexander befahl dem trotzenden Clyto von dem Abend-Panqvet abzutreten: als er aber nicht zu weichen gesonnen / sondern nachdem er zu einer Thüren hinaus gestoßen / wieder zu der andern hinein dringet / wird er darüber von dem erbitterten Könige durchstochen: GOtt wil / ehe wir Zorn auff Zorn / und Schuld auff Schuld häuffen / uns von hinnen haben: Indem uns aber dieses Leben allzusehr beliebet / trifft uns offt in dem letzten Alter sein unversöhnlicher Grimm." 661. -

Voraussetzung solcher Exempelbildung ist, daß es noch keine G e s c h i c h t e , sondern nur erst G e s c h i c h t e n gibt, die zusammen mit den Naturdingen und den sich ebenfalls in Aussprüchen auflösenden Autoren die unerschöpfliche Bilderschatzkammer darstellen. Worauf es dem Redner bei seinen Beispielen und historischen Allegorien ankommt, ist durchaus, daß das Erzählte Geschichte, d. h. daß es G e s c h e h e n e s ist. Der simpelste, dem täglichen Leben entnommene Fall (vgl. z. B. den Schluß der letzten Rede, S. 698 f.) wird nur ernst genommen und hat nur Gewicht, wenn er wirklich geschehen und als solcher überliefert ist. Es wäre dem barocken Redner als wertloses und unsinniges Bemühen erschienen, sich Beispiele und Bilder auszudenken; denn nur das Sein, nur eine Wirklichkeit vermochte eine andere darzustellen und zu bedeuten. Poet und Rhetor, sie beide konnten wohl zusammenstellen, Beziehungen finden, deuten, eins für das andere einsetzen, — aber sie konnten nicht erschaffen. Sie waren zwischen die reinen Objektivitäten gestellt. Und selber zu schaffen, lag ihnen auch nur als Möglichkeit ganz fern.

Die Behandlung der Geschichtsbegebnisse selber ist absolut ahistorisch. Sie haben ebensowenig Selbstwert und Eigen-Sinn wie das metaphorisch verwandte natürliche Material. Auf Zeit, Zusammenhang, Ursachen und Folgen des zitierten Geschehens kommt es nicht im geringsten an. Die geschichtlichen Beispiele teilen mit den Natur-Metaphern, mit denen sie auch häufig durcheinander gebraucht werden, den anorganischen Stückwerk-Charakter. Sie werden herausgehoben als seiendes oder geschehenes Faktum, das in seiner konkret-sinnlichen Realität Bild eines Anderen, Wesensverschiedenen, eines Unwandelbaren, Gültigen: des Begriffs — wird.

Man hat dem Barock ironisierend vorgeworfen, es plündere erbarmungslos die ganze Natur, um etwa die Geliebte mit deren Reizen auszustatten; man könnte im gleichen Sinne hinzufügen, daß es die Geschichte nur als heroisch-prächtigen Hintergrund, als pomphafte malerische Kulisse verwendet, deren Dimensionen dann wie von selber auf die schlesischen Bürger und Standesherren übergehen. Solche Kritik aber erleichtert sich ihre Aufgabe wohl mehr als billig ist. Denn es handelt sich ja immer wieder gar nicht darum, daß etwa Frau Ursula Henning persönlich mit Hannibal und Cato verglichen wird. Wir können in dieser Welt höchst uneigentlich-künstlicher Formen nicht vorsichtig genug mit dem stofflich-persönlichen Direktnehmen der Vergleiche und Beispiele sein. Der rhetorisch darzustellende Gedanke war: die Verstorbene hat viel durchgemacht. Dies geschieht — analog zu dem schon erörterten Einsatz des „Brunnen-Diskurses" und in augenblicklicher Ablenkung von der Person auf die Sache, vom Individuum auf das Allgemeine — in der Weise, daß zunächst einmal ein konkretes, sinnliches Bild von dem, was Mühsal heißt, mit dem Gewicht der Faktizität und dem eindrucksvollen Glanz illustrer Würde versehen, hingestellt wird. Für die überzeugende und erhabene Versinnlichung des Wesens der Mühsal aber ist Catos und Hannibals Leistung gerade eindrücklich genug. Die allegorische Durchgeistung der „Berge" ermöglicht es dann, die im Hörer geweckten Eindrücke von „menschlicher Mühsal" — Hannibal und Cato spielen in diesem Stadium der ästhetischen Wirkung gar keine Rolle mehr — auf die Verstorbene und ihr Leben zu übertragen. Auch das geschichtliche Beispiel und Gleichnis verkörpert zunächst nicht einen persönlichen, sondern einen sachlichen Verhalt, den es mit allen Mitteln umschreibend-konkretisierender Kunst zu versinnlichen hat. Der barocke Geist aber „deutet" die Geschichte, indem er sie — wie auf der anderen Seite die Natur — in Einzelzusammenhänge und Teile zerlegt und diese Teile zu Bildern eines zeitlosen, objektiven Sinnes macht.

Schließlich stellt die Bildlichkeit der Leichenreden noch einmal in voller Klarheit und Schärfe die Frage nach Wesen und Funktion der A l l e g o r i e im Weltbild und in der ästhetisch-sprachlichen Formgebung G.s.[3]) Denn das für die barocke Sprach-

---

[3]) Am nachdrücklichsten hat bisher W. B e n j a m i n (Ursprung des deutschen Trauerspiels) auf den Allegorismus als den konstitutiven Faktor der barocken Ästhetik hingewiesen. Leider begnügt sich die energische,

kunst überhaupt konstitutive Element der Bildlichkeit enthüllt in der oratorischen Formgebung vollends seinen streng allegorischen Charakter. Die Leichenreden G.s sind gänzlich vom Stilgesetz der Allegorie beherrscht. Dies erschöpfend für das Ganze der Reden nachzuweisen und aus dem sorgfältigen Belauschen der Einzelzüge, auf die es dem Allegoriker gerade ankommt, zu entwickeln, würde eine eigene Untersuchung fordern. Unter Voraussetzung der in den vorangegangenen Erörterungen erzielten grundsätzlichen Erkenntnisse mag diese in der Dichtung nur in „Der Weicher Stein" annäherungsweise vorliegende erschöpfende Durchführung einer gegebenen allegorischen Grundbeziehung an einigen Beispielen verdeutlicht werden.

Zunächst hatte der Redner für sein Thema und seine Gedanken einen konkreten Gegenstand zu suchen, der dies „Thema", den geistigen Gesamtverhalt, sinnenhaft zu repräsentieren vermochte. Seine weitere Aufgabe bestand darin, die Richtigkeit und Geschicktheit dieser Wahl dadurch einleuchtend zu machen, daß er zeigte, wie das gewählte Bild imstande war, den ganzen oder einen möglichst großen Umfang des Gedankenguts, das im Thema beschlossen lag, allegorisch einzukörpern. Es war also wichtig, einen Gegenstand zu suchen, der eine Fülle thematisch zusammenhängender, allegorisch ausdeutbarer Attribute besaß. Der Redner mußte gleichsam ein Schauspiel „erfinden", das in farbenprächtiger Sinnlichkeit zu Augen und Ohren sprach, und dessen Sinn doch nicht in dem lag, was geschah, sondern in dem, was dieses Geschehen bedeutete, — einen Maskenzug der Dinge, bei dem jede Maske gleichzeitig sinnlich eindrucksvoll und doch auf ihre Bedeutung hin sofort identifizierbar sein mußte. Das Ganze aber wurde gleich einem entfaltbaren Fächer zusammengehalten durch den dinglichen Generalnenner („Brunnen", „Arzt", „Wintertag"), der alle allegorisch verwerteten Einzelmomente als Teile, Erscheinungsweisen, Attribute von ihm selber in sich beschloß. Besonders reizvoll und geschickt war es, wenn der Redner dies dingliche Generalthema mit dem Gegenstand der Rede, in diesem Fall also der betreffenden betrauerten Persönlich-

---

kluge und anregende Schrift, von der manchmal reichlich sibyllinischen Sprache abgesehen, meist mit Andeutungen und Umrissen.

keit, verbinden konnte, wenn er es etwa ihrem Namen oder ihrem Wappen entnahm.[4])

Wenn G. sich entschloß, den Brunnen zum bildlichen General-nenner seiner Rede zu machen, so war die eigentliche Veranlassung dazu nicht der Umstand, daß der Verstorbene in seinem Wesen einem Brunnen glich, — sondern daß sein Name: Schöner-Born — die Anknüpfung der Rede gerade an diesen Gegenstand doppelt sinnreich machte.

Verglichen wir heute einen Menschen mit einem Brunnen, so könnten wir damit seinem klaren, lebendigen und gebenden Wesen einen symbolischen Ausdruck setzen. Das Symbol leistet dabei offenbar mehr, als die vergegenständlichende Entfaltung des gleichen Tatbestandes in Begriffe zu leisten vermöchte. (Daß in anderer Hinsicht auch der Begriff als Mehr gegenüber dem Symbol aufgefaßt werden kann, bleibt in diesem Zusammenhange belang-los.) Dieses „Mehr" besteht darin, daß das Symbol zu einer lebendigen, überrationalen Einheit zusammenschließt, was durch das Denken in eine Summe für sich bestehender abstrakter Eigen-schaftsbegriffe („klar", „lebendig", „gebend") zerlegt wird. Die Vermittlung solch lebendiger Einheit aber ist nicht mehr auf dem gegenständlich-mittelbaren Wege, sondern allein auf dem Wege der unmittelbaren Anschauung möglich. Diese Anschauung ist aber nicht einfach mit der sinnlichen Wahrnehmung gleich-zusetzen. Wir stellen uns in keiner Weise einen bestimmten Brunnen o p t i s c h vor, um den betreffenden Menschen als äußere Erscheinung mit ihm in Vergleich zu bringen. (Obwohl es andrer-seits die ästhetische Wirkung des Bildes nicht notwendig be-einträchtigt, wenn sich assoziativ die Vorstellung eines be-stimmten Brunnens einstellt.) Aber indem wir den Vergleich hören, nimmt die subjektive Phantasie augenblicklich eine Ver-wandlung des Brunnens vor. Er erhält (objektiv ausgedrückt) eine „Seele" (subjektiv gewandt): er ruft — als Ganzes — ein be-stimmtes Gefühl, eine besondere Stimmung in uns wach. Der „Brunnen" wird zur wesenhaften Erscheinung eben jener über-

---

[4]) Selbst das in den Hochzeitsgedichten beheimatete Spiel mit Namen und Worten kehrt vereinzelt in LA wieder. Vgl. z. B. „. . . auff eine solche Leichen / diß Leichbegängnüs mehr als zu leicht." 7 f. - „Itzt erinnert sich unsere Barbara nicht mehr der Barbarey dieser Welt." 367. -

gegenständlichen Einheit von „lebendig", „klar", „gebend" usf., die für alle Begriffe unerreichbar ist. Und dieser von der Phantasie verwandelte, der inneren Anschauung, dem Gefühl sich unmittelbar mitteilende Brunnen ist nicht ähnlich, nicht bedeutend, — er ist i d e n t i s c h mit dem Wesenszuge des betreffenden Menschen. Gleichzeitig ist jedoch dieser ganze Vorgang gebunden an die — ob nun verworrene oder klare — i n n e r e Vorstellung eines Brunnens, welche die verlebendigende und vereinheitlichende Schau seines Wesens, die die Phantasie vornimmt, erst ermöglicht.

Versucht man diesen Vorgang gegenständlich zu zerlegen, — was notwendig mißglücken muß — dann würde er sich etwa folgendermaßen darstellen: dadurch, daß ein Mensch mit einem Brunnen verglichen wird, ist die Phantasie veranlaßt und instand gesetzt, den Brunnen in ein Wesenhaft-Lebendiges zu verwandeln, das sich dem Gefühl unmittelbar mitteilt. Und diese wesenhafte Lebendigkeit, die unsere Empfindung ganz in Besitz nimmt und doch derart spezifisch ist, daß sie nur dem Brunnen angehören kann, i s t der Charakter des betreffenden Menschen. Freilich ist dies „ist" jeder gegenständlich-objektiven Seinssphäre ganz entrückt; es gilt nur im subjektbeherrschten Vollzuge des Symbols selber. Diese innere Einmaligkeit und Notwendigkeit, dies von der Subjektivität der Phantasie und des Gefühls ganz beherrschte, unauflösliche Ineinander von Verglichenem und Gleichendem, dies von den beiden selbständig bleibenden Polen Mensch und Brunnen unendlich strömende und zugleich in der beseelten Einheit und Mitte unendlich ruhende Leben ist das Geheimnis der symbolischen Form, in der die Subjektivität sich selber begreift, indem sie sich die Welt anverwandelt.

Ein solcher, freilich in Andeutungen verhafteter Versuch, die Struktur der symbolischen Bildform zu begreifen, muß immer wieder gewagt werden, weil nur so die allegorische Form wirksam in ihrem eigenen Stilgesetz zur Darstellung kommen kann.

Auch G. verglich seinen verstorbenen, verehrten Wohltäter mit einem Brunnen. Auf kunstvoll-umwegige Weise bereitet er die Einführung dieses für die Rede zentralen Bildes vor.

„Und wenn bey dem Ovidio (lib. 2 Metamorph.) die Nymphen mit ausgespreiten Haaren ihre Brunnen und Bäche beklagen;

Warum wolte man denn mir verargen / daß ich diesen Brunn
aller Tugend / aller Weisheit / aller Ehren / der in der Hitze des
Todes vertrocknet / mit dieser Klage verehre." 9. -

Scheinbar zufällig und unbeabsichtigt in einem Selbstvergleich
mit andern Klagenden, durch die diesem Vergleich innewohnende
Konsequenz, wird der Redner auf sein Hauptthema geführt.

Er hält die Nebeneinanderstellung des Herrn von Schönborn
und eines Brunnens zunächst für so ungewöhnlich und befremdend,
daß er zu einer grundsätzlichen Begründung der sachlichen Berechtigung dieses Vergleiches ausholt. Er stellt dabei den Brunnen
neben den Menschen im Allgemeinen, den der Verstorbene als
Glied seiner Gattung repräsentiert: Wie der Brunnen, der Luft
oder dem Meere entstammend, nach einem Durchgang durch die
Bergeshöhle ans Tageslicht kommt, so entsteht der Mensch aus
Erde nach einem Durchgang durch den Mutterleib. 10. -

Der Vergleich beruht also nicht auf irgendeiner Übereinstimmung des als wesentliche Einheit geschauten Brunnens
mit dem „Wesen" dieses bestimmten Individuums, sondern auf
der Parallelisierung zweier isolierter, versachlichter und durchaus
nicht wesensbestimmender Teilmomente der Seinsart „Mensch"
und „Brunnen". Denn die Art der Entstehung nach dem Durchgang durch ein Inneres ist weder ein spezifisches noch ein aus-
schließliches Charakteristikum für Mensch und Brunnen. Wohl
aber wird durch diese Analogie zwischen beiden Gegenständen
gleichzeitig die unüberbrückbare Kluft eines dinglichen Anders-
seins und Fürsichseins aufgerichtet. Noch einmal offenbart sich
der Objektivismus des barocken Weltgefühls auf das Greifbarste.
Der Brunnen als Symbol beruht auf keiner äußeren Kongruenz,
sondern auf der völligen, zu erfühlenden Gemäßheit einer inneren
und einer äußeren Ganzheit. Der Brunnen als Allegorie geht
zurück auf die sachlich richtige, beweisbare Parallelisierung der
Teile, die Ganzheit ist preisgegeben und kann nie wieder gewonnen
werden, selbst wenn die Allegorie durch die volle Summe aller
Teile oder Attribute durchgeführt würde. Denn das a priori aller
Ganzheit, das Ich, ist ausgeschaltet und so verwandelt sich augenblicklich alles, was der barocke Geist berührt, in ein Objekt, gibt
seine innere Einheit auf und bewahrt nur noch die äußere, eigentlich nur die des Namens, und ist jederzeit bereit, sich in die

Vielheit seiner Stücke, deren Kompositum es ist, zerstiebend aufzulösen. Die barocke Allegorie ist ein Ausdruck des konsequenten Versuchs, die Kategorie der Subjektivität zu ignorieren und das Dasein, Leben, Welt und Gott noch einmal dem objektiven Aspekt einzuordnen.

Aber schon waren die selbstverständlichen, allgemeinen Bindungen und Gewißheiten, welche die Welt des Mittelalters wie mit unsichtbaren Klammern zusammenhalten, gelockert und im Zerbrechen; schon war etwa in der leidenschaftlichen Unstillbarkeit, mit der sich Einzelne in den Abgrund der Erotik, der Melancholie, des Religiösen stürzten, ein Selbstgefühl erwacht, das durch reine Objektivität nicht mehr gehalten werden konnte; schon waren die Dinge in solchem Maße zu „Sachen" verselbständigt, daß ihre allegorische Verarbeitung und Bewältigung immer mühsamer, immer künstlicher, immer unwirklicher wurde, daß sie der Hand des Dichters gleichsam nicht mehr standhielten, sondern sich in Atome auflösten: der Körper zerfiel in seine Glieder, das Leben in seine Entwicklungsteile, die Persönlichkeit in ihre Eigenschaften, die Blume in Farben, Wachstumsstadien usf.

Die Allegorie war das Stilmittel, das von jeher dem objektivistischen Weltgefühl schlechthin gemäß war. In den großen Seinskreisen der natürlichen und geschichtlichen Welt spiegelte sich seit alters die gegenständliche, ewige Über-Welt tiefsinnig und wesenhaft ab. Der den geschaffenen Dingen immanente sensus mysticus sive allegoricus war ursprünglich eine gefühlte, erlebte, geglaubte Realität. Die Dinge hatten gleichsam noch gar keine Existenz für sich und an sich. Der objektiv-geistig-geistliche Sinn, den die Allegorie ihnen von ihrer überweltlichen Bedeutung her gab, verlieh ihnen erst ihre wahre Realität. (Wobei selbstverständlich schon der Begriff des „Dinges" historisch im Grunde unverwendbar ist, weil er den modernen Begriff der Dinglichkeit involviert, der bereits den Gegenbegriff der Subjektivität voraussetzt. Die Dinglichkeit als Lebenselement etwa des spätmittelalterlichen und noch des barocken Geistes steht jenseits des modernen ich-dinglichen Gegensatzes.)

Im Barock beginnt die Realität, die Substanz der allegorischen Funktion fragwürdig zu werden. Die Allegorie fängt an, aus einem m y s t i s c h e n E r k e n n t n i s w e g e zu einem k ü n s t -

l i c h e n S t i l m i t t e l, zu einem festlichen Arrangement der
Sprache zu werden. Der überweltliche Bezug verschwindet immer
mehr aus ihr. An die Stelle der Überwelt tritt der Mensch als
höchste Sache, tritt die Vernunft, wie sie sich in der Vielheit der
Begriffe manifestiert, so sehr sie selber auch als höchster Besitz
des Menschen noch verhüllt und ungenannt bleibt. Gleichzeitig
büßt die allegorische Deutung an Notwendigkeit ein. Es wird
nur noch scheinbar ein den Dingen selber innewohnender sensus
mysticus gehoben; in Wirklichkeit ist das Primäre und Maß-
gebende die Bedeutung, die grundsätzlich die verschiedensten
Einkörperungen gestatten würde. Daß die Leichenrede auf
Schönborn ein „Brunnen-Discurs" wurde, entsprang nicht so
sehr dem Wesen als dem Namen des Verstorbenen. Und es kann
schwerlich glaubhaft gemacht werden, daß G. eben in diesem
Namen die mystische Verbildlichung des Wesens realisiert fand.

Damit aber tritt in das objektivistische Gefüge des allegorischen Weltverständnisses ein Element der Willkür, das zur
S e l b s t a u f l ö s u n g d e r A l l e g o r i e führen mußte, wo
es zum vollen Siege gekommen war. Bei H a r s d ö r f f e r kann
im Grunde bereits jede Sache zum Bild für jede Bedeutung
werden, ist die allegorische Funktion bereits ganz in das Kom-
binationsvermögen des Einzelnen gelegt, so sehr andrerseits das
doppelte Antlitz des Barock auch bei ihm sichtbar wird, nämlich
darin, daß er daneben den echten Glauben an die mystische All-
bezogenheit alles Seienden und an den verborgenen Hinweis der
Dinge auf die Welt des Geistes aufrecht zu erhalten versucht. —
Wir kehren zum Brunnen-Vergleich zurück. Nachdem die
Entstehung von „Mensch" und „Brunnen" und also die Verwendung dieses Bildes sachlich gerechtfertigt ist, wendet sich G.
zwecks Durchführung der Allegorie nicht zu den Teilen. Er
erreicht vielmehr die Zahl von Vergleichsstücken, die er für die
bildhafte Unterbringung seiner Gedanken braucht, in diesem
Falle auf dem entgegengesetzten Wege: er läßt die Gattung
„Brunnen" in eine große Anzahl von Arten zerfallen, deren jede
einen Wesensteil des Verstorbenen repräsentiert.

Wie es den Göttern geweihte, „verlobte Brunnen" gab, so
wurde der Verstorbene schon bei seiner Geburt Gott geweiht.
Die einzige Analogie besteht hier in dem Geweihtsein, das an

sich mit dem Brunnen gar nichts zu tun hat. Zudem gibt es noch zahlreiche andere Gegenstände, die dieses bestimmte Merkmal besitzen, also zur bildlichen Verwendung grundsätzlich genau so geeignet wären. Aber es kommt G. gar nicht darauf an, die Notwendigkeit gerade dieses Bildes zu erweisen, — auch das Gott-Geweihtsein ist ja kein einmaliger Wesenszug, sondern ein sachlicher Verhalt, den der Verstorbene mit vielen anderen teilt. Der Redner will vielmehr dartun, wie das thematische Bild die M ö g l i c h k e i t gewährt, für alle Schönborn kennzeichnenden Züge aus seinen zahlreichen Komponenten geeignete Verkörperungen zu liefern.

Wie auch die schönsten Brunnen der Reinigung bedürfen, war hier die Taufe nötig, um die Unreinheit der Erbsünde abzuwaschen. Wie ein Brunnen durch künstliche und edle Einfassung gewinnt, so gewann Schönborn durch Studien und Erziehung. Einem Brunnen der Weisheit ließ sich seine Klugheit, einem reichlich fließenden Brunnen die Anwendung dieser Klugheit zum allgemeinen Besten vergleichen. So wurde er gleich den bei Brunnenfeiern bekränzten Fontänen ein gekrönter Brunnen. Seine Ehe glich einem fruchtbaren, sein hochstrebendes Sinnen und Trachten einem hochsteigenden Brunnen, dessen Wasser freilich zuweilen vom Winde etwas zur Seite getrieben werden — der Verstorbene war zeitweilig zum Katholizismus übergetreten! Er war dem Nächsten ein dienender, niedriger, als Beamter ein richtiger, gerader, allen, denen er helfen konnte, ein heilsamer Brunnen, — dazu eine stets fleißige Quelle, lauter, klar, unwandelbar, lieblich und anmutig. Schließlich war er ein in Trübsal verachteter, im Unglück geplagter, in Todesnot vertrockneter Brunnen, der jedoch einst — wie der nur vorübergehend im Erdboden verschwindende Togris — wieder ein lebendiger Brunnen werden wird.

Jeder einzelne Teil dieser hier nur in groben Umrissen skizzierten Rede ist mit Beispielen, Zitaten, Erläuterungen und Zweigallegorien zu einem selbständigen Ganzen ausgebaut.[5])

---

[5]) Die explizite Allegorie, wie sie hier und überhaupt in LA beständig erscheint, drängt danach, sich in ihrer impliziten Form, dem Emblem, thematisch zusammenzufassen. Erst im „Gemälde" erhalten die sinnbedeutenden Sachen das höchste Maß an Gegenständlichkeit, Konzentration und bedeutsamer Komposition.

Überblicken wir das Gesamtgefüge der Allegorie, so wird deutlich, wie die beiden Generalnenner auf der Bild- und auf der Bedeutungsseite im Grunde unsichtbar und unverwirklicht bleiben. Das Allegorische liegt gar nicht im „Brunnen", sondern in jenen aneinandergereihten Epitheta (verlobt, gekrönt, fruchtbar, niedrig usf.), die keineswegs zwangsläufig mit dem Brunnen verknüpft sind, sondern höchstens mit ihm verknüpft werden können. Der Bildakzent ist völlig auf die einzelnen Zähler verschoben, während der Generalnenner sachlich belanglos ist und nur als mögliches, als virtuelles, nicht als notwendiges und praktisches Bindemittel die einzelnen sonst ganz amorphen Teile zusammenhält. Nicht minder tritt der Verstorbene hinter der Fülle seiner verselbständigten Eigenschaften zurück; jede einzelne (gebildet, hochstrebend, geplagt, rechtschaffen usf.) ist wohl auf ihn anwendbar, trifft aber, da sie auf Unzählige in gleicher Weise paßt, nicht in sein persönliches Wesen, wie denn auch die ganze Summe der Eigenschaften nie das Eins der Individualität ergibt. Wo symbolische Empfindungen mitschwingen, — und ihr Vorhandensein bei der Konzeption des Gesamtvergleichs ist durchaus anzunehmen — da werden sie alsbald von dem herrschenden Stilgesetz der Allegorie erfaßt, objektiviert und in sachliche Bezüge verwandelt.

Gleichzeitig tritt hervor, wie unermeßlich die Kluft geworden ist, die Ding und Bedeutung voneinander trennt, und wie anspruchsvoll die technische Künstlichkeit, zu der die Allegorie sich entwickelt hat. Und so sehr der barocke Geist sich bemüht, durch ikonische Häufungen, durch geistvolle allegorische Zerlegung des Dinges bis in die kleinsten und letzten Teile das Ganze, das Wesen der Bedeutung bildhaft einzukörpern, findet er doch nie zum Ziel. Er legt die Stücke nebeneinander, ohne jedoch ein Ganzes zu gewinnen. Er ist schon so bewußt, schon so sehr Selbst, daß ihm alles unter den Händen zu reinen, für sich seienden Gegenständen wird. Und er ist noch so wenig Selbst, daß er die Subjektivität und damit die Möglichkeit, von neuem zur Einheit, zur Gestalt, zur Seele zu kommen, ausschließt.

In L A - 355 - heißt es einmal: „aber ein Tag / was sag ich / ein Tag? eine Stunde / was sag ich / eine Stunde? ein Augenblick / was sag ich / ein Augenblick? ein Fall / ein

Donnerstral / ein Stücklein Bley / ein vergifftend Schnauben nimmt alles hinweg."

Hierin tritt gewiß die technische Kunst des Orators hervor, der die Spannung emporreißt, indem er sie staut und hemmt, der die Erregung steigert, indem er seine eigenen Worte als unzulänglich durchstreicht, um die Spannung dann in einer langen, wuchtigen, nominabeschwerten Kadenz zur Lösung zu bringen. Aber diese Dynamik ist nicht nur technische Mache. Es offenbart sich in ihr etwas von jener atemlosen, die Dinge in sich hineinreißenden, verbraucht und entwertet hinter sich zurücklassenden und unbefriedigt weiterstürmenden Jagd des Barock nach dem Wesen, — dieser Jagd des Rhetorpoeta nach der vollendet richtigen und unüberbietbar wirksamen Ab-Bildung der Sache durch das Wort. Die unbewußte, aber tiefe Spannung zwischen dem eigenen Bedürfnis des barocken Geistes und dem willig anerkannten Gesetz der überkommenen Denk- und Stilformen verhinderte es, daß dieses sich ständig steigernde und immer gewaltsamer werdende Ringen mit der Sprache jemals zum Ziele führt. Der „Schwulst" ist das stillose Ergebnis dieser Fehlentwicklung, in der ein bereits weithin subjektivistisch bestimmtes Bedürfnis sich mit den Mitteln objektivistischer Ästhetik Genüge zu tun sucht.